D0392462

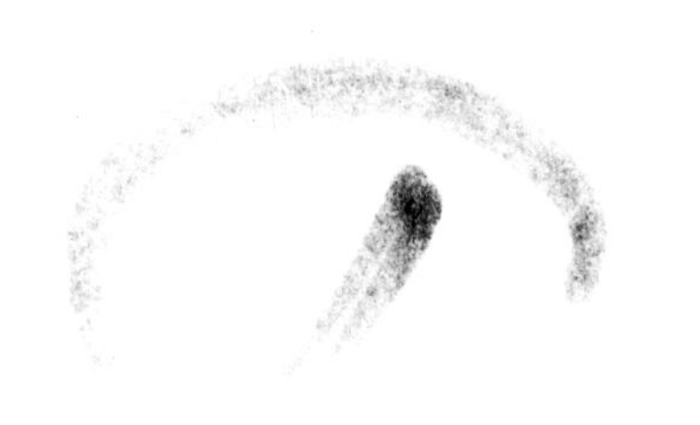

AÑO 2018: TU HORÓSCOPO PERSONAL

Joseph Polansky

Año 2018:
Tu horóscopo personal

Previsiones mes a mes
para cada signo

Kepler

Argentina – Chile – Colombia – España
Estados Unidos – México – Perú – Uruguay – Venezuela

Título original: *Your Personal Horoscope 2018*
Editor original: Aquarium, An Imprint of HarperCollins Publishers
Traducción: Camila Velasco Díaz

ISBN: 978-84-16344-11-6
E-ISBN: 978-84-16990-62-7
Depósito Legal: B-13.979-2017

Fotocomposición: Ediciones Urano, S.A.U.
Impreso por Romanyà-Valls, S.A. – Verdaguer, 1 – 08786 Capellades (Barcelona)

Impreso en España – *Printed in Spain*

Índice

Introducción

He escrito este libro para todas aquellas personas que deseen sacar provecho de los beneficios de la astrología y aprender algo más sobre cómo influye en nuestra vida cotidiana esta ciencia tan vasta, compleja e increíblemente profunda. Espero que después de haberlo leído, comprendas algunas de las posibilidades que ofrece la astrología y sientas ganas de explorar más este fascinante mundo.

Te considero, lector o lectora, mi cliente personal. Por el estudio de tu horóscopo solar me doy cuenta de lo que ocurre en tu vida, de tus sentimientos y aspiraciones, y de los retos con que te enfrentas. Después analizo todos estos temas lo mejor posible. Piensa que lo único que te puede ayudar más que este libro es tener tu propio astrólogo particular.

Escribo como hablaría a un cliente. Así pues, la sección correspondiente a cada signo incluye los rasgos generales, las principales tendencias para el 2018 y unas completas previsiones mes a mes. He hecho todo lo posible por expresarme de un modo sencillo y práctico, y he añadido un glosario de los términos que pueden resultarte desconocidos. Los rasgos generales de cada signo te servirán para comprender tu naturaleza y la de las personas que te rodean. Este conocimiento te ayudará a tener menos prejuicios y a ser más tolerante contigo y con los demás. La primera ley del Universo es que todos debemos ser fieles a nosotros mismos; así pues, las secciones sobre los rasgos generales de cada signo están destinadas a fomentar la autoaceptación y el amor por uno mismo, sin los cuales es muy difícil, por no decir imposible, aceptar y amar a los demás.

Si este libro te sirve para aceptarte más y conocerte mejor, entonces quiere decir que ha cumplido su finalidad. Pero la astrología tiene otras aplicaciones prácticas en la vida cotidiana: nos explica hacia dónde va nuestra vida y la de las personas que nos rodean. Al leer este libro comprenderás que, si bien las corrientes cósmicas no nos obligan, sí nos impulsan en ciertas direcciones. Las secciones «Horóscopo para el año 2018» y «Previsiones mes a mes» están destinadas a orientarte a través de los movimientos e influencias de los planetas, para que te resulte más fácil dirigir tu vida en la dirección deseada y sacar el mejor partido del año que te aguarda. Estas previsiones abarcan orientaciones concretas en los aspectos que más nos interesan a todos: salud, amor, vida familiar, profesión, situación económica y progreso personal. Si en un mes determinado adviertes que un compañero de trabajo, un hijo o tu pareja está más irritable o quisquilloso que de costumbre, verás el porqué cuando leas sus correspondientes previsiones para ese mes. Eso te servirá para ser una persona más tolerante y comprensiva.

Una de las partes más útiles de este libro es la sección sobre los mejores días y los menos favorables que aparece al comienzo de cada previsión mensual. Esa sección te servirá para hacer tus planes y remontar con provecho la corriente cósmica. Si programas tus actividades para los mejores días, es decir, aquellos en que tendrás más fuerza y magnetismo, conseguirás más con menos esfuerzo y aumentarán con creces tus posibilidades de éxito. De igual modo, en los días menos favorables es mejor que evites las reuniones importantes y que no tomes decisiones de peso, ya que en esos días los planetas primordiales de tu horóscopo estarán retrógrados (es decir, retrocediendo en el zodiaco).

En la sección «Principales tendencias» se indican las épocas en que tu vitalidad estará fuerte o débil, o cuando tus relaciones con los compañeros de trabajo o los seres queridos requerirán un esfuerzo mayor por tu parte. En la introducción de los rasgos generales de cada signo, se indican cuáles son sus piedras, colores y aromas, sus necesidades y virtudes y otros elementos importantes. Se puede aumentar la energía y mejorar la creatividad y la sensación general de bienestar de modo creativo, por ejemplo usando los aromas, colores y piedras del propio signo, decorando la casa con esos colores, e incluso visualizándolos alrededor de uno antes de dormirse.

Es mi sincero deseo que *Año 2018: Tu horóscopo personal* mejore tu calidad de vida, te haga las cosas más fáciles, te ilumine el camino, destierre las oscuridades y te sirva para tomar más conciencia de tu conexión con el Universo. Bien entendida y usada con juicio, la astrología es una guía para conocernos a nosotros mismos y comprender mejor a las personas que nos rodean y las circunstancias y situaciones de nuestra vida. Pero ten presente que lo que hagas con ese conocimiento, es decir, el resultado final, depende exclusivamente de ti.

Glosario de términos astrológicos

Ascendente

Tenemos la experiencia del día y la noche debido a que cada 24 horas la Tierra hace una rotación completa sobre su eje. Por ello nos parece que el Sol, la Luna y los planetas salen y se ponen. El zodiaco es un cinturón fijo que rodea la Tierra (imaginario pero muy real en un sentido espiritual). Como la Tierra gira, el observador tiene la impresión de que las constelaciones que dan nombre a los signos del zodiaco aparecen y desaparecen en el horizonte. Durante un periodo de 24 horas, cada signo del zodiaco pasará por el horizonte en un momento u otro. El signo que está en el horizonte en un momento dado se llama ascendente o signo ascendente. El ascendente es el signo que indica la imagen de la persona, cómo es su cuerpo y el concepto que tiene de sí misma: su yo personal, por oposición al yo espiritual, que está indicado por su signo solar.

Aspectos

Los aspectos son las relaciones angulares entre los planetas, el modo como se estimulan o se afectan los unos a los otros. Si dos planetas forman un aspecto (conexión) armonioso, tienden a estimularse de un modo positivo y útil. Si forman un aspecto difícil, se influyen mutuamente de un modo tenso, lo cual provoca alteraciones en la influencia normal de esos planetas.

Casas

Hay doce signos del zodiaco y doce casas o áreas de experiencia. Los doce signos son los tipos de personalidad y las diferentes maneras que tiene de expresarse un determinado planeta. Las casas indican en qué ámbito de la vida tiene lugar esa expresión (véase la lista de más abajo). Una casa puede adquirir fuerza e importancia, y convertirse en una casa poderosa, de distintas maneras: si contiene al Sol, la Luna o el regente de la carta astral, si contiene a más de un planeta, o si el regente de la casa está recibiendo un estímulo excepcional de otros planetas.

Primera casa: cuerpo e imagen personal.
Segunda casa: dinero y posesiones.
Tercera casa: comunicación.
Cuarta casa: hogar, familia y vida doméstica.
Quinta casa: diversión, creatividad, especulaciones y aventuras amorosas.
Sexta casa: salud y trabajo.
Séptima casa: amor, romance, matrimonio y asociaciones.
Octava casa: eliminación, transformación y dinero de otras personas.
Novena casa: viajes, educación, religión y filosofía.
Décima casa: profesión.
Undécima casa: amigos, actividades en grupo y deseos más queridos.
Duodécima casa: sabiduría espiritual y caridad.

Fases de la Luna

Pasada la Luna llena, parece como si este satélite (visto desde la Tierra) se encogiera, disminuyendo poco a poco de tamaño hasta volverse prácticamente invisible a simple vista, en el momento de la Luna nueva. A este periodo se lo llama fase *menguante* o Luna menguante.

Pasada la Luna nueva, nuestro satélite (visto desde la Tierra) va creciendo paulatinamente hasta llegar a su tamaño máximo en el momento de la Luna llena. A este periodo se lo llama fase *creciente* o Luna creciente.

Fuera de límites

Los planetas se mueven por nuestro zodiaco en diversos ángulos en relación al ecuador celeste (si se prolonga el ecuador terrestre hacia el Universo se obtiene el ecuador celeste). El Sol, que es la influencia más dominante y poderosa del sistema solar, es la unidad de medida que se usa en astrología. El Sol nunca se aparta más de aproximadamente 23 grados al norte o al sur del ecuador celeste. Cuando el Sol llega a su máxima distancia al sur del ecuador celeste, es el solsticio de invierno (declinación o descenso) en el hemisferio norte y de verano (elevación o ascenso) en el hemisferio sur; cuando llega a su máxima distancia al norte del ecuador celeste, es el solsticio de verano en el hemisferio norte y de invierno en el hemisferio sur. Si en cualquier momento un planeta sobrepasa esta frontera solar, como sucede de vez en cuando, se dice que está «fuera de límites», es decir, que se ha introducido en territorio ajeno, más allá de los límites marcados por el Sol, que es el regente del sistema solar. En esta situación el planeta adquiere más importancia y su poder aumenta, convirtiéndose en una influencia importante para las previsiones.

Karma

El karma es la ley de causa y efecto que rige todos los fenómenos. La situación en la que nos encontramos se debe al karma, a nuestros actos del pasado. El Universo es un instrumento tan equilibrado que cualquier acto desequilibrado pone inmediatamente en marcha las fuerzas correctoras: el karma.

Modos astrológicos

Según su modo, los doce signos del zodiaco se dividen en tres grupos: *cardinales, fijos* y *mutables.*

El modo *cardinal* es activo e iniciador. Los signos cardinales (Aries, Cáncer, Libra y Capricornio) son buenos para poner en marcha nuevos proyectos.

El modo *fijo* es estable, constante y resistente. Los signos fijos (Tauro, Leo, Escorpio y Acuario) son buenos para continuar las cosas iniciadas.

El modo *mutable* es adaptable, variable y con tendencia a buscar el equilibrio. Los signos mutables (Géminis, Virgo, Sagitario y Piscis) son creativos, aunque no siempre prácticos.

Movimiento directo

Cuando los planetas se mueven hacia delante por el zodiaco, como hacen normalmente, se dice que están «directos».

Movimiento retrógrado

Los planetas se mueven alrededor del Sol a diferentes velocidades. Mercurio y Venus lo hacen mucho más rápido que la Tierra, mientras que Marte, Júpiter, Saturno, Urano, Neptuno y Plutón lo hacen más lentamente. Así, hay periodos durante los cuales desde la Tierra da la impresión de que los planetas retrocedieran. En realidad siempre avanzan, pero desde nuestro punto de vista terrestre parece que fueran hacia atrás por el zodiaco durante cierto tiempo. A esto se lo llama movimiento retrógrado, que tiende a debilitar la influencia normal de los planetas.

Natal

En astrología se usa esta palabra para distinguir las posiciones planetarias que se dieron en el momento del nacimiento (natales) de las posiciones por tránsito (actuales). Por ejemplo, la expresión Sol natal hace alusión a la posición del Sol en el momento del nacimiento de una persona; Sol en tránsito se refiere a la posición actual del Sol en cualquier momento dado, que generalmente no coincide con la del Sol natal.

Planetas lentos

A los planetas que tardan mucho tiempo en pasar por un signo se los llama planetas lentos. Son los siguientes: Júpiter (que permanece alrededor de un año en cada signo), Saturno (dos años y medio), Urano (siete años), Neptuno (catorce años) y Plutón (entre doce y treinta años). Estos planetas indican las tendencias que habrá durante un periodo largo de tiempo en un determinado ámbito de la vida, y son importantes, por lo tanto, en las previsiones a largo plazo. Dado que estos planetas permanecen tanto tiempo en un signo, hay periodos durante el año en que contactan con los planetas rápidos, y estos activan aún más una determinada casa, aumentando su importancia.

Planetas rápidos

Son los planetas que cambian rápidamente de posición: la Luna (que sólo permanece dos días y medio en cada signo), Mercurio (entre veinte y treinta días), el Sol (treinta días), Venus (alrededor de un mes) y Marte (aproximadamente dos meses). Dado que estos planetas pasan tan rápidamente por un signo, sus efectos suelen ser breves. En un horóscopo indican las tendencias inmediatas y cotidianas.

Tránsitos

Con esta palabra se designan los movimientos de los planetas en cualquier momento dado. En astrología se usa la palabra «tránsito» para distinguir un planeta natal de su movimiento actual en los cielos. Por ejemplo, si en el momento de tu nacimiento Saturno estaba en Cáncer en la casa ocho, pero ahora está pasando por la casa tres, se dice que está «en tránsito» por la casa tres. Los tránsitos son una de las principales herramientas con que se trabaja en la previsión de tendencias.

Aries

♈

El Carnero

Nacidos entre el 21 de marzo y el 20 de abril

Rasgos generales

ARIES DE UN VISTAZO

Elemento: Fuego

Planeta regente: Marte
Planeta de la profesión: Saturno
Planeta del amor: Venus
Planeta del dinero: Venus
Planeta del hogar y la vida familiar: la Luna
Planeta de la riqueza y la buena suerte: Júpiter

Colores: Carmín, rojo, escarlata
Colores que favorecen el amor, el romance y la armonía social: Verde, verde jade
Color que favorece la capacidad de ganar dinero: Verde

Piedra: Amatista

Metales: Hierro, acero

Aroma: Madreselva

Modo: Cardinal (= actividad)

Cualidad más necesaria para el equilibrio: Cautela

Virtudes más fuertes: Abundante energía física, valor, sinceridad, independencia, confianza en uno mismo

Necesidad más profunda: Acción

Lo que hay que evitar: Prisa, impetuosidad, exceso de agresividad, temeridad

Signos globalmente más compatibles: Leo, Sagitario

Signos globalmente más incompatibles: Cáncer, Libra, Capricornio

Signo que ofrece más apoyo laboral: Capricornio

Signo que ofrece más apoyo emocional: Cáncer

Signo que ofrece más apoyo económico: Tauro

Mejor signo para el matrimonio y/o las asociaciones: Libra

Signo que más apoya en proyectos creativos: Leo

Mejor signo para pasárselo bien: Leo

Signos que más apoyan espiritualmente: Sagitario, Piscis

Mejor día de la semana: Martes

La personalidad Aries

Aries es el activista por excelencia del zodiaco. Su necesidad de acción es casi una adicción, y probablemente con esta dura palabra la describirían las personas que no comprenden realmente la personalidad ariana. En realidad, la «acción» es la esencia de la psicología de los Aries, y cuanto más directa, contundente y precisa, mejor. Si se piensa bien en ello, este es el carácter ideal para el guerrero, el pionero, el atleta o el directivo.

A los Aries les gusta que se hagan las cosas, y suele ocurrir que en su entusiasmo y celo pierden de vista las consecuencias para ellos mismos y los demás. Sí, ciertamente se esfuerzan por ser diplomáticos y actuar con tacto, pero les resulta difícil. Cuando lo hacen tienen la impresión de no ser sinceros, de actuar con falsedad. Les cuesta incluso comprender la actitud del diplomático, del creador de consenso, de los ejecutivos; todas estas personas se pasan la vida en interminables reuniones, conversaciones y negociaciones, todo lo cual parece una gran pérdida de tiempo cuando hay tanto trabajo por hacer, tantos logros reales por alcanzar. Si se le explica, la persona Aries es capaz de comprender que las conversaciones y negociaciones y la armonía social conducen en último término a acciones mejores y más eficaces. Lo interesante es que un Aries rara vez es una persona de mala voluntad o malévola, ni siquiera cuando está librando una guerra. Los Aries luchan sin sentir odio por sus contrincantes. Para ellos todo es una amistosa diversión, una gran aventura, un juego.

Ante un problema, muchas personas se dicen: «Bueno, veamos de qué se trata; analicemos la situación». Pero un Aries no; un Aries piensa: «Hay que hacer algo; manos a la obra». Evidentemente ninguna de estas dos reacciones es la respuesta adecuada siempre. A veces es necesario actuar, otras veces, pensar. Sin embargo, los Aries tienden a inclinarse hacia el lado de la acción, aunque se equivoquen.

Acción y pensamiento son dos principios totalmente diferentes. La actividad física es el uso de la fuerza bruta. El pensamiento y la reflexión nos exigen no usar la fuerza, estar quietos. No es conveniente que el atleta se detenga a analizar su próximo movimiento, ya que ello sólo reducirá la rapidez de su reacción. El atleta debe actuar instintiva e instantáneamente. Así es como tienden a comportarse en la vida las personas Aries. Son rápidas e instintivas para tomar decisiones, que tienden a traducirse en acciones casi de inmediato. Cuando la intuición es fina y aguda, sus actos son poderosos y eficaces. Cuando les falla la intuición, pueden ser desastrosos.

Pero no vayamos a creer que esto asusta a los Aries. Así como un buen guerrero sabe que en el curso de la batalla es posible que reciba unas cuantas heridas, la persona Aries comprende, en algún profundo rincón de su interior, que siendo fiel a sí misma es posible que incurra en uno o dos desastres. Todo forma parte del juego. Los Aries se sienten lo suficientemente fuertes para capear cualquier tormenta.

Muchos nativos de Aries son intelectuales; pueden ser pensadores profundos y creativos. Pero incluso en este dominio tienden a ser pioneros y francos, sin pelos en la lengua. Este tipo de Aries suele elevar (o sublimar) sus deseos de combate físico con combates intelectuales y mentales. Y ciertamente resulta muy convincente.

En general, los Aries tienen una fe en sí mismos de la que deberíamos aprender los demás. Esta fe básica y sólida les permite superar las situaciones más tumultuosas de la vida. Su valor y su confianza en sí mismos hacen de ellos líderes naturales. Su liderazgo funciona más en el sentido de dar ejemplo que de controlar realmente a los demás.

Situación económica

Los Aries suelen destacar en el campo de la construcción y como agentes de la propiedad inmobiliaria. Para ellos el dinero es menos importante de por sí que otras cosas, como por ejemplo la acción, la aventura, el deporte, etc. Sienten la necesidad de apoyar a sus socios y colaboradores y de gozar de su aprecio y buena opinión. El dinero en cuanto medio para obtener placer es otra importante motivación. Aries funciona mejor teniendo su propio negocio, o como directivo o jefe de departamento en una gran empresa. Cuantas menos órdenes reciba de un superior, mucho mejor. También trabaja más a gusto al aire libre que detrás de un escritorio.

Los Aries son muy trabajadores y poseen muchísimo aguante; pueden ganar grandes sumas de dinero gracias a la fuerza de su pura energía física.

Venus es su planeta del dinero, lo cual significa que necesitan cultivar más las habilidades sociales para convertir en realidad todo su potencial adquisitivo. Limitarse a hacer el trabajo, que es en lo que destacan los Aries, no es suficiente para tener éxito económico. Para conseguirlo necesitan la colaboración de los demás: sus clientes y colaboradores han de sentirse cómodos y a gusto. Para tener éxito, es necesario tratar debidamente a muchas personas. Cuando los Aries desarrollan estas capacidades, o contratan a alguien que se encargue de esa parte del trabajo, su potencial de éxito económico es ilimitado.

Profesión e imagen pública

Se podría pensar que una personalidad pionera va a romper con las convenciones sociales y políticas de la sociedad, pero este no es el caso de los nacidos en Aries. Son pioneros dentro de los marcos convencionales, en el sentido de que prefieren iniciar sus propias empresas o actividades en el seno de una industria ya establecida que trabajar para otra persona.

En el horóscopo solar de los Aries, Capricornio está en la cúspide de la casa diez, la de la profesión, y por lo tanto Saturno es el planeta que rige su vida laboral y sus aspiraciones profesionales. Esto nos dice algunas cosas interesantes acerca del carácter ariano. En primer lugar nos dice que para que los Aries conviertan en realidad todo su potencial profesional es necesario que cultiven algunas cualidades que son algo ajenas a su naturaleza básica. Deben ser mejores administradores y organizadores. Han de ser capaces de manejar mejor los detalles y de adoptar una perspectiva a largo plazo de sus proyectos y de su profesión en general. Nadie puede derrotar a un Aries cuando se trata de objetivos a corto plazo, pero una carrera profesional es un objetivo a largo plazo, que se construye a lo largo del tiempo. No se puede abordar con prisas ni «a lo loco».

A algunos nativos de Aries les cuesta mucho perseverar en un proyecto hasta el final. Dado que se aburren con rapidez y están continuamente tras nuevas aventuras, prefieren pasarle a otra persona el proyecto que ellos han iniciado para emprender algo nuevo. Los Aries que aprendan a postergar la búsqueda de algo nuevo hasta haber terminado lo viejo, conseguirán un gran éxito en su trabajo y en su vida profesional.

En general, a las personas Aries les gusta que la sociedad las juzgue por sus propios méritos, por sus verdaderos logros. Una reputación basada en exageraciones o propaganda les parece falsa.

Amor y relaciones

Tanto para el matrimonio como para otro tipo de asociaciones, a los Aries les gustan las personas pasivas, amables, discretas y diplomáticas, que tengan las habilidades y cualidades sociales de las que ellos suelen carecer. Nuestra pareja y nuestros socios siempre representan una parte oculta de nosotros mismos, un yo que no podemos expresar personalmente.

Hombre o mujer, la persona Aries suele abordar agresivamente lo que le gusta. Su tendencia es lanzarse a relaciones y matrimonios. Esto es particularmente así si además del Sol tiene a Venus en su signo. Cuando a Aries le gusta alguien, le costará muchísimo aceptar un no y multiplicará los esfuerzos para vencer su resistencia.

Si bien la persona Aries puede ser exasperante en las relaciones, sobre todo cuando su pareja no la comprende, jamás será cruel ni rencorosa de un modo consciente y premeditado. Simplemente es tan independiente y está tan segura de sí misma que le resulta casi imposible comprender el punto de vista o la posición de otra persona. A eso se debe que Aries necesite tener de pareja o socio a alguien que tenga muy buena disposición social.

En el lado positivo, los Aries son sinceros, personas en quienes uno se puede apoyar y con quienes siempre se sabe qué terreno se pisa. Lo que les falta de diplomacia lo compensan con integridad.

Hogar y vida familiar

Desde luego, el Aries es quien manda en casa, es el Jefe. Si es hombre, tenderá a delegar los asuntos domésticos en su mujer. Si es mujer, querrá ser ella quien lleve la batuta. Tanto los hombres como las mujeres Aries suelen manejar bien los asuntos domésticos, les gustan las familias numerosas y creen en la santidad e importancia de la familia. Un Aries es un buen miembro de la familia, aunque no le gusta especialmente estar en casa y prefiere vagabundear un poco.

Para ser de naturaleza tan combativa y voluntariosa, los Aries saben ser sorprendentemente dulces, amables e incluso vulnerables con su pareja y sus hijos. En la cúspide de su cuarta casa solar, la del hogar y la familia, está el signo de Cáncer, regido por la Luna. Si en su carta natal la Luna está bien aspectada, es decir, bajo influencias favorables, la persona Aries será afectuosa con su familia y deseará tener una vida familiar que la apoye y la nutra afectivamente. Tanto a la mujer como al hombre Aries le gusta llegar a casa después de un arduo día en el campo de batalla de la vida y encontrar los brazos comprensivos de su pareja, y el amor y el apoyo incondicionales de su familia. Los Aries piensan que fuera, en el mundo, ya hay suficiente «guerra», en la cual les gusta participar, pero cuando llegan a casa, prefieren la comodidad y el cariño.

Horóscopo para el año 2018*

Principales tendencias

Este año cambian de signo algunos planetas lentos; esto contribuirá a que no te quedes estancado en tus actitudes y maneras de ser. Saturno cambió de signo a fines del año pasado; es posible que aún no hayas sentido esto, en especial si naciste en el último periodo de tu signo (1 al 20 de abril); lo sentirás más el próximo año; Saturno está ahora en Capricornio, tu décima casa, y continuará en ella los próximos años. Este es, entonces, un año fuerte en lo profesional; es el tipo de año en que triunfas por puro mérito, por ningún otro motivo. Procura, por lo tanto, esforzarte por la excelencia en todo lo que haces. Volveremos a tocar este tema.

El otro titular importante es la salida de Urano de tu signo, en el que ha estado estos siete años pasados, para entrar en Tauro. Pero este cambio no es completo todavía, sino sólo una campanada de aviso, un anuncio de cosas por venir. Después de siete años de redefinirte y experimentar con tu imagen, parece que te estableces en algo que te da resultados. Has aprendido a sobrellevar los cambios personales repentinos. Ahora vas a aprender a arreglártelas con los cambios financieros repentinos. La vida financiera se vuelve muy emocionante, muy aventurera, tal como a ti te gusta. También comienza a estabilizarse tu vida amorosa. Más adelante volveremos a esta faceta.

Júpiter está en Escorpio, tu octava casa, desde el 11 de octubre del año pasado, y continuará ahí hasta el 8 de noviembre de este año. Esto indica prosperidad para el cónyuge, pareja o ser amado actual. A veces indica herencia, pero es de esperar que nadie tenga que morir. Indica buena suerte en los asuntos de impuestos y propiedades, y la capacidad para pagar deudas. Además, favorece los proyectos relativos a transformación personal. Según cual sea tu edad, indica un año sexualmente activo. Volveremos a este tema.

---

* Las previsiones de este libro se basan en el Horóscopo Solar y todos los signos que derivan de él; tu Signo Solar se convierte en el Ascendente, y las casas se numeran a partir de él. Tu horóscopo personal, el trazado concretamente para ti (según la fecha, hora y lugar exactos de tu nacimiento) podrían modificar lo que decimos aquí. Joseph Polansky

Hacia finales de año, el 8 de noviembre, Júpiter entra en Sagitario y en un aspecto hermoso contigo. Trae más viajes, más dinero y más optimismo. Trae buenas nuevas en el caso de que solicites la entrada en la universidad o instituto superior, y si ya estás estudiando en uno de estos establecimientos, trae éxito en los estudios. Pero antes tienes que hacer lo debido trabajando arduo y aspirando a la excelencia.

Neptuno lleva varios años en tu casa doce, la de la espiritualidad, y continuará en ella muchos años más. Por lo tanto la vida espiritual es importante y va en aumento. Si estás en un camino espiritual verás mucho progreso este año pues Júpiter en Escorpio forma aspectos muy buenos a Neptuno.

Este año hacen movimiento retrógrado dos planetas importantes en tu carta, Marte, el señor de tu horóscopo, y Venus, tu planeta del dinero y del amor. Esto no ocurre cada año; a diferencia de la mayoría de los demás planetas, estos sólo hacen movimiento retrógrado cada dos años. Por lo tanto, estos movimientos retrógrados te afectan; Marte estará retrógrado desde el 26 de junio al 27 de agosto, y Venus desde el 5 de octubre al 16 de noviembre. Los periodos de movimiento retrógrado son buenos para hacer revisión, no para actuar. De estos periodos trataremos más a fondo en las previsiones mes a mes.

Los principales intereses para ti este año son: el cuerpo y la imagen (del 1 de enero al 16 de mayo y del 6 de noviembre al 31 de diciembre); las finanzas (del 16 de mayo al 6 de noviembre); la sexualidad, los estudios ocultos, la transformación y reinvención personales (hasta el 8 de noviembre); viajes al extranjero, la educación superior, la teología y la filosofía (a partir del 8 de noviembre); la profesión; la espiritualidad.

Los caminos hacia tu mayor realización o satisfacción este año son: la transformación y reinvención personales (hasta el 8 de noviembre); viajes al extranjero, la educación superior, la religión, la filosofía y la teología (a partir del 8 de noviembre); los hijos, la diversión y la creatividad (del 1 de enero al 17 de noviembre); el hogar y la familia (a partir del 17 de noviembre).

Salud

(Ten en cuenta que esta es una perspectiva astrológica de la salud, no una médica. Antaño no había ninguna diferencia, ambas eran idénticas, pero en esta época podrían diferir muchísimo. Para una perspectiva médica, por favor, consulta a tu médico o a otro profesional de la salud.)

Si bien la salida de Urano de tu signo es un aspecto bueno para la salud, tienes a dos pesos pesados cósmicos en aspectos desfavorables, Saturno y Plutón. Es necesario, pues, que estés muy atento a la salud; debes prestarle más atención, aun cuando no te apetezca; la sexta casa vacía sugiere que no le prestas bastante atención.

Dos planetas lentos en alineación desfavorable no bastan para causar enfermedad, aunque si ya tienes alguna enfermedad podrían activarla. Estarás más vulnerable cuando los planetas rápidos se unan a estos en aspectos desfavorables; así pues, los periodos en que debes estar más atento a la salud son del 1 al 20 de enero; del 21 de junio al 22 de agosto; del 22 de septiembre al 23 de octubre, y del 21 al 31 de diciembre. Procura descansar y relajarte todo lo posible durante estos periodos. Si te lo puedes permitir, pasa más tiempo en un balneario de salud o programa más masajes. Deja estar las frivolidades (que te gastan energía) y centra la atención en las cosas esenciales.

Como saben nuestros lectores, es mucho lo que se puede hacer para fortalecer la salud y prevenir problemas. Da más atención a las siguientes zonas, que son las vulnerables en tu carta:

El corazón. Son recomendables sesiones de reflexología para trabajar los puntos del corazón; el corazón se ha vuelto importante estos últimos años y este año continúa siéndolo. Cultiva una sana fe; muchos terapeutas espirituales afirman que la preocupación es la causa principal de los problemas cardiacos. Reemplaza la preocupación por la fe.

La cabeza, la cara y el cuero cabelludo. Estas zonas son siempre importantes para Aries. Masajes periódicos en el cuero cabelludo y la cara no sólo fortalecerán estas zonas sino también todo el cuerpo; hay puntos reflejos y meridianos que discurren por todo el cuerpo.

La musculatura. No hace falta ser un Arnold Shwarzenegger para tener un buen tono muscular. Unos músculos débiles o flojos pueden desalinear la columna o el esqueleto, y esto sería causa de todo tipo de otros problemas; los que suelen diagnosticarse como problemas de la «espalda» son en realidad problemas musculares. Es aconsejable el ejercicio vigoroso, de acuerdo a la fase en que estés en tu vida.

Las suprarrenales. Estas glándulas también son siempre importantes para Aries. Te irán bien sesiones de reflexología. Más importante aún, aprende a controlar la rabia y el miedo, las dos emociones que dan excesivo trabajo a las suprarrenales y las agotan.

El intestino delgado. Esta es otra zona siempre importante para Aries. Se aconsejan sesiones de reflexología.

Mercurio es tu planeta de la salud, como saben nuestros lectores. Es un planeta de movimiento rápido y, muchas veces, irregular. A veces avanza muy rápido, a veces avanza lento, y a veces retrocede. No es casualidad que se le atribuyan la flexibilidad y la mutabilidad. Tu programa de salud debe incorporar este tipo de flexibilidad.

Dado que Mercurio avanza tan rápido, en un año transita por todos los signos y casas del horóscopo. Así pues, en la salud hay muchas tendencias de corto plazo que dependen de dónde está Mercurio y de los aspectos que recibe. Estas tendencias es mejor tratarlas en las previsiones mes a mes.

Este año Mercurio hace movimiento retrógrado tres veces: del 23 de marzo al 15 de abril; del 26 de julio al 19 de agosto, y del 17 de noviembre al 6 de diciembre. Durante estos periodos evita hacer cambios importantes en tu dieta y en tu programa de salud; son necesarios más reflexión y estudio.

Hogar y vida familiar

Tu casa del hogar y la familia no está especialmente fuerte este año, Aries; la profesión se ve mucho más importante que los asuntos familiares y domésticos. Tu cuarta casa está prácticamente vacía; sólo transitan por ella los planetas rápidos, y por corto tiempo. En general, esto indica que las cosas continúan como están, sin novedades ni cambios. Al parecer estás más o menos satisfecho con la situación familiar y doméstica y no tienes ninguna necesidad urgente de hacer cambios importantes. Esto es buena señal.

De todos modos habrá cambios y trastornos, pero más o menos reaccionarás a ellos, no iniciarás nada nuevo. En primer lugar, este año hay tres eclipses solares, lo que es bastante excepcional, pues generalmente sólo hay dos. Esto indica dramas, circunstancias de aquellas que cambian la vida, en la vida de hijos o figuras filiales. También afecta a las finanzas de la familia en general y en especial las de uno de los padres o figuras parentales.

Uno de estos eclipses solares, el del 13 de julio, ocurre en tu cuarta casa y afecta fuertemente a la familia. Vas a necesitar más paciencia con los familiares pues las emociones estarán exaltadas.

Los dos eclipses lunares también hacen impacto en el hogar y la familia, y de ellos hablaremos con más detalle en las previsiones mes a mes.

Los padres y figuras parentales tienen un año sin novedades en su vida doméstica y familiar; lo mismo podemos decir de los hermanos y figuras fraternas. De los hijos, en cambio, es posible que alguno se mude de casa, y la mudanza se ve feliz. Si un progenitor o figura parental tiene alguna enfermedad o problema de salud, hay buenas noticias al respecto hacia fin de año. Si no hay problema de salud, este progenitor tiene felices oportunidades de trabajo. Los nietos que están en edad prosperan este año, en especial después de noviembre, y es posible que haya muchas mudanzas; esto ha ocurrido así desde hace algunos años; se les ve muy inestables e inquietos.

Los hijos o nietos que están en edad (o las personas que tienen este papel en tu vida) se ven más fértiles que de costumbre.

Este no es un año especialmente bueno para hacer obras importantes de reparación o remodelación en la casa. Pero si tienes planes para embellecerla, el mejor periodo es del 19 de mayo al 23 de julio.

Uno de los progenitores o figuras parentales de tu vida se siente mayor que la edad que tiene y parece muy pesimista; todo lo ve negro. Necesita alegrarse un poco; parece que ha asumido más responsabilidades, y esto podría ser la causa.

Profesión y situación económica

Este año se inicia una nueva era financiera en tu vida. Ahora sólo está en el comienzo, pero continuará durante al menos siete años más. La vida financiera va a ser muy, muy emocionante, aventurera, tal como a ti te gustan las cosas.

El 16 de mayo Urano hace un tránsito importante: entra en tu casa del dinero, y estará en ella hasta el 8 de noviembre. Esto va a producir muchos cambios espectaculares en tus finanzas: cambios en las inversiones, las estrategias y en tus planteamientos o criterio. Si te has sentido insatisfecho con el modo como iban tus finanzas, tienes que permitir que Urano trastorne un poco las cosas, para que se eliminen los obstáculos. Su objetivo es darte «libertad financiera» pero esto no puede ocurrir si estás estancado en viejas actitudes.

En general tiendes a correr riesgos. La naturaleza Aries va de superar el miedo y desarrollar valor; ahora esto va a ser más pronunciado aún. ¿Y qué si algunas cosas no resultan como las habías planeado?; mientras mantengas tu actitud valiente, has ganado. Siempre hay un mañana.

Se tiran a la basura (ahora y en el futuro) los viejos libros sobre el juego financiero, los libros de reglas, el conjunto de sabiduría acumulada de los sabios. Vas a enterarte de lo que te resulta mediante ensayo, error y experimento. Vas a explorar nuevos caminos. Algunos, como hemos dicho, no darán resultados, pero otros sí. Vas a obtener todo tipo de percepciones profundas sobre la riqueza, las que no están escritas en ningún libro. Vale la pena tener estos conocimientos.

Urano en la casa del dinero sugiere ganancias procedentes del sector de alta tecnología, sector inmenso. Favorece las actividades por Internet y de las tecnologías de vanguardia (algunas todavía no inventadas). También es probable que gastes más en tecnología, y esto parece ser una buena inversión.

Urano favorece a las empresas principiantes, en especial del campo de la alta tecnología. Esto es interesante, ya sea como trabajo, inversiones o empresas de negocios.

Cuando Urano está involucrado en las finanzas puede ocurrir cualquier cosa en cualquier momento. Las oportunidades pueden presentarse en los momentos más insólitos, cuando menos las esperas. Los ingresos podrían ser más irregulares también. Las alturas podrían sobrepasar tus sueños más locos, pero también las bajuras podrían ser ultrabajas. Buena idea sería reservar dinero de los tiempos de ingresos altos para los tiempos de ingresos bajos; los altibajos financieros podrían ser muy extremos. Has de aprender a no tener miedo ni a los altos ni a los bajos. No debes esperar nada, pero sí estar preparado para cualquier cosa.

Como hemos dicho, la profesión es muy importante este año. Ha sido importante desde hace varios años, pero ahora lo es más aún. La causa es la entrada de Saturno en tu décima casa el 21 de diciembre del año pasado. Esto indica que asumes más responsabilidades, factor que siempre inspira seriedad. Saturno te va a presionar, pero no con presión punitiva, sino con una destinada a educarte y organizarte. Así presionada la persona se ve obligada a desplegar sus capacidades, hasta encontrar la mejor y más eficaz manera de hacer algo, de dar lo mejor de sí. Cuando Saturno haya acabado su trabajo contigo, dentro de dos años, descubrirás que eres capaz de hacer muchísimo más de lo que habrías creído.

Esta presión se puede manifestar de diferentes maneras. Podrías tener un jefe o clientes muy exigentes; satisfacerlos es difícil, un verdadero desafío.

Saturno en tu décima casa indica la necesidad de más habilidades en administración. Una buena administración te capacitará para llevar todo esto. Es posible que te coloquen en un puesto administrativo.

Como hemos dicho, este año va de triunfar por puro mérito, no por ningún otro motivo. Va de dar lo mejor en lo que haces, sin recurrir a trucos ni atajos. Verás los resultados positivos de este método en los dos próximos años, cuando comiences a alcanzar nuevas alturas profesionales.

Amor y vida social

El año pasado fue fabuloso en la vida amorosa y social. Es posible que te hayas casado o conocido a una persona especial. Este año pareces más o menos satisfecho con las cosas como están; tu séptima casa, la del amor, no es casa de poder. Si estás en una relación, lo más probable es que continúes en ella. Si no lo estás, lo más probable es que continúes así. No hay ninguna presión cósmica para hacer cambios drásticos.

En general, la salida de Urano de tu signo es positiva para el amor; te considerarán menos rebelde y más estable. Muchos de tus deseos de libertad en el amor se han saciado en los siete años pasados; como diríamos, «han salido de tu organismo». Estás más dispuesto a establecerte.

Venus es tu planeta del amor; es bueno tenerlo, el amor es su dominio natural. Y es un planeta rápido, en un año transita por todos los signos y casas del horóscopo. Por lo tanto, las oportunidades amorosas pueden presentarse de muchas maneras y a través de muchas personas, según donde esté Venus y los aspectos que reciba. Estas tendencias de corto plazo es mejor tratarlas en las previsiones mes a mes.

Este año Venus hace movimiento retrógrado (el que hace cada dos años), y este será del 5 de octubre al 16 de noviembre. No te aflijas mucho si en ese periodo tu relación actual parece retroceder en lugar de avanzar, o parece incierta, vacilante. Es un periodo para hacer revisión de la vida amorosa y hacer planes de mejoras para el futuro. Cuando Venus retome el movimiento directo puedes actuar según esos planes (esto vale también para los asuntos financieros).

Si estás considerando la posibilidad de un segundo matrimonio, tendrás oportunidades maravillosas hacia fin de año, a partir del 8 de noviembre; se presenta algo serio. Si estás pensando en un tercer matrimonio tendrás oportunidades con personas relacionadas con tus finanzas; la riqueza parece ser un importante excitante romántico. En el caso de que aspires a un cuarto matrimonio, tienes un año sin novedades ni cambios en esta faceta.

Del 16 de mayo al 6 de noviembre podría presentarse la oportunidad de formar una sociedad de negocios.

Este año pasan por pruebas los matrimonios de hijos o figuras filiales; esto también vale para las relaciones serias; tienen dos eclipses en su casa del matrimonio.

A partir del 8 de noviembre se ve amor para hermanos o figuras fraternas.

Los nietos (si los tienes) tienen un año social sin novedades ni cambios.

Progreso personal

Neptuno, el más espiritual de los planetas, y tu planeta de la espiritualidad, lleva unos años en Piscis y continuará ahí varios años más. En su signo y casa Neptuno es mucho más fuerte que lo habitual, por lo tanto, tus anhelos espirituales, tu idealismo, son mucho más intensos en este periodo. Júpiter le forma aspectos muy hermosos a Neptuno casi todo el año, hasta el 8 de noviembre. Por lo tanto hay muchísimo crecimiento espiritual; la vida onírica es más activa; las facultades de percepción extrasensorial son más fuertes; vas a experimentar todo tipo de «sincronismos» (coincidencias significativas). Sería tentador dejar de lado al mundo y centrar la atención solamente en asuntos espirituales, pero el poder que hay en tu décima casa (y en especial Saturno que está en ella) te obliga a ser más «mundano»; como sea, tienes que ser práctico e idealista al mismo tiempo, casar estos dos anhelos, de forma que colaboren entre sí. Te servirá muchísimo tener la actitud correcta hacia la espiritualidad; cuando se entiende correctamente es lo más práctico que puede hacer una persona; lleva a resultados prácticos mensurables (muchas veces indirectamente).

Hace poco oí a un locutor de radio preguntar en broma: «¿Puede la oración rellenar baches?», invitando a los oyentes a llamar para comentarlo. La mayoría dijeron no. Pero esto sólo demuestra falta de entendimiento. Puede que la oración no rellene directamente un bache (aunque podría), pero ciertamente lo rellena indirectamente, creando las condiciones y circunstancias para que se rellene de modo natural.

Así pues, el Cosmos te llama a aprender a hacer práctico el poder espiritual en tus asuntos mundanos.

Teniendo a Urano en tu signo los siete años pasados has tenido que vértelas con asuntos de «identidad». Esto es más importante que la psicología; muchos de los que se consideran problemas psíquicos o psicológicos son en realidad problemas de «mala identificación». Corrige la perspectiva sobre la identidad y se acaba el problema psíquico. Ahora, pasados esos siete años, esto ya lo entiendes. En este y los próximos siete años las lecciones serán financieras. Vas a aprender a sentirte cómodo con los cambios y la inseguridad financieros, a tomártelo con calma y despreocupación, a hacer que esos cambios te beneficien. Tendrás muchísimo tiempo para aprender estas lecciones, pero te irá bien comenzar ya.

Como hemos dicho, Júpiter pasa la mayor parte del año en tu octava casa; esto favorece tu trabajo en reinventarte y dar a luz a la persona que deseas ser: tu yo ideal. Este trabajo podría ser difícil, pero cuentas con el respaldo del Cosmos. Para tener más debes «ser» más.

Previsiones mes a mes

Enero

Mejores días en general: 3, 4, 12, 13, 14, 22, 23, 31
Días menos favorables en general: 1, 2, 8, 9, 15, 16, 29, 30
Mejores días para el amor: 5, 6, 8, 9, 15, 16, 27, 28
Mejores días para el dinero: 5, 6, 15, 16, 25, 26, 27, 28
Mejores días para la profesión: 5, 15, 16, 25

Comienzas el año con el 90 por ciento de los planetas sobre el horizonte de tu carta y una décima casa supercargada. Todo el año será fuerte en la profesión, pero ahora estás en el mes más fuerte de un año fuerte. Este mes casi toda la acción está en tu décima casa, la de la profesión. ¿El mensaje? Centra la atención en tu profesión, llévala bien, y todo lo demás irá bien.

Nota: la mitad inferior de tu carta se hará fuerte dentro de cuatro o cinco meses, pero nunca dominará del todo. Este es un año para centrar la atención en tus objetivos externos.

Trabajas mucho. Tienes éxito pero te lo ganas a la manera dura: con mucho trabajo y verdadero mérito. Sí, las conexiones sociales son útiles este mes, en especial hasta el 18, pero sólo pueden abrir puertas; tú tienes que hacer el trabajo, producir. Por lo tanto, debes estar atento a tu salud; no estás en el mejor periodo para la salud. Hasta el 11 da más atención al hígado y los muslos; después da más atención a la espalda, las rodillas, la dentadura y los huesos; masajes periódicos en los muslos fortalecerá la parte inferior de la espalda. Lo más importante, como siempre, es descansar lo suficiente. La salud mejora después del 20 pero de todos modos sigues necesitando atención.

Marte, el señor de tu horóscopo, pasa la mayor parte del mes en tu octava casa. Este es un periodo fabuloso para bajar de peso y para todo tipo de regímenes de desintoxicación. Del 4 al 9 Marte viaja con Júpiter; este es un tránsito muy feliz; trae expansión financiera y tal vez un viaje al extranjero. Si eres mujer en edad de concebir eres mucho más fértil estos días.

El 31 hay un eclipse lunar, que ocurre en tu quinta casa y afecta a la familia y a los hijos. Hay cambios importantes en la vida de hijos y figuras filiales. Los familiares podrían estar más temperamentales, ten más paciencia con ellos. También podría ser necesario hacer reparaciones en la casa. Este eclipse toca por un lado a Venus, tu planeta del amor y del dinero; no es un impacto sino más bien un «roce». Esto suele indicar cambios financieros importantes (tal vez sustos) y la necesidad de tomar medidas correctivas en el amor y en las finanzas.

Febrero

Mejores días en general: 9, 10, 19, 27, 28
Días menos favorables en general: 4, 5, 11, 12, 25, 26
Mejores días para el amor: 4, 5, 16, 25, 26
Mejores días para el dinero: 4, 5, 6, 7, 16, 17, 21, 22, 25, 26
Mejores días para la profesión: 2, 11, 12, 21

El 15 hay un eclipse solar que se ve potente. No sólo es eclipsado el Sol sino también Mercurio y Júpiter. Marte en tu novena casa todo el mes indica deseos de viajar (y es posible que tengas que hacerlo) pero un viaje no es muy aconsejable en este periodo. Además del eclipse, tu planeta de los viajes, Júpiter, recibe aspectos desfavorables. Si no es necesario, no viajes. Si es necesario evita hacerlo durante el periodo del eclipse y programa más tiempo tanto para la ida como para la vuelta.

Este eclipse solar ocurre en tu casa once, la de las amistades, por lo tanto estas pasan por pruebas; muchas veces no se trata de que haya defecto en la relación de amistad, sino que se deben a dramas que ocurren en la vida de personas amigas. Pasan por pruebas las relaciones amorosas de hijos o figuras filiales que están en edad; algún hijo soltero podría decidir casarse dentro de los seis próximos meses. Conduce más a la defensiva durante este periodo. El equipo de comunicación y aparatos de alta tecnología estarán más temperamentales; podría ser necesario reparar o reemplazar alguno. Comprueba que tus programas antivirus y antipiratería están actualizados y que tienes copia de seguridad de todos los documentos importantes. La tecnología es maravillosa, un sueño, cuando funciona como es debido, pero cuando no, ay, es horroroso; es como si se detuviera la vida.

La salud y la energía están mejor que el mes pasado, pero el eclipse podría ser causa de un susto o de la necesidad de hacer un cambio en tu programa de salud, uno importante. La situación laboral es inestable durante un tiempo.

El amor y el dinero van bien hasta el 11; después tienes que trabajar más arduo por tus ingresos; tal vez no te gusta lo que tienes que hacer para ganar dinero; no lo disfrutas; es como si no soportaras la molestia. Si pones el trabajo extra deberías prosperar; a partir del 11 Venus estará en su posición más poderosa, en Piscis; esto indica fuerte poder adquisitivo y magnetismo social. La intuición financiera es importante y, afortunadamente, se ve fuerte.

A partir del 11 el amor se presenta en lugares espirituales; el amor es idealista y tierno. Es probable que el ser amado y las personas con que te encuentres estén más sensibles, se sientan heridas con mucha facilidad, así que ten cuidado con tu lenguaje corporal y tono de voz.

Marzo

Mejores días en general: 8, 9, 18, 19, 26, 27
Días menos favorables en general: 3, 4, 10, 11, 12, 24, 25, 31

Mejores días para el amor: 3, 4, 8, 18, 19, 26, 27, 31
Mejores días para el dinero: 6, 7, 8, 15, 16, 17, 18, 19, 20, 21, 24, 25, 26, 27
Mejores días para la profesión: 1, 10, 11, 12, 20, 29

La primavera es la estación de los comienzos. En sentido astrológico es el mejor periodo del año para iniciar nuevos proyectos o lanzar nuevos productos al mercado. Este año es mejor que lo habitual. El impulso planetario es abrumadoramente de avance; del 20 (primer día de primavera) al 23, el 90 por ciento de los planetas están en movimiento directo, de modo que estos tres días son los mejores para iniciar un nuevo proyecto; la Luna está en fase creciente entonces, otro punto favorable. De todos modos, si no puedes hacerlo en esos días, del 20 al 29 también son buenos; el 80 por ciento de los planetas estarán en movimiento directo.

La profesión continúa activa, en especial después del 17, pero el mes es principalmente espiritual; es el periodo para el crecimiento interior; es bueno para hacer meditación, estudios espirituales y actividades benéficas. Es bueno para alimentar el «yo interior». Si estás en el camino habrá avance espiritual, harás progreso.

Este mes también se ve muy próspero. Venus, tu planeta del dinero, cruza tu ascendente y entra en tu primera casa el 6. Esto trae beneficios financieros imprevistos y felices oportunidades. Te ves rico en este periodo; das esa imagen; la gente te ve así. Es una sensación maravillosa ser perseguido por el dinero y no al revés.

El amor también es feliz. Venus cumple dos deberes en tu horóscopo; es tu planeta del amor y del dinero. Por lo tanto, igual que el dinero, el amor te persigue. El cónyuge, pareja o ser amado actual es más atento e intenta complacerte; esta persona está absolutamente de tu lado.

El 17 Marte cruza tu medio cielo y entra en tu décima casa; esto indica éxito profesional para ti. Estás por encima de todas las personas de tu mundo; se te reconoce por lo que eres y por tus consecuciones; se te admira y respeta.

Este mes es muy ajetreado, frenético, de ritmo rápido, en especial después del 20. Afortunadamente, tienes la energía para sobrellevarlo. Hasta el 6 puedes fortalecer más la salud con masajes en los pies y técnicas curativas espirituales; después te irán bien masajes en el cuero cabelludo y ejercicio físico.

Abril

Mejores días en general: 4, 5, 6, 14, 15, 23, 24
Días menos favorables en general: 1, 7, 8, 21, 22, 27, 28
Mejores días para el amor: 1, 7, 8, 16, 17, 27, 28
Mejores días para el dinero: 2, 3, 7, 8, 12, 13, 16, 17, 21, 22, 27, 29, 30
Mejores días para la profesión: 7, 8, 16, 25

El 20 del mes pasado el poder planetario estaba en su posición más oriental, y tú en tu periodo más independiente. Esto continúa este mes. Teniendo tan fuerte tu primera casa tienes la vida a tu manera, haces tu voluntad (sólo te limitan las responsabilidades profesionales). Si hay necesidad de hacer cambios, si no te gustan las condiciones, pues, cámbialas, hazlas felices; tienes el poder para hacerlo. Más avanzado el año será más difícil.

El mes pasado también entraste en tu cima de placer personal anual, la que continúa hasta el 20 de este mes. Este es un periodo para explorar y experimentar todos los placeres del cuerpo; es fabuloso para poner en forma el cuerpo y la imagen, como deseas que sean. Este año la cima del placer personal es diferente a la de años pasados. Sí, deseas divertirte y complacer al cuerpo, pero también deseas triunfar en el mundo. La profesión y los deseos amorosos tiran de ti en diferentes sentidos. Con un poco de creatividad puedes satisfacer ambas cosas; en cuanto a cómo hacerlo no hay ninguna regla; cada persona encuentra su solución.

El mes pasado el poder planetario comenzó a trasladarse a la mitad inferior de tu carta; esta mitad (el lado noche) está todo lo fuerte que estará este año; están ahí el 40 por ciento de los planetas (y a veces el 50 por ciento); la mitad superior continúa muy dominante. Así pues, debes seguir centrando la atención en la profesión, pero puedes dedicar algo más de tiempo al hogar, la familia y a tu bienestar emocional; esto no es una gran prioridad este año, pero no lo puedes desatender del todo. Las personas a veces necesitan dormir menos que otras veces, pero de todos modos necesitan dormir «algo».

Este mes es próspero también. El 20 el Sol entra en tu casa del dinero y continúa en ella el resto del mes. Estás en un periodo de ingresos cumbres. Hay suerte en las especulaciones (aunque, por favor, no apuestes con el dinero para el alquiler o la comida) y ganas el dinero de modos felices. Disfrutas de tu riqueza. Los hijos, según sea su edad y fase en la vida, o te ayudan de forma material o te inspiran para ganar más. Venus en tu casa del dinero hasta el 24 es otra buena señal financiera. El juicio financiero es bueno, conservador (aunque guárdate de gastar en exceso los días 17 y 18).

Si estás soltero o soltera encuentras oportunidades amorosas cuando estás atendiendo a tus objetivos financieros y tal vez con personas relacionadas con tus finanzas.

Mayo

Mejores días en general: 2, 3, 11, 12, 13, 20, 21, 29, 30
Días menos favorables en general: 4, 5, 18, 19, 24, 25, 31
Mejores días para el amor: 7, 8, 17, 24, 25, 26
Mejores días para el dinero: 7, 8, 9, 10, 14, 15, 17, 18, 19, 26, 27
Mejores días para la profesión: 4, 5, 14, 22, 31

Venus está «fuera de límites» la mayor parte del mes, del 6 al 31. Esto indica que en las finanzas y en el amor sales de tu esfera normal, actúas fuera de tu barrio. Sales de lo convencional y te abres a ideas nuevas, lo cual suele traer la solución correcta; eran los límites de tu forma de pensar tradicional lo que causaba el problema.

Hasta el 21 continúas en una cima financiera anual; estás en un periodo de ingresos cumbres. La Luna nueva del 15 ocurre en tu casa del dinero y lo hace un día excelente en las finanzas; pero más importante aún, esclarece la vida financiera a medida que avanza el mes y hasta bien entrado el próximo. La información que necesitas para tomar una decisión correcta viene volando hacia ti; te llega de modo natural y normal.

Este mes, como hemos dicho, Urano hace un cambio importante: el 16 entra en tu casa del dinero. Esto va a producir entusiasmo y cambios. Este tránsito sólo es un anuncio o anticipación de cosas por venir; favorece las actividades online.

Tu planeta del dinero, Venus, está en tu tercera casa hasta el 19; esto favorece las actividades de venta, mercadotecnia, publicidad y relaciones públicas; es necesario que la gente sepa de tu producto o servicio; el buen uso de los medios también da dividendos. El 19 Venus entra en tu cuarta casa; esto indica ingresos a través de la familia y de conexiones familiares. El apoyo familiar es bueno (y recíproco). La intuición financiera es fuerte. Del 25 al 27 Venus está en oposición con Saturno, así que los ingresos podrían retrasarse unos días, pero este es un problema de corta duración; el retraso hará mejor aún el resultado final.

Marte, el señor de tu horóscopo, ha pasado los dos últimos meses en tu décima casa; has tenido éxito y ya estás preparado para ser más sociable; sigues orientado a la profesión pero con una actitud más sociable. Estás presente para tus amistades y es probable que seas más popular.

Si estás soltero o soltera y sin compromiso el amor está cerca, en el barrio, pero no en los sitios que sueles frecuentar; hay oportunidades amorosas en ambientes educacionales, en funciones del colegio, en la biblioteca o librería o en charlas. Te atrae la persona que tiene el don de labia, la persona con la que te resulta fácil conversar. Te gustan las personas ingeniosas en este periodo; más adelante, después del 19, anhelas intimidad emocional, conversar acerca de los sentimientos; el amor se vuelve asunto de «estado de ánimo»; la dificultad será estar en el estado de ánimo adecuado y conseguir que la pareja también lo esté.

Junio

Mejores días en general: 8, 9, 16, 17, 25, 26
Días menos favorables en general: 1, 2, 14, 15, 20, 21, 22, 28, 29
Mejores días para el amor: 6, 7, 16, 20, 21, 22, 23, 24
Mejores días para el dinero: 5, 6, 7, 10, 11, 14, 15, 16, 23, 24
Mejores días para la profesión: 1, 2, 10, 18, 28, 28, 29

Estás en la medianoche de tu año y deberías estar durmiendo para pemitir que trabajen las fuerzas interiores. Pero tu trabajo en el mundo es importante e interrumpes el sueño una y otra vez para centrar la atención en él. Esta es la situación en sentido metafórico. Es la medianoche y te levantas una y otra vez.

Este mes enfrentas uno de los retos clásicos que enfrentan muchas personas, sólo que es más intenso. El hogar y la familia son importantes, pero también lo son la profesión y las actividades externas; cada faceta reclama lo debido; no puedes desatender a ninguna. Como sea tienes que arreglártelas con las dos; ora te inclinas hacia una, ora hacia otra. No es fácil.

Este mes aumenta la actividad retrógrada. El 26 estarán retrógrados el 50 por ciento de los planetas, casi el máximo del año (el máximo del año será del 7 al 19 de agosto: el 60 por ciento de los planetas estarán retrógrados). Se enlentece el ritmo de la vida. Para un Aries, orientado a la acción, el principal desafío es la frustración; eres como un purasangre, hecho para la velocidad. Pero ahora estás obligado a caminar despacio (y a veces hacia atrás). Todo va lento, lento, lento. Lo bueno de esto es que aprendes a tener paciencia. Haz lo que es posible cada día y luego relájate.

La salud y la energía son problemáticas a partir del 21. Procura descansar lo suficiente. Hasta el 12 puedes fortalecer la salud con masajes en los brazos y los hombros; del 12 al 29 preocúpate de comer bien; mantén armoniosas y constructivas las emociones; después del 29 da más atención al corazón.

Hasta el 14 el amor continúa cerca de casa. Procura mantenerte en el ánimo adecuado. El mal humor estropea momentos románticos y complica la vida amorosa. Hasta el 14 hay más vida social en casa y con familiares. No te sorprendas si en el cuadro romántico entra un viejo amor, o una persona que te recuerda un viejo amor. Entre el 1 y el 2 se presenta una oportunidad romántica con una persona espiritual.

En este periodo es muy fuerte el deseo de viajar, pero si el viaje no es necesario, evítalo; Júpiter recibe buenos aspectos pero está en movimiento retrógrado. Si debes viajar, programa más tiempo para la ida y para la vuelta; asegura tus pasajes; haz todo lo posible para protegerte en caso de retrasos o contratiempos.

Julio

Mejores días en general: 5, 6, 14, 15, 22, 23, 24
Días menos favorables en general: 12, 13, 18, 19, 25, 26
Mejores días para el amor: 5, 6, 16, 18, 19, 25, 26
Mejores días para el dinero: 1, 5, 6, 7, 8, 12, 13, 16, 20, 21, 25, 26, 27, 28, 29
Mejores días para la profesión: 7, 8, 16, 25, 26

Marte, el señor de tu horóscopo, está «fuera de límites» casi todo el mes, a partir del 9. Esto indica que sales de tu esfera normal; estás en un periodo de aventura, haces nuevas amistades y tal vez participas en actividades de grupo que se salen de la norma. A la aventura y a la sensación de «estar preparado para cualquier cosa» se suman dos eclipes este mes.

El eclipse solar del 13 ocurre en tu cuarta casa. Si naciste ya avanzado el signo (del 8 al 15 de abril) lo sentirás más fuerte que los demás nativos de Aries. De todas maneras hasta el 22 necesitas tomarte las cosas con calma y reducir tus actividades, pero en especial en el periodo del eclipse; parece ser uno fuerte. Trae dramas y trastornos en la familia; los familiares están más temperamentales y tienen experiencias de aquellas que cambian la vida. Con frecuencia, como saben nuestros lectores, es necesario hacer reparaciones en la casa; por influencia del eclipse salen a la luz defectos ocultos. Pasa por pruebas el matrimonio de los padres o figuras parentales. Los hijos o figuras filiales toman decisiones que les cambia la vida (puede que sean cosas normales, pero a ellos les cambia la vida); también deberían reducir sus actividades. Es necesario tomar medidas correctivas en las finanzas de familiares, en especial en las de un progenitor o figura parental. Este eclipse hace impacto en Plutón, así que podrías tener que vértelas con experiencias de casi muerte; la muerte te toca de alguna manera (normalmente esto ocurre en el plano psíquico).

El eclipse lunar del 27 también afecta al hogar y la familia, como todos los eclipses lunares. Por lo tanto, ocurren más o menos las mismas cosas que con el eclipse solar. Este eclipse ocurre en tu casa once, la de las amistades, así que hay dramas, y tal vez crisis, en la vida de personas amigas; se pone a prueba la amistad. Pasan por pruebas los ordenadores y los equipos de alta tecnología; podría ser necesario una reparación o reemplazo. Este eclipse es fuerte en ti, pues hace impacto en Marte. Por lo tanto, evita las situaciones peligrosas o estresantes. Pasa más tiempo en casa. Su impacto en Marte indica la necesidad de redefinirte, redefinir tu modo de considerarte, lo que piensas de ti y cómo quieres que los demás piensen de ti. Este será un proceso de seis meses; en esencia, esta redefinición es saludable. Dado que siempre vamos cambiando, siempre debemos redefinirnos. Pero con el eclipse esto es más o menos obligado; los acontecimientos producidos por el eclipse te obligarán a hacer este proceso.

Agosto

Mejores días en general: 1, 2, 3, 10, 11, 19, 20, 29, 30
Días menos favorables en general: 8, 9, 14, 15, 21, 22
Mejores días para el amor: 5, 14, 15, 24, 25
Mejores días para el dinero: 4, 5, 8, 9, 14, 15, 16, 17, 24, 25, 26, 27, 31
Mejores días para la profesión: 4, 12, 21, 22, 31

Justo cuando creías que habían acabado los disturbios causados por los eclipses del mes pasado, el 11 hay otro eclipse solar, el tercero del año, para tenerte en suspenso. Te será útil comprender que los eclipses no son punitivos, aun cuando te lo parezcan. Su trabajo cósmico es eliminar los obstáculos en tu camino en la vida, eliminarlos por tu bien. Y por lo general hacen un buen trabajo. También te será útil saber que este eclipse es el último del año.

Marte continúa «fuera de límites» todo el mes, de modo que sigues fuera de los lugares que frecuentas normalmente. Estás en territorio desconocido, por lo que la aventura continúa.

Este eclipse solar del 11 ocurre en tu quinta casa y tiene más efecto en los hijos o figuras filiales de tu vida. Los cambios que no hicieron el mes pasado los harán ahora, y en los seis próximos meses. En ti este eclipse es más moderado que los anteriores; en general la salud y la energía están mejores, y el eclipse no afecta a ningún otro planeta. Pero no te hará ningún daño tomarte las cosas con calma y reducir tus actividades en este periodo y esto vale el doble para los hijos y figuras filiales. Como hemos dicho, los cambios en sus vidas son los normales, forman parte de su crecimiento; podría ser el despertar a la sexualidad, o el marcharse de casa para ir a la universidad; pero para ellos estos son acontecimientos que les cambian la vida. Lo que sea que ocurra, y las posibilidades son muchísimas, será causa de que se redefinan, de que cambien su imagen y su concepto de sí mismos, que cambien su modo de vestirse y su forma de presentarse ante los demás, y esto ocurrirá dentro de los seis próximos meses. Si estás en el mundo de las artes creativas, cambias tu forma de creatividad, tomas medidas correctivas en ella.

Este mes Venus tiene su solsticio, del 5 al 7; se detiene en su movimiento latitudinal y luego cambia de dirección. Esto indica una pausa en tu vida amorosa y financiera y luego un cambio de dirección; esto no es algo que haya que temer; la dirección que tomes se hará muy clara.

El 22 el Sol entra en tu sexta casa. Este es un buen periodo financiero para tus hijos o figuras filiales. En cuanto a ti, indica mayor atención a la salud y al trabajo. Si buscas trabajo es un periodo favorable.

Septiembre

Mejores días en general: 7, 15, 16, 25, 26
Días menos favorables en general: 4, 5, 11, 12, 17, 18, 19
Mejores días para el amor: 2, 3, 11, 12, 13, 22, 23
Mejores días para el dinero: 1, 2, 3, 4, 5, 13, 14, 22, 23, 24, 27, 28
Mejores días para la profesión: 1, 8, 9, 17, 18, 19, 27

El poder planetario está en su posición occidental máxima del año. Por lo tanto, las energías planetarias (los planetas rápidos) se alejan de ti y van en dirección a los demás. Todavía tienes mucha independencia personal, aunque menos que lo habitual; el sector occidental no es dominante. Este es, pues, un periodo para adaptarte a las condiciones, no es un periodo especialmente bueno para hacer cambios, eso llegará más avanzado el año. Es un periodo para cultivar tus dotes sociales; tu simpatía te llevará más lejos que tu trabajo o esfuerzo.

Tu sexta casa continúa poderosa hasta el 22. Este es, entonces, un periodo para hacer todas esas tareas aburridas, detallistas que es necesario hacer; tienes más energía para hacerlas. Sigue siendo un buen periodo financiero para los hijos o figuras filiales de tu vida. Sigue siendo bueno para contratar personal o encontrar trabajo, si necesitas lo uno o lo otro.

El 22 el Sol entra en tu séptima casa, la del amor, y comienzas una cima amorosa y social anual. La vida amorosa y social se vuelve más activa. Si estás soltero o soltera sales más en citas y estás en la modalidad para el amor (esto es el 90 por ciento del romance: estar en ánimo, estar interesado). Si tienes pareja, hay más romance en la relación.

Las finanzas van bien este mes y el próximo mejoran más aún. El 9 Venus entra en tu octava casa y continúa en ella el resto del mes. Transita muy cerca de Júpiter así que aumentan los ingresos; llegan oportunidades. El planeta del dinero en la octava casa indica la necesidad de hacer prosperar a otros, anteponer los intereses de los demás a los tuyos. Por la ley kármica, esto te trae abundancia. Venus en Escorpio, tu octava casa, es buen periodo para pagar y contraer deudas, según cual sea tu necesidad. Es bueno para sanear las finanzas, reducir los gastos y eliminar lo que está de más; te conviene revisar tus pertenencias y eliminar las que ya no usas; hacer limpieza para permitir que entren mayores bienes. Esta posición también indica buena colaboración financiera con el cónyuge, pareja o ser amado actual. La intuición financiera es excelente este mes. Pon atención a tus sueños y mantente alerta a las señales de la naturaleza en tu vida cotidiana.

Octubre

Mejores días en general: 4, 5, 12, 13, 14, 22, 23, 31
Días menos favorables en general: 2, 3, 8, 9, 15, 16, 29, 30
Mejores días para el amor: 2, 3, 8, 9, 10, 11, 20, 21, 29, 30
Mejores días para el dinero: 2, 3, 10, 11, 20, 21, 25, 26, 29, 30
Mejores días para la profesión: 6, 15, 16, 24, 25

Hasta el 23 continúas en una cima amorosa y social anual, pero ahora el amor se complica; tu planeta del amor, Venus, inicia movimiento retrógrado el 5, y este continúa hasta el 16 del próximo mes. Así pues, la confianza social no es la que debiera (o será). Si estás soltero o soltera y sin compromiso vas a salir más pero no sabes muy bien qué deseas, estás indeciso. Si estás en una relación podría parecerte que esta retrocede en lugar de avanzar. Este no es un buen periodo para tomar decisiones sociales importantes ni en uno ni otro sentido. Es un periodo para hacer revisión de esta faceta, aclararte mental y emocionalmente y ver en qué se pueden mejorar las cosas. Cuando Venus retome el movimiento directo podrás poner por obra tus planes. Esto vale también para las finanzas; a partir del 5 evita hacer compras o inversiones importantes; pon en revisión tu vida financiera; en este periodo no eres realista respecto a tus finanzas; esto cambiará el mes que viene.

Hasta el 23 la salud y la energía no están a la altura habitual así que, como siempre, lo importante es descansar lo suficiente; la energía elevada es la primera defensa contra la enfermedad. Fortalece la salud de las maneras indicadas en las previsiones para el año. Hasta el 10 puedes añadir masajes en las caderas a tu programa; también te convendría hacer una limpieza de los riñones con infusión de hierbas. Después del 10 son más eficaces los regímenes de desintoxicación; también es importante la moderación sexual, en especial del 28 al 30. Afortunadamente, después del 23 mejoran la salud y la energía.

En finanzas, como el mes pasado, te conviene tener presente los intereses financieros de los demás, incluso anteponerlos a los tuyos; este mes sigue siendo bueno para hacer «desintoxicación» de posesiones, librarte de las cosas que ya no son útiles.

El 10 entra Mercurio en su octava casa, y el 23 entra el Sol; Venus y Júpiter ya están en ella. Así pues, a partir del 23 está muy fuerte tu octava casa. Puede que las cosas vayan lentas en tus finanzas, pero las del cónyuge, pareja o ser amado actual lo compensa; esta persona tiene un mes fabuloso en sus finanzas (y han ido bien en lo que va de año). Aunque tu planeta del dinero está en movimiento retrógrado, este periodo es muy bueno para planificar el pago de impuestos y hacer planes testamentarios (si estás en edad); esto no quiere decir que tengas que hacerlo sino sólo comenzar a estudiar, investigar y hacer planes. En la faceta finanzas, este año es importante la eficiencia en el pago de impuestos.

Noviembre

Mejores días en general: 1, 9, 10, 19, 20, 27, 28
Días menos favorables en general: 4, 5, 11, 12, 25, 26
Mejores días para el amor: 4, 5, 14, 15, 23, 24
Mejores días para el dinero: 4, 5, 8, 14, 15, 19, 21, 23, 24, 27
Mejores días para la profesión: 2, 10, 11, 12, 21

El 22 de septiembre los planetas rápidos se trasladaron de la mitad inferior de tu horóscopo a la mitad superior. El 80 por ciento de los planetas (y la mitad del mes el 90 por ciento) están en la mitad superior, el sector de la profesión y las consecuciones externas. Este es un alto porcentaje. Desde esa fecha la profesión ha sido un centro principal de atención, y la tendencia continúa. Estás en un periodo de mucho éxito y el mes que viene lo será más aún. Hacerlo bien es más importante que sentirte bien. Te sentirás en armonía cuando hayas conseguido tus objetivos externos. Tienes los aspectos de una persona muy ambiciosa en su profesión. Si trasladar a la familia y romper la armonía doméstica te hace avanzar en la profesión, lo harás (puede que más adelante tengas que pagar un precio por esto, pero al parecer no te importa).

La salud y la energía están mucho mejor que el mes pasado; podrían estar mejor aún si no fuera que Saturno no va a salir de Capricornio hasta dentro de otro año más o menos. Tu salud ahora es la óptima del año; puedes fortalecerla dando más atención a los muslos y el hígado; el masaje en los muslos no sólo fortalece el hígado sino también la parte inferior de la espalda.

Júpiter, que ha estado en tu octava casa en lo que va de año, entra en tu novena casa el 8; es un tránsito importante, y feliz para ti. En primer lugar, te trae prosperidad para el próximo año. Trae éxito para los hijos y figuras filiales de tu vida. La profesión sigue siendo importante y sigues trabajando arduo pero también encuentras el tiempo para la diversión, para pasarlo bien. En tu futuro se ve un viaje al extranjero. Si eres universitario deberías tener éxito en tus estudios; también si solicitas la entrada en una universidad. En el caso de que tengas pendiente algún asunto legal o jurídico, hay buena suerte.

El 16 Venus retoma el movimiento directo, por lo que comienzan a esclarecerse la vida amorosa y las finanzas. Mejoran el juicio social y el financiero. Venus pasa la mayor parte del mes en tu séptima casa, la del amor. Por lo tanto podría formarse una sociedad de negocio o empresa conjunta (o colaboración entre empresas). Tu buen talante social te es útil no sólo en el plano romántico sino también en el financiero. Las amistades te ayudan o apoyan. Las personas que conoces son tal vez más importantes que cuanto tienes.

Diciembre

Mejores días en general: 6, 7, 16, 17, 25, 26
Días menos favorables en general: 2, 3, 9, 10, 23, 24, 29, 30
Mejores días para el amor: 2, 3, 14, 15, 23, 24, 29, 30
Mejores días para el dinero: 2, 3, 6, 14, 15, 16, 18, 19, 23, 24, 26
Mejores días para la profesión: 8, 9, 10, 18, 27

El 16 del mes pasado Marte entró en tu casa doce, la de la espiritualidad, y continuará en ella el resto del mes. Esto quiere decir que ahora tienes fuertes intereses espirituales, más que de costumbre. Ejercicios de tipo espiritual como el yoga son muy buenos en este periodo. Del 5 al 7 Marte está en conjunción con Neptuno, así que puedes esperar sueños reveladores y progreso espiritual; habrá un encuentro con un gurú o figura de gurú.

Si andas buscando trabajo, hay una buena oportunidad entre el 20 y el 22; podría haber un viaje relacionado con este trabajo.

Si ha habido algún problema de salud, deberías tener buenas noticias en este periodo.

El 6 del mes pasado Urano volvió a tu signo. Si naciste en uno de los últimos días del signo (del 19 al 21 de abril) indica cambios importantes en tu vida y la vida de hijos y figuras filiales. Las cosas se calman un poco en la vida financiera, pero esto, como hemos dicho, es de corta duración; el próximo año Urano volverá a tu segunda casa para quedarse en ella unos siete años más o menos.

Este mes van bien las finanzas; Venus está en movimiento directo y el 2 entra nuevamente en tu octava casa. Hay colaboración financiera entre tú y tu cónyuge, pareja o ser amado actual. Este es buen periodo para atraer inversores si tienes buenas ideas. Es un periodo para hacer dinero para otros y con dinero ajeno. Es buen periodo para solicitar préstamo o pagar deudas, según sea tu necesidad; hay compensación por la buena planificación de pago de impuestos.

El amor va de erotismo en este periodo; el magnetismo sexual importa más que cualquier otra cosa; el amor es intenso y apasionado; con tanto de lo bueno podrían surgir problemas: celos, etcétera. Las oportunidades amorosas y sociales podrían presentarse en funerales, velatorios o servicios fúnebres recordatorios. Para muchas personas estas cosas son morbosas, pero este mes no lo son.

El 21 el Sol cruza tu medio cielo y entra en tu décima casa, la de la profesión. La atención ha estado en la profesión desde hace muchos meses; pues ahora lo está más aún. Tu reto ahora es hacerla placentera, pasarlo bien mientras atiendes a tus objetivos profesionales.

Un viaje al extranjero este mes no sería una sorpresa.

Tauro

El Toro

Nacidos entre el 21 de abril y el 20 de mayo

Rasgos generales

TAURO DE UN VISTAZO

Elemento: Tierra

Planeta regente: Venus
Planeta de la profesión: Urano
Planeta del amor: Plutón
Planeta del dinero: Mercurio
Planeta de la salud: Venus
Planeta de la suerte: Saturno

Colores: Tonos ocres, verde, naranja, amarillo
Colores que favorecen el amor, el romance y la armonía social: Rojo violáceo, violeta
Colores que favorecen la capacidad de ganar dinero: Amarillo, amarillo anaranjado

Piedras: Coral, esmeralda

Metal: Cobre

Aromas: Almendra amarga, rosa, vainilla, violeta

Modo: Fijo (= estabilidad)

Cualidad más necesaria para el equilibrio: Flexibilidad

Virtudes más fuertes: Resistencia, lealtad, paciencia, estabilidad, propensión a la armonía

Necesidades más profundas: Comodidad, tranquilidad material, riqueza

Lo que hay que evitar: Rigidez, tozudez, tendencia a ser excesivamente posesivo y materialista
Signos globalmente más compatibles: Virgo, Capricornio
Signos globalmente más incompatibles: Leo, Escorpio, Acuario
Signo que ofrece más apoyo laboral: Acuario
Signo que ofrece más apoyo emocional: Leo
Signo que ofrece más apoyo económico: Géminis
Mejor signo para el matrimonio y/o las asociaciones: Escorpio
Signo que más apoya en proyectos creativos: Virgo
Mejor signo para pasárselo bien: Virgo
Signos que más apoyan espiritualmente: Aries, Capricornio
Mejor día de la semana: Viernes

La personalidad Tauro

Tauro es el más terrenal de todos los signos de tierra. Si comprendemos que la tierra es algo más que un elemento físico, que es también una actitud psicológica, comprenderemos mejor la personalidad Tauro.

Los Tauro tienen toda la capacidad para la acción que poseen los Aries. Pero no les satisface la acción por sí misma. Sus actos han de ser productivos, prácticos y generadores de riqueza. Si no logran ver el valor práctico de una actividad, no se molestarán en emprenderla.

El punto fuerte de los Tauro está en su capacidad para hacer realidad sus ideas y las de otras personas. Por lo general no brillan por su inventiva, pero sí saben perfeccionar el invento de otra persona, hacerlo más práctico y útil. Lo mismo puede decirse respecto a todo tipo de proyectos. A los Tauro no les entusiasma particularmente iniciar proyectos, pero una vez metidos en uno, trabajan en él hasta concluirlo. No dejan nada sin terminar, y a no ser que se interponga un acto divino, harán lo imposible por acabar la tarea.

Muchas personas los encuentran demasiado obstinados, conservadores, fijos e inamovibles. Esto es comprensible, porque a los

Tauro les desagrada el cambio, ya sea en su entorno o en su rutina. ¡Incluso les desagrada cambiar de opinión! Por otra parte, esa es su virtud. No es bueno que el eje de una rueda oscile. Ha de estar fijo, estable e inamovible. Los Tauro son el eje de la rueda de la sociedad y de los cielos. Sin su estabilidad y su supuesta obstinación, las ruedas del mundo se torcerían, sobre todo las del comercio.

A los Tauro les encanta la rutina. Si es buena, una rutina tiene muchas virtudes. Es un modo fijado e idealmente perfecto de cuidar de las cosas. Cuando uno se permite la espontaneidad puede cometer errores, y los errores producen incomodidad, desagrado e inquietud, cosas que para los Tauro son casi inaceptables. Estropear su comodidad y su seguridad es una manera segura de irritarlos y enfadarlos.

Mientras a los Aries les gusta la velocidad, a los Tauro les gusta la lentitud. Son lentos para pensar, pero no cometamos el error de creer que les falta inteligencia. Por el contrario, son muy inteligentes, pero les gusta rumiar las ideas, meditarlas y sopesarlas. Sólo después de la debida deliberación aceptan una idea o toman una decisión. Los Tauro son lentos para enfadarse, pero cuando lo hacen, ¡cuidado!

Situación económica

Los Tauro son muy conscientes del dinero. Para ellos la riqueza es más importante que para muchos otros signos; significa comodidad, seguridad y estabilidad. Mientras algunos signos del zodiaco se sienten ricos si tienen ideas, talento o habilidades, los Tauro sólo sienten su riqueza si pueden verla y tocarla. Su modo de pensar es: «¿De qué sirve un talento si no se consiguen con él casa, muebles, coche y piscina?»

Por todos estos motivos, los Tauro destacan en los campos de la propiedad inmobiliaria y la agricultura. Por lo general, acaban poseyendo un terreno. Les encanta sentir su conexión con la tierra. La riqueza material comenzó con la agricultura, labrando la tierra. Poseer un trozo de tierra fue la primera forma de riqueza de la humanidad; Tauro aún siente esa conexión primordial.

En esta búsqueda de la riqueza, los Tauro desarrollan sus capacidades intelectuales y de comunicación. Como necesitan comerciar con otras personas, se ven también obligados a desarrollar cierta flexibilidad. En su búsqueda de la riqueza, aprenden el valor práctico del intelecto y llegan a admirarlo. Si no fuera por esa búsqueda de la riqueza, tal vez no intentarían alcanzar un intelecto superior.

Algunos Tauro nacen «con buena estrella» y normalmente, cuando juegan o especulan, ganan. Esta suerte se debe a otros factores presentes en su horóscopo personal y no forma parte de su naturaleza esencial. Por naturaleza los Tauro no son jugadores. Son personas muy trabajadoras y les gusta ganarse lo que tienen. Su conservadurismo innato hace que detesten los riesgos innecesarios en el campo económico y en otros aspectos de su vida.

Profesión e imagen pública

Al ser esencialmente terrenales, sencillos y sin complicaciones, los Tauro tienden a admirar a las personas originales, poco convencionales e inventivas. Les gusta tener jefes creativos y originales, ya que ellos se conforman con perfeccionar las ideas luminosas de sus superiores. Admiran a las personas que tienen una conciencia social o política más amplia y piensan que algún día (cuando tengan toda la comodidad y seguridad que necesitan) les gustará dedicarse a esos importantes asuntos.

En cuanto a los negocios, los Tauro suelen ser muy perspicaces, y eso los hace muy valiosos para la empresa que los contrata. Jamás son perezosos, y disfrutan trabajando y obteniendo buenos resultados. No les gusta arriesgarse innecesariamente y se desenvuelven bien en puestos de autoridad, lo cual los hace buenos gerentes y supervisores. Sus cualidades de mando están reforzadas por sus dotes naturales para la organización y la atención a los detalles, por su paciencia y por su minuciosidad. Como he dicho antes, debido a su conexión con la tierra, también pueden realizar un buen trabajo en agricultura y granjas.

En general, los Tauro prefieren el dinero y la capacidad para ganarlo que el aprecio y el prestigio públicos. Elegirán un puesto que les aporte más ingresos aunque tenga menos prestigio, antes que otro que tenga mucho prestigio pero les proporcione menos ingresos. Son muchos los signos que no piensan de este modo, pero Tauro sí, sobre todo si en su carta natal no hay nada que modifique este aspecto. Los Tauro sólo buscarán la gloria y el prestigio si están seguros de que estas cosas van a tener un efecto directo e inmediato en su billetero.

Amor y relaciones

En el amor, a los Tauro les gusta tener y mantener. Son de los que se casan. Les gusta el compromiso y que las condiciones de la relación estén definidas con mucha claridad. Más importante aún, les gusta ser fieles a una sola persona y esperan que esa persona corresponda a su fidelidad. Cuando esto no ocurre, el mundo entero se les viene abajo. Cuando está enamorada, la persona Tauro es leal, pero también muy posesiva. Es capaz de terribles ataques de celos si siente que su amor ha sido traicionado.

En una relación, los Tauro se sienten satisfechos con cosas sencillas. Si tienes una relación romántica con una persona Tauro, no hay ninguna necesidad de que te desvivas por colmarla de atenciones ni por galantearla constantemente. Proporciónale suficiente amor y comida y un techo cómodo, y será muy feliz de quedarse en casa y disfrutar de tu compañía. Te será leal de por vida. Hazla sentirse cómoda y, sobre todo, segura en la relación, y rara vez tendrás problemas con ella.

En el amor, los Tauro a veces cometen el error de tratar de dominar y controlar a su pareja, lo cual puede ser motivo de mucho sufrimiento para ambos. El razonamiento subyacente a sus actos es básicamente simple. Tienen una especie de sentido de propiedad sobre su pareja y desean hacer cambios que aumenten la comodidad y la seguridad generales de ambos. Esta actitud está bien cuando se trata de cosas inanimadas y materiales, pero puede ser muy peligrosa cuando se aplica a personas, de modo que los Tauro deben tener mucho cuidado y estar alertas para no cometer ese error.

Hogar y vida familiar

La casa y la familia son de importancia vital para los Tauro. Les gustan los niños. También les gusta tener una casa cómoda y tal vez elegante, algo de que alardear. Tienden a comprar muebles sólidos y pesados, generalmente de la mejor calidad. Esto se debe a que les gusta sentir la solidez a su alrededor. Su casa no es sólo su hogar, sino también su lugar de creatividad y recreo. La casa de los Tauro tiende a ser verdaderamente su castillo. Si pudieran elegir, preferirían vivir en el campo antes que en la ciudad.

En su hogar, un Tauro es como un terrateniente, el amo de la casa señorial. A los nativos de este signo les encanta atender a sus visitas con prodigalidad, hacer que los demás se sientan seguros en su casa y tan satisfechos en ella como ellos mismos. Si una persona Tauro te invita a cenar a su casa, ten la seguridad de que recibirás la mejor comida y la mejor atención. Prepárate para un recorrido por la casa, a la que Tauro trata como un castillo, y a ver a tu amigo o amiga manifestar muchísimo orgullo y satisfacción por sus posesiones.

Los Tauro disfrutan con sus hijos, pero normalmente son estrictos con ellos, debido a que, como hacen con la mayoría de las cosas en su vida, tienden a tratarlos como si fueran sus posesiones. El lado positivo de esto es que sus hijos estarán muy bien cuidados y educados. Tendrán todas las cosas materiales que necesiten para crecer y educarse bien. El lado negativo es que los Tauro pueden ser demasiado represivos con sus hijos. Si alguno de ellos se atreve a alterar la rutina diaria que a su padre o madre Tauro le gusta seguir, tendrá problemas.

Horóscopo para el año 2018*

Principales tendencias

A veces la mejor manera de salir de un surco profundo no es exactamente salir sino hacerlo desaparecer con una explosión; cuando acaba la explosión, el camino está llano. Esto es lo que comienza (sólo comienza) a ocurrir este año, cuando Urano entre en tu signo el 16 de mayo y transite por él hasta el 6 de noviembre. Este es un tránsito importante que vas a sentir los próximos siete años. Si naciste a comienzos del signo (20 a 22 de abril) lo vas a sentir más este año; pero todos los nativos de Tauro lo sentiréis los próximos años.

El otro titular importante es la vida amorosa, que fue buena el año pasado pero mejora más aún este año. Júpiter está firmemente instalado en tu séptima casa, la del amor, casi todo el año,

* Las previsiones de este libro se basan en el Horóscopo Solar y todos los signos que derivan de él; tu Signo Solar se convierte en el Ascendente, y las casas se numeran a partir de él. Tu horóscopo personal, el trazado concretamente para ti (según la fecha, hora y lugar exactos de tu nacimiento) podrían modificar lo que decimos aquí. Joseph Polansky

hasta el 8 de noviembre. Si estás soltero o soltera y sin compromiso, esto trae romance y oportunidades de relación seria. Volveremos a este tema.

El 8 de noviembre Júpiter entra en tu octava casa; esto trae prosperidad al cónyuge, pareja o ser amado actual; esta persona entra en un periodo cumbre de prosperidad que durará hasta bien entrado el año que viene. Este periodo también es bueno para pagar deudas o atraer inversores. Más adelante continuaremos con esto.

Saturno entró en tu novena casa muy al final del año pasado, y continuará en ella los próximos dos años. Este es un tránsito esencialmente feliz pues Saturno te forma aspectos armoniosos; serás más disciplinado y organizado. Si eres estudiante universitario, este es un tránsito difícil: indica la necesidad de más esfuerzo, más trabajo y disciplina en los estudios; este año no puedes dedicarte a la holganza. También es difícil si tienes pendiente algún asunto legal o jurídico; puedes esperar retrasos y contratiempos.

Plutón lleva muchos años en tu novena casa y continuará en ella muchos más. Esto indica que en tu vida religiosa y filosófica se está produciendo una desintoxicación cósmica. Este es un proceso de larga duración; se eliminan viejas creencias, aquellas a las que no les corresponde estar en la mente, para que pueda entrar un sistema de creencias más realista.

Neptuno lleva varios años en tu casa once y continuará en ella muchos años más. Como Plutón, Neptuno es un planeta de movimiento muy lento. Durante su tránsito se espiritualiza la amistad; te atraes amistades más espirituales y tal vez participas más en organizaciones de tipo espiritual.

Tus intereses más importantes este año son: el cuerpo y la imagen (desde el 16 de mayo al 6 de noviembre); el amor y el romance (hasta el 8 de noviembre); la sexualidad, los estudios ocultos y la reinvención personal (a partir del 8 de noviembre); la religión, la filosofía, la educación superior y viajes al extranjero; las amistades, los grupos y las actividades de grupo; la espiritualidad (desde el 1 de enero al 16 de mayo y a partir del 6 de noviembre).

Los caminos para tu mayor realización o satisfacción este año son: el hogar y la familia (hasta el 17 de noviembre); el amor, el romance y las actividades sociales (hasta el 8 de noviembre); la sexualidad, los estudios ocultos y la transformación personal (a partir del 8 de noviembre); la comunicación y los intereses intelectuales (a partir del 17 de noviembre).

Salud

(Ten en cuenta que esta es una perspectiva astrológica de la salud, no una médica. Antaño no había ninguna diferencia, ambas eran idénticas, pero en esta época podrían diferir muchísimo. Para una perspectiva médica, por favor, consulta a tu médico o a otro profesional de la salud.)

La salud y la energía se ven excelentes este año; sólo hay un planeta lento, Júpiter, en alineación desfavorable contigo; todos los demás te forman aspectos armoniosos. Por lo tanto, si has tenido algún problema de salud, este año deberías tener buenas noticias al respecto; es probable que se atenúe mucho o incluso que desaparezca.

Tu sexta casa vacía también es buena señal; indica que no necesitas prestar mucha atención a la salud pues no es un asunto importante. ¿Para qué hacer cosas drásticas cuando nada va mal? Este año das más o menos por descontada la salud.

El 8 de noviembre Júpiter sale de su aspecto desfavorable, por lo cual la salud general estará mejor aún.

Sin duda en el año habrá periodos en que la salud y la energía no estén tan bien; estas son cosas temporales causadas por los tránsitos de los planetas rápidos; no son tendencias para el año. Cuando acaba el tránsito vuelven la salud y la energía normales.

Por buena que sea tu salud siempre puedes mejorarla. Da atención especial a las siguientes zonas, que son las vulnerables en tu carta:

El cuello y la garganta. Estas zonas son siempre importantes para Tauro. Te irán bien sesiones de reflexología; también te convienen masajes periódicos en el cuello. En él suele acumularse tensión y es necesario aflojarla. Se dice que la terapia sacro-craneal es buena para el cuello.

Los riñones y las caderas. Estas zonas también son siempre importantes para Tauro. Te irán bien sesiones de reflexología, como también masajes periódicos en las caderas y las nalgas. El masaje no sólo fortalece estas zonas sino que también mejora la postura general. Si te sientes indispuesto podría convenirte una infusión de hierbas para limpiar los riñones.

Venus, tu planeta de la salud, es de movimiento rápido. En un año transita por todos los signos y casas del horóscopo. Hay, por lo tanto, muchas tendencias de corto plazo que dependen de dónde está Venus en un determinado momento y de los aspectos que recibe. Algunos meses podrías responder mejor a una terapia y otros meses a otra. Estas tendencias de corto plazo es mejor tratarlas en las previsiones mes a mes.

Como hemos dicho, Urano entra en tu signo el 16 de mayo; desde el punto de vista salud indica «experimentación» con el cuerpo; habrá tendencia a «poner a prueba los límites» del cuerpo. Esto es algo maravilloso pues gran parte de nuestras limitaciones físicas son autoimpuestas o se han heredado. Es bueno superar estas limitaciones. Por otro lado, es necesario hacer estas pruebas de modo prudente, consciente, no de modo temerario. Así pues, podrían convenir disciplinas como el yoga, el tai chi o algún tipo de arte marcial; estas son maneras de poner a prueba los límites del cuerpo sin riesgo.

Este año Urano sólo hace una incursión en tu signo, pero el año que viene, y los siete años siguientes más o menos, tendrás el tránsito completo y estas tendencias serán más fuertes.

Venus, tu planeta del amor, hace movimiento retrógrado este año; esto sólo ocurre cada dos años, es un fenómeno relativamente raro. Así pues, desde el 5 de octubre al 16 de noviembre evita hacer cambios importantes en tu dieta y en tu programa de salud; ciertamente es necesario analizar más las cosas.

Hogar y vida familiar

Este año no está poderosa tu cuarta casa, Tauro. Esto quiere decir que el Cosmos no te impulsa a hacer cambios drásticos en esta faceta ni en un sentido ni en otro. Las cosas tienden a continuar como están. Indica satisfacción con las cosas como están; tienes más libertad en los asuntos familiares y domésticos, pero te falta el interés.

Pese a esto, habrá cambios y dramas en el círculo familiar. Lo más probable es que no seas tú quien inicie estas cosas, sino que simplemente reacciones a lo que ocurra.

Este año tenemos tres eclipses solares; normalmente sólo son dos. Dado que el Sol es tu planeta de la familia, el horóscopo anuncia más turbulencia que de costumbre. En realidad, dos eclipses, uno solar y uno lunar, ocurren en tu cuarta casa, la del hogar y la familia, lo que refuerza la impresión de «trastornos» y dramas que vemos.

De los eclipses hablaremos con más detalle en las previsiones mes a mes. En general, te conviene tener más paciencia con los familiares (y con los padres o figuras parentales) pues sin duda van a estar más temperamentales. Además, la vida emocional (como también la onírica) tenderá a ser más cambiante.

Es posible que un progenitor o figura parental se mude, haga renovaciones en su casa o compre otra; esto se ve feliz y afortunado. El otro progenitor o figura parental se ve muy dedicado a ti, con su atención centrada en ti. Esto es una espada de doble filo: hay más apoyo pero tal vez también más control.

Para los hermanos o figuras fraternas el año se presenta sin novedades ni cambios; es posible que haya habido mudanzas en los años 2015-2016.

Para los hijos y figuras filiales hay probabilidades de mudanza después del 8 de noviembre, y tal vez el próximo año; esto se ve feliz.

Entre los nietos que están en edad ha habido muchas mudanzas estos últimos años, y la tendencia continúa este año. Me parece que el próximo año ya casi habrá acabado esa afición a la vida errante y estarán más dispuestos a establecerse.

Aunque es posible que necesites hacer reparaciones en la casa, no hay probabilidades de obras de renovación importantes (tienes la libertad para hacerlas, pero no hay una necesidad urgente). De todos modos, si deseas redecorar o embellecer la casa, o comprar objetos de arte, del 13 de junio al 23 de agosto me parece un buen periodo.

Un progenitor o figura parental debe prestar más atención a su salud; le conviene un programa de salud disciplinado. Esta persona debe dar más atención a la columna, las rodillas, la dentadura, los huesos, el colon, la vejiga y los órganos sexuales. También podrían recomendarle intervención quirúrgica.

Los hermanos o figuras fraternas tienen fabulosas oportunidades laborales este año. Y si ha habido algún problema de salud, habrá buenas noticias en este frente.

Profesión y situación económica

El dinero y el bienestar financiero son siempre importantes para Tauro, pero este año lo son menos. Esto lo interpreto como buena señal: las finanzas son relativamente estables, relativamente satisfactorias, y no tienes ninguna necesidad urgente de hacer cambios importantes. Tu casa del dinero no está poderosa este año; está prácticamente vacía; sólo transitan por ella los planetas rápidos, y durante cortos periodos. Así pues, las finanzas irán más o menos como el año pasado.

Mercurio, tu planeta del dinero, es, después de la Luna, el de movimiento más rápido e irregular. A veces avanza ultrarrápido (transitando por tres signos y casas en un mes), a veces avanza lento, y a veces retrocede. El que sea tu planeta del dinero indica que aunque tiendes a modos de ser fijos, tratándose de las finanzas eres muy flexible; puedes cambiar de opinión y de actitud en un santiamén.

Pero esta naturaleza errática de Mercurio indica que hay muchas tendencias financieras de corto plazo, según donde esté en un momento dado, a qué velocidad avanza, y los aspectos que recibe. Estas tendencias es mejor tratarlas en las previsiones mes a mes.

Hemos de decir que este año Mercurio hace movimiento retrógrado tres veces (que es lo normal; en los dos años pasados lo hizo cuatro veces). Estos son periodos para hacer revisión de la vida financiera (objetivos y planificación). Son periodos fabulosos para reflexionar, informarse y analizar, pero no para hacer compras ni gestiones financieras importantes. Mercurio estará retrógrado del 23 de marzo al 15 de abril; del 26 de julio al 19 de agosto, y del 17 de noviembre al 6 de diciembre.

Este año la acción está en la profesión; vemos en ella muchos cambios, y positivos. Además, prefieres el prestigio y la categoría al dinero. Más o menos piensas «si tengo éxito, si tengo prestigio, a esto le seguirá el dinero».

Este año hay dos eclipses en tu décima casa, la de la profesión, uno solar el 15 de febrero y uno lunar el 27 de julio. Esto indica trastorno o reorganización en la empresa o la industria en que trabajas. Cambiarán la estrategia y el criterio respecto a la profesión. Se eliminarán muchos obstáculos (lo que tú considerabas obstáculos). Pero, más importante aún, es la entrada de Urano en tu signo el 16 de mayo. Esto indica el favor de los «superiores» de tu vida, jefes y figuras de autoridad; esto es favorable para la profesión; indica que las oportunidades profesionales comenzarán a buscarte, que no tú a ellas; las ofertas llegarán, tú simplemente ocúpate de tus trabajos y asuntos diarios.

Teniendo a Urano en tu primera casa se te considerará persona de éxito; esa será tu imagen, la personalidad que proyectarás al mundo; te vestirás para dar esa imagen, y esto te situará en las vibraciones del éxito.

La apariencia y el talante general serán factores importantes en tu profesión.

El tránsito de Urano por Aries los siete años pasados ha hecho muy inestable la profesión; siempre había una cierta inseguridad. Urano en Tauro la hace más estable, más sólida, menos mudable.

Amor y vida social

Como hemos dicho, este es un año fabuloso para la vida amorosa y social. Es posible que para ti sea el mejor, o uno de los mejores; mucho depende de tu edad. Júpiter pasará la mayor parte del año en tu séptima casa, la del amor. Ya han acabado muchos de los aspectos desfavorables para Plutón, tu planeta del amor. Si estás soltero o soltera, este es un año para encontrar a esa persona especial. Muchas veces este tránsito indica boda; otras veces indica una relación que es parecida al matrimonio.

Tendrás una vida social más activa y harás nuevas y significativas amistades. Con este tránsito también podrían formarse sociedades de negocios.

Pero además de todo esto, que es bueno, hay ciertas complicaciones (en especial si naciste en los primeros días del signo, del 20 al 23 de abril). Urano en tu signo no es el mejor aspecto para relaciones serias; la tendencia es a una libertad absoluta, y esto hace difícil comprometerse en una relación. La persona desea hacer lo que quiere y cuando quiere. Por definición, la relación seria entraña una limitación de la libertad personal. Es necesario sacrificar esto para explorar otros tipos de libertad, la libertad de la intimidad con la otra persona, la libertad para explorar la vida familiar, etcétera. Puede que una exagerada voluntariedad no impida un romance, pero sí podría impedir una relación comprometida. La persona que esté relacionada románticamente con una Tauro debe darle mucha libertad, toda la posible mientras no sea destructiva.

Así pues, hay muchas probabilidades de romance este año, y sin duda hay oportunidades, pero ¿llevará este a una relación seria, comprometida? Esta es la pregunta del millón.

Plutón, el planeta genérico de la sexualidad, es tu planeta del amor; Júpiter, tu planeta de la sexualidad, está en tu casa del amor. Esto nos da muchos mensajes. El magnetismo sexual parece ser lo más importante para ti (y para la persona con que te relacionas); parece ser «el todo». Si bien no cabe duda de su importancia, no lo confundamos con el verdadero amor; no se puede forjar una relación sólida sólo con eso; es necesario algo más.

Júpiter en tu séptima casa indica atracción por personas extranjeras y por personas muy cultas o religiosas; te atraen personas de tipo mentor (me parece que muchas personas de las que conoces están muy deseosas de ser mentoras). También indica atracción por la riqueza; en realidad, las personas que vas a conocer se ven de buena situación, personas adineradas.

Hay oportunidades románticas en tu lugar de culto, en funciones de tipo religioso o educacional, o en otros países.

A profesores y pastores religiosos de tu vida, como también a personas con que te encuentras en tu lugar de culto, les gusta hacer de casamenteros.

Progreso personal

La corta incursión de Urano por tu primera casa sólo es un anuncio, una cata, de cosas por venir. Ocurren muchos cambios en tu vida, algunos repentinos, inesperados; no son cosas que podrías prever o predecir. En esto hay una lección cósmica, una importante: Tauro es persona conservadora; le gusta la rutina, le gusta la previsibilidad; no se siente a gusto con demasiado cambio. Pues, ahora el Cosmos te lo impone y, no te quepa duda, es por tu bien. La lección es, entonces, hacer del cambio un amigo; aceptarlo, dar el paso y adaptarse a él. Hay algo muy interesante en todo esto: en cualquier momento puede ocurrir cualquier cosa; las cosas rutinarias, por cómodas que sean, no van a durar. Ahora lo importante es ser flexible y no apegarse a nada. Si aprendes esto, las cosas se te harán más fáciles a la larga.

Urano es tu planeta de la profesión. Ya hemos hablado de los aspectos mundanos de tu profesión. Pero la décima casa tiene un significado más profundo que la parte mundana de la profesión; espiritualmente representa la finalidad del alma, la misión espiritual en esta vida. Esto va a adquirir más y más importancia en los próximos años. El mensaje del horóscopo es que tu cuerpo e imagen son fundamentalmente tu misión. Se te llama a forjar y personificar el «Cuerpo Divino», la Idea de la Divinidad cuando creó tu cuerpo. Esto es perfección cuando lo entendemos bien; pero no se trata sólo del cuerpo sino también de la personalidad externa. Se te llama a perfeccionarla, a hacerla lo que estaba destinada a ser.

Urano va a iniciar una tendencia a la «redefinición del yo» de larga duración. Te vas a redefinir constantemente, cambiando tu imagen o apariencia, mejorándola, así como actualizas o modernizas constantemente el ordenador y los programas informáticos. Cada vez que pienses que la tienes perfecta, te vendrá otra idea y volverás a cambiarla.

Dejarás de ser el Tauro «aburrido, soso»; serás una persona interesante, fascinante, cuya compañía será un gusto. Tendrás una presencia magnética, carismática.

Plutón lleva muchos años desintoxicando tu sistema de creencias, tu filosofía de la vida; todo el mundo tiene su filosofía, sea consciente o inconscientemente. Esta faceta de la vida es mucho más importante (aunque menos popular) que la psicología; la filosofía de la persona configura su psicología. Es probable, entonces, que haya habido muchos cambios en tus creencias a lo largo de estos años. Ahora, Saturno en tu novena casa va a poner a prueba tus nuevas creencias; estas van a pasar por una «terapia de realidad». ¿Son verdaderos los cambios que has hecho? ¿Son ciertas esas creencias? ¿Se sostienen ante los acontecimientos de la vida? En los próximos dos años vas a descubrirlo. Algunas creencias se sostendrán, otras habrá que cambiarlas, modificarlas o descartarlas del todo.

Saturno en tu novena casa favorece lo que se llama «la religión antigua», la tradicional. En ciertos ambientes ha estado de moda arrojarla por la ventana y burlarse de ella. Pero el motivo de que estas religiones hayan durado tanto tiempo es que bajo el bagaje humano están las verdades espirituales profundas. Ahora es el periodo para entender y asimilar estas verdades. Una vez que tienes la esencia puedes tirar los avíos externos. Pero antes es necesario tener la esencia.

Previsiones mes a mes

Enero

Mejores días en general: 5, 6, 15, 16, 25, 26
Días menos favorables en general: 3, 4, 10, 11, 17, 18, 31
Mejores días para el amor: 5, 6, 10, 11, 15, 16, 25, 26, 27, 28
Mejores días para el dinero: 1, 2, 3, 4, 10, 11, 15, 16, 20, 21, 25, 26, 27, 28, 29, 30
Mejores días para la profesión: 4, 13, 14, 17, 18, 19, 23, 24, 31

Te encuentras en una situación muy interesante. Comienzas el año con el 90 por ciento de los planetas sobre el horizonte de tu carta (y la mitad del mes el 100 por ciento). La mitad superior de tu carta, el «lado día», está lleno de planetas, mientras que la mitad inferior está vacía; sólo la Luna transitará por el «lado noche» del 3 al 9 y del 25 al 31. Esto significa que este año eres una persona muy «diurna», dedicada a la profesión, una persona con la atención centrada en consecuciones externas. El hogar, la familia y el bienestar emocional están en un segundo plano. También significa que la mitad inferior de tu horóscopo no dominará nunca, ni cuando esté en su situación más fuerte. Estás en un año profesional fuerte, y este es un mes profesional fuerte. Si alguien te acusa de estar obsesionado por tu profesión, baja humildemente la cabeza: «Es la posición de las estrellas».

El 31 hay un eclipse lunar que te obligará a prestar más atención a los asuntos domésticos y familiares, aunque por un breve periodo. Ocurre en tu cuarta casa, la del hogar y la familia, y provoca dramas en la vida de familiares, en especial de un progenitor o figura parental; a veces es necesario hacer reparaciones en la casa, y esto no lo podrás eludir. Es un eclipse fuerte así que reduce tus actividades. Este eclipse pondrá a prueba los coches y el equipo de comunicación; podría ser necesario repararlos o reemplazarlos. Hermanos y figuras fraternas pasan por dramas, de aquellos que cambian la vida. Dado que este eclipse toca a Venus (en realidad sólo es un «roce» por un lado) en los próximos meses cambiarás tu programa de salud; podría haber un susto, pero tu salud se ve buena así que tal vez no sea más que eso, un susto. Podría haber trastornos en el barrio, y también con los vecinos. Si eres empleador, verás inestabilidad en el personal.

Es interesante que este eclipse ocurra justo cuando estás en una cima profesional anual, uno de los periodos de más éxito (y exigencias). Te distrae de la profesión. Afortunadamente la familia en su mayor parte apoya tus objetivos profesionales, los consideran «proyecto familiar», no sólo tuyos.

La vida amorosa va bien este mes. Del 8 al 10 Venus viaja con Plutón, tu planeta del amor. Si estás soltero o soltera y sin compromiso, esto significa un importante encuentro romántico, o una oportunidad. Además, Júpiter está en tu séptima casa; hay aires de amor serio.

Febrero

Mejores días en general: 2, 3, 11, 12, 21, 22
Días menos favorables en general: 6, 7, 14, 15, 27, 28
Mejores días para el amor: 2, 3, 4, 5, 6, 7, 11, 12, 16, 21, 22, 25, 26
Mejores días para el dinero: 2, 3, 6, 7, 11, 12, 16, 17, 21, 22, 23, 24, 25, 26
Mejores días para la profesión: 10, 14, 15, 19, 20, 28

Siguen en vigor muchas de las tendencias de que hablamos el mes pasado. Continúas en una cima profesional y tienes mucho éxito. El 18 del mes pasado el señor de tu horóscopo, Venus, cruzó tu medio cielo y entró en tu décima casa, la de la profesión; esto indica éxito y elevación personal; se te respeta y admira. Estás al mando (o aspiras a estarlo) y en la cumbre. Venus estará en esta casa hasta el 11. Pero otro eclipse te distrae. Este es un eclipse solar, el 15, y ocurre en tu décima casa y también se ve potente.

De todos modos es necesario que te tomes las cosas con calma hasta el 18, pero en especial durante el periodo del eclipse. Este eclipse afecta a la familia, en especial a los padres o figuras parentales (a los dos de cada conjunto); hay dramas en sus vidas. Tal vez sea necesario dar más atención a la casa, podrían revelarse defectos ocultos. También hay trastornos o reorganización en la empresa e industria en que trabajas; tal vez el Gobierno cambia alguna ley y entonces cambian las reglas del juego; hay drama en la vida de jefes y superiores. En último término estas cosas van a beneficiar tu profesión: se eliminan obstáculos a tu progreso. Pero mientras ocurren estas cosas suele haber una sensación de inseguridad. Se hace necesario tomar medidas correctivas en la profesión.

El eclipse es fuerte en otros sentidos también. Hace impacto en Mercurio, tu planeta del dinero, por lo tanto surge alguna dificultad en las finanzas, algo que te obliga a hacer correcciones en tu estrategia y criterio financieros. Podría pasar por pruebas una aventura amorosa. Los hijos y figuras filiales sienten la necesidad de redefinirse.

Este eclipse también hace impacto en Júpiter, el señor de tu octava casa, por lo que podría haber una experiencia de casi muerte, problemas con autoridades de Hacienca o problemas legales. Con este tipo de eclipse a veces la persona sueña con la muerte. Pero esto es sólo para ayudarte a entenderla y hacer las paces con ella.

La salud y la energía mejoran a partir del 18; hasta entonces procura descansar lo suficiente. Fortalece la salud de las maneras explicadas en las previsiones para el año. Hasta el 11 da más atención a los tobillos y pantorrillas; dales masajes frecuentes. Después del 11 da más atención a los pies; masajes en los pies te serán muy beneficiosos. Venus en Piscis después del 11 favorece las terapias de tipo espiritual. Si te sientes indispuesto recurre a un terapeuta que aplique técnicas espirituales.

Marzo

Mejores días en general: 1, 2, 10, 11, 12, 20, 21, 29, 30
Días menos favorables en general: 6, 7, 13, 14, 26, 27
Mejores días para el amor: 1, 2, 6, 7, 8, 10, 11, 12, 18, 19, 20, 21, 26, 27, 29, 30
Mejores días para el dinero: 6, 7, 8, 15, 16, 17, 18, 19, 22, 23, 24, 25, 26, 27
Mejores días para la profesión: 9, 13, 14, 18, 19, 27

La profesión continúa siendo muy importante, y lo será todo el año. Pero este mes es más espiritual; hay muchos planetas en el espiritual signo Piscis; el 40 por ciento de los planetas, y a veces el 50 por ciento, están en él o transitan por él. Esto indica participación en actividades espirituales en grupo, amistad con personas espirituales; es importante la conexión espiritual en la amistad; no olvidemos que Neptuno lleva ya varios años en tu casa once.

La espiritualidad se acentúa aún más después del 20 ya que tu casa doce estará ultrapoderosa. Tu reto este mes será fusionar tus valores espirituales con los valores del mundo. Esto no es nada fácil. Tu actitud profesional será más espiritual y tu actitud espiritual más mundana y práctica.

La salud y la energía son súper este mes; sólo hay un planeta lento en alineación desfavorable. Todos los planetas rápidos (a excepción de la Luna a veces) o están en armonía contigo o te dejan en paz. Mientras no malgastes esta energía extra, debería producirte éxito y prosperidad. Puedes fortalecer la salud dando más atención a los pies hasta el 6, y después a la cabeza, la cara y el cuero cabelludo; el masaje en el cuero cabelludo fortalece no sólo al cerebro y la cabeza sino también a todo el cuerpo.

Tu planeta del dinero, Mercurio, pasa la mayor parte del mes en tu casa doce, a partir del 6. Esto indica la importancia de la intuición, y la tuya es buena; indica la necesidad, y la capacidad, para acceder a las fuentes sobrenaturales de aprovisionamiento; es un periodo para dinero milagroso, que no natural. El 23 Mercurio inicia movimiento retrógrado, así que deja concluidas todas las compras e inversiones antes de esta fecha. Después del 23 es periodo para poner en revisión tus finanzas.

El amor va bien este año, pero después del 20 se presenta una dificultad; tienes que trabajar más en tu relación. Hay ciertos desacuerdos entre tú y la persona amada (esto es de corta duración). El mes que viene se restablece la armonía.

Este mes el poder planetario se acerca a su posición oriental máxima; esto será más acentuado el próximo mes. Ahora es el periodo para hacer los cambios que necesitas hacer. Tienes mucho respaldo cósmico (si contamos con el respaldo cósmico no nos preocupa lo que piensen los seres humanos); tu independencia personal es extraordinariamente fuerte.

Abril

Mejores días en general: 7, 8, 16, 17, 25, 26
Días menos favorables en general: 2, 3, 9, 10, 11, 23, 24, 29
Mejores días para el amor: 2, 3, 7, 8, 16, 17, 25, 26, 27, 29
Mejores días para el dinero: 2, 3, 4, 5, 6, 12, 13, 14, 15, 18, 19, 21, 22, 23, 24, 29, 30
Mejores días para la profesión: 6, 9, 10, 15, 24

Este es un mes feliz y exitoso, Tauro, disfrútalo. La salud y la energía están fabulosas; con más energía hay más felicidad (en el sentido astrológico, una buena definición de la depresión es «falta de energía»). Con más energía el mundo se expande, cosas que habrías descartado ahora son muy posibles.

El poder planetario está en tu sector oriental, en su posición oriental máxima. Este, como saben nuestros lectores, es el sector del yo. El poder planetario, la mayor parte del Universo, está de tu parte, apoyándote y respaldando tu felicidad. Como dijimos el mes pasado, este es el periodo para hacer los cambios que es necesario hacer. Las condiciones fastidiosas están muy cambiables, no es necesario sufrir ni pactar. Importa la iniciativa personal, importan las habilidades personales. Nunca les faltamos el respeto a los demás, pero ahora no dependes de ellos. Es el periodo para tener las cosas a tu manera, tener la vida según tus condiciones. Si has creado con prudencia este año será muy agradable, cómodo. Si has cometido errores, te enterarás de ellos en los seis próximos meses y cuando llegue el periodo de independencia harás los cambios apropiados.

Hasta el 20 sigue siendo importante la espiritualidad. Los progresos que hagas cambiarán para mejor la situación financiera y la profesional. También mejorará la situación familiar debido a esto. Si los padres o figuras parentales no se han llevado bien, habrá una reconciliación entre los días 17 y 19. En estos días también hay feliz éxito profesional.

Venus pasa la mayor parte del mes en tu signo, hasta el 24. Esto aporta belleza y atractivo a tu imagen. Este es uno de los mejores periodos para comprar ropa o accesorios personales ya que el gusto será excelente (muchas veces te llega sin anunciarse). Se te presentan felices oportunidades de trabajo; no hay ninguna necesidad de que un Tauro esté sin empleo.

El 20 entra el Sol en tu signo. Esto también mejora tu imagen; tienes apariencia estelar; carisma; el guiño del ojo, la agilidad del paso. No es sorprendente que la vida amorosa haya mejorado tanto. La única complicación en el amor es que Plutón inicia movimiento retrógrado el 22, y esto va a durar meses. Esto no impide el amor, pero enlentece un poco las cosas, y deben enlentecerse; deja que el amor se desarrolle a su aire.

Mayo

Mejores días en general: 4, 5, 14, 15, 22, 23, 31
Días menos favorables en general: 7, 8, 20, 21, 26, 27, 28

Mejores días para el amor: 4, 5, 7, 8, 14, 15, 17, 22, 23, 26, 27, 28
Mejores días para el dinero: 2, 3, 9, 10, 13, 14, 16, 17, 18, 19, 22, 23, 26, 27, 31
Mejores días para la profesión: 4, 7, 8, 14, 22, 31

Este es otro mes feliz y exitoso, Tauro, con sólo unas pocas dificultades para hacer interesante las cosas (demasiada felicidad puede volverse aburrida pasado un tiempo).

El 20 del mes pasado, cuando el Sol entró en tu primera casa, comenzaste una de tus cimas de placer personal del año; un periodo fabuloso para mimar el cuerpo y gozar de todos los placeres de los cinco sentidos. También es bueno para poner en forma el cuerpo y la imagen; el Cosmos respalda estas actividades.

El apoyo familiar también es bueno; se ve el cariño hacia ti.

Mercurio, que ya está en movimiento directo, cruza tu ascendente y entra en tu primera casa el 13. Esto te trae ganancias inesperadas; comienzas a vestirte con ropa cara y presentas la imagen de la riqueza; las oportunidades financieras te buscan. Cuentas con el favor de las personas adineradas de tu vida.

La gran novedad, y ya hablamos de esto en las previsiones para el año, es la importantísima entrada de Urano en tu primera casa el 16. Tauro tiene tendencia a apegarse a sus hábitos, pero ahora esto queda atrás, en especial si naciste en la primera parte del signo. Pueden ocurrir cambios en cualquier momento y lugar, cambios repentinos y drásticos. Me parece que este periodo afecta a la profesión; llegan felices oportunidades profesionales que podrían volver del revés la situación.

El 21 el Sol entra en tu casa del dinero y comienzas una cima financiera anual. Venus está en esta casa hasta el 19, lo que tambiés es bueno para las finanzas, y Mercurio entra el 30. Este es, pues, un periodo próspero, el cielo de Tauro.

El 16 Marte cruza tu medio cielo y entra en tu décima casa, la de la profesión. Esto indica mucha actividad, frenesí, profesional. Es posible que haya revelaciones desagradables acerca de la empresa o industria en que trabajas y te toque hacer mucho trabajo; o tienes que defenderte de competidores. Esto te tendrá alerta y activo.

El dinero proviene de tu trabajo, de familiares y conexiones familiares, o buenas ventas. El avance veloz de Mercurio (este mes transita por tres signos y casas) indica confianza financiera y rápido progreso.

El amor es feliz, pero Plutón continúa en movimiento retrógrado, así que no hay necesidad de precipitarse a nada. Júpiter en tu séptima casa también está en movimiento retrógrado, y esto refuerza lo dicho.

Junio

Mejores días en general: 1, 2, 10, 11, 18, 19, 28, 29
Días menos favorables en general: 3, 4, 16, 17, 23, 24, 30
Mejores días para el amor: 1, 2, 6, 7, 10, 11, 16, 18, 19, 23, 24, 28, 29
Mejores días para el dinero: 3, 4, 5, 6, 7, 12, 13, 14, 15, 23, 24
Mejores días para la profesión: 1, 3, 4, 10, 18, 28, 30

Este mes aumenta la actividad retrógrada; hacia fin de mes, el 26, el 50 por ciento de los planetas estarán retrógrados, cerca de la máxima del año. Se enlentece considerablemente el ritmo de la vida; ocurren muchos retrasos y contratiempos en el mundo. En el plano psíquico, es útil entender qué sucede. Además, como beneficio añadido, aprendemos a tener paciencia.

Continúas en una de tus cimas financieras anuales. Puede que las cosas vayan lentas en el mundo, pero tus ingresos te llegan como es debido. El 21 ya habrás más o menos conseguido tus objetivos financieros de corto plazo y puedes centrar la atención en otra cosa, tu desarrollo intelectual; este es un muy buen periodo para hacer cursos en temas que te interesen. Si eres experto en algún campo, este es un buen periodo para enseñar a otros, para comunicar tus conocimientos. Las ventas y la mercadotecnia son siempre importantes en el plano financiero, y ahora lo son especialmente hasta el 29.

El 1 y el 2 Venus le forma aspectos hermosos a Neptuno. En estos días entra en tu vida una persona espiritual; tu intuición es buena y la vida onírica es muy activa. Del 4 al 6 Venus está en oposición con Plutón; hay conflictos con el ser amado, veis las cosas desde perspectivas opuestas; pero esto es de corta duración, se acaba pronto.

La salud y la energía son fundamentalmente buenas este mes. Cuida de no trabajar en exceso en la profesión; Marte continúa en tu décima casa y la actividad profesional es frenética. Hasta el 14 puedes fortalecer la salud con una buena dieta y tranquilidad emocional; después del 14 da más atención al corazón; entonces son sanadoras las termoterapias (y el calor del sol).

Las finanzas van esencialmente bien, como hemos dicho, pero del 15 al 16 hay ciertas dificultades, o retraso. El 22 o el 23 podría haber un desacuerdo con el ser amado respecto a las finanzas.

Venus, el señor de tu horóscopo, está «fuera de límites» del 1 al 7. Por lo tanto sales de tu esfera normal estos días; esto podría deberse al trabajo.

Urano continúa en tu primera casa, muy cerca de tu ascendente. Puedes esperar cambios y emociones. Con este aspecto a veces la persona cambia de imagen, hace experimentos con su imagen. Vas mejorando la imagen igual que algunas personas ponen al día sus programas informáticos. Es un proceso continuo.

Julio

Mejores días en general: 7, 8, 16, 17, 25, 26
Días menos favorables en general: 1, 14, 15, 20, 21, 27, 28, 29
Mejores días para el amor: 5, 6, 7, 8, 16, 17, 20, 21, 25, 26
Mejores días para el dinero: 1, 5, 6, 10, 11, 12, 13, 14, 15, 20, 21, 22, 23, 24, 27, 28, 29
Mejores días para la profesión: 1, 7, 16, 25, 27, 28, 29

La perseverancia, lo que algunas personas llaman obstinación, es una de las virtudes importantes de Tauro. Tienes la capacidad innata de llevar a éxito cosas a las que otros han renunciado hace tiempo. Pero a veces esta virtud es un defecto; a veces te quedas estancado en tus rutinas y es necesario corregir eso. Este mes, Urano en tu primera casa y dos fuertes eclipses, te van a hacer salir de tu rutina. Es posible que el mes pasado vieras el comienzo de esto.

Los dos eclipses, el solar del 13 y el lunar del 27, son fuertes en ti, así que tómate las cosas con calma y reduce tus actividades esos días.

El eclipse solar del 13 afecta al Sol, tu planeta del hogar y la familia, y además ocurre en Cáncer, que es el regente genérico de la familia. Así pues, ocurren dramas en la familia. Podrían surgir recuerdos de explosivos acontecimientos del pasado. Un progenitor o figura parental debe tomar decisiones que le cambian la vida. Podrían salir a la luz defectos en la casa para que puedas corregirlos. La situación familiar no es lo que parece y el eclipse revela esto. Este eclipse ocurre en tu tercera casa, por lo tanto afecta a los hermanos y figuras fraternas de tu vida; experimentan dramas personales y financieros. Pasan por pruebas los coches y el equipo de comunicación, y podría ser necesario repararlos o reemplazarlos. Si eres estudiante aun no universitario podrías cambiar de colegio o hacer cambios en tus planes educacionales; o hay trastornos en el colegio. Este eclipse hace impacto en Plutón, tu planeta del amor, por lo tanto pasa por pruebas la relación amorosa actual; tienden a resurgir antiguos agravios y es necesario solucionarlos. Ten más paciencia con el ser amado en este periodo.

El eclipse lunar del 27 también afecta al hogar y la familia pues el planeta eclipsado, la Luna, es su regente genérica. También afecta a los hermanos o figuras fraternas; los obliga a hacer importantes cambios personales. Nuevamente pasan por pruebas los coches y el equipo de comunicación. Este eclipse ocurre en tu décima casa, así que hay que tomar medidas correctivas en la profesión; cambian las reglas del juego. Afecta al otro progenitor o figura parental. A veces hay dramas con jefes, mayores y personas relacionadas con tu profesión. Este eclipse hace impacto en Marte, el señor de tu casa doce, así que habrá trastornos o reorganización en un organismo benéfico o espiritual al que perteneces o con el que te relacionas; hay drama en la vida del gurú o figura de gurú. Es probable que la vida onírica sea hiperactiva, pero no muy fiable; no des mucha importancia a los sueños en este periodo.

Agosto

Mejores días en general: 4, 5, 12, 13, 21, 22, 31
Días menos favorables en general: 10, 11, 16, 17, 24, 25
Mejores días para el amor: 4, 5, 12, 13, 14, 15, 16, 17, 21, 22, 24, 25, 31
Mejores días para el dinero: 1, 2, 3, 6, 7, 8, 9, 10, 11, 16, 17, 19, 20, 26, 27, 29, 30
Mejores días para la profesión: 4, 12, 21, 24, 25, 31

No se ha acabado la turbulencia del mes pasado. El 11 tenemos otro eclipse solar, el tercero del año. Este eclipse és más o menos repetición de los eclipses del mes pasado (nada se repite nunca del modo exacto, pero los temas son similares). Ocurre en tu cuarta casa, la del hogar y la familia, y el planeta eclipsado, el Sol, es el señor de tu cuarta casa. Por lo tanto hay más dramas familiares y tal vez sean necesarios más trabajos de reparación en la casa (los defectos ocultos son más numerosos de lo que creías).

De todos modos debías reducir tus actividades hasta el 22 (tu salud no está en su mejor periodo), pero en especial durante el periodo del eclipse.

Es la medianoche en tu año (en sentido alegórico) y sin embargo estás totalmente despierto; el mundo externo te llama; te gustaría dormir, pero necesitas poner la atención en las actividades del día. Es una situación curiosa; tal vez te sientes privado de sueño.

Fortalece la salud procurando descansar lo suficiente; pero también da más atención a la dieta y al intestino delgado hasta el 7; después a los riñones y caderas; el masaje periódico en las caderas no sólo fortalece los riñones sino también la parte inferior de la espalda. Tu planeta de la salud pasa la mayor parte del mes en Libra, su signo, lo que es buen presagio para la salud; es fuerte en ese signo. También indicaría la necesidad de buena salud social, buena salud de la relación amorosa o conyugal. Si hubiera algún problema en esto, resuélvelo lo más rápido posible.

Mercurio, tu planeta del dinero, está en movimiento retrógrado hasta el 19, así que evita las compras e inversiones importantes en ese periodo. Después del 19 habrá más claridad y menor riesgo para hacer estas cosas.

Mercurio pasa el mes en tu cuarta casa, por lo tanto gastas más en la casa y la familia (lo que no es sorpresa). Tal vez también tienes ingresos procedentes de la familia o la casa. Podría ser que ganes el dinero en casa. La familia y las conexiones familiares tienen un papel importantísimo en tu vida financiera este mes.

Marte, tu planeta de la espiritualidad, está «fuera de límites» todo el mes (esto comenzó el mes pasado); esto quiere decir que en tu vida espiritual estás fuera de tu esfera normal. Este es el tipo de aspecto de la persona que viaja a un lugar distante en un peregrinaje espiritual; pero también puede indicar que, sin viajar a ninguna parte, exploras otros tipos de espiritualidad, tal vez exóticos.

Septiembre

Mejores días en general: 1, 9, 17, 18, 19, 27, 28
Días menos favorables en general: 7, 13, 14, 20, 21
Mejores días para el amor: 1, 2, 3, 9, 10, 13, 14, 18, 19, 22, 23, 27, 28
Mejores días para el dinero: 2, 3, 4, 5, 9, 13, 14, 18, 19, 22, 23, 24, 29, 30
Mejores días para la profesión: 1, 8, 9, 17, 20, 21, 27

Ahora que ya ha pasado la agitación producida por los eclipses puedes disfrutar más de tu vida. Tu quinta casa continúa muy fuerte hasta el 22, así que estás en otra de tus cimas anuales de placer personal. Te irá bien programar más actividades de ocio y diversión.

La salud y la energía están mucho mejor que el mes pasado. Si has tenido algún problema de salud, este mes deberías tener buenas noticias al respecto. Hasta el 9 continúa dando más atención a los riñones y caderas. Después del 9 da mas atención al colon, la vejiga y los órganos sexuales; entonces son potentes los regímenes de desintoxicación, y si te sientes indispuesto podría convenirte una limpieza del colon con infusión de hierbas.

Las finanzas también van bien este mes. Mercurio avanza rápido; el progreso financiero es rápido; cubres mucho terreno. Del 6 al 22 es un periodo particularmente bueno; Mercurio estará en tu quinta casa, lo que indica que el dinero se gana de modos felices; el acto de hacer dinero es placentero (y no siempre podemos decir esto); hay suerte en las especulaciones. Más importante aún, disfrutas de tu riqueza; gastas en actividades de tipo diversión. Los hijos y figuras filiales se ven importantes en las finanzas; si son niños podrían motivarte a ganar más, o tienen ideas o percepciones que resultan lucrativas; si son mayores podrán ayudarte económicamente de modo más tangible.

A partir del 22 está fuerte tu sexta casa, la de la salud y el trabajo. Esto indica buena ética laboral, algo que necesitas ahora que Marte vuelve a entrar en tu décima casa, la de la profesión. Las exigencias de la profesión son fuertes, pero me parece que estás a la altura. En el caso de que busques trabajo, deberías tener éxito en este periodo, y también el mes que viene.

El 22 de julio el poder planetario inició su traslado desde tu sector oriental (el del yo) al occidental (el de los demás). Ahora se está acercando a su posición occidental máxima. Esto significa que el poder planetario está más enfocado hacia los demás, avanza hacia ellos y se aleja de ti. Y así es como debe ser.

Venus, el señor de tu horóscopo, entra en tu séptima casa el 9 y continúa en ella el resto del mes. Te tomas unas vacaciones de ti (muy necesitadas) y te interesas más por los demás; antepones sus intereses a los tuyos; te sientes bien cuando haces algo por ellos. Esto tiende a hacerte popular, así que el amor va bien.

Octubre

Mejores días en general: 6, 7, 15, 16, 25, 26
Días menos favorables en general: 4, 5, 10, 11, 17, 18, 19, 31
Mejores días para el amor: 2, 3, 6, 7, 10, 11, 15, 16, 20, 21, 25, 26, 29, 30
Mejores días para el dinero: 1, 2, 3, 9, 10, 11, 20, 21, 27, 28, 29, 30
Mejores días para la profesión: 6, 15, 17, 18, 24, 25

El amor es el principal titular este mes. Pero continúa un poco complicado. Por un lado, Plutón, tu planeta del amor, retoma por fin el movimiento directo después de meses de estar retrógrado (esto ocurre el 2). Júpiter está en tu séptima casa en movimiento directo. El 23 entra el Sol en tu séptima casa y con esto inicias una cima amorosa y social anual. Por lo tanto, si estás soltero o soltera y sin compromiso, hay amor; sólo hay un problema: Venus, el planeta genérico del amor, y señor de tu horóscopo, inicia movimiento retrógrado el 5. O sea que hay amor pero parece que tú retrocedes, alejándote de él; tal vez adoptas la actitud de esperar para ver; tal vez estás más cauteloso. Pero hay oportunidades amorosas; el juicio social va mejorando.

La salud es buena este mes y estás al tanto. Tu sexta casa sigue muy fuerte hasta el 23; pero después vas a tener que estar más atento. No vemos ningún desastre, sino sólo que la energía no está a la altura acostumbrada. Así pues, como siempre, descansa lo suficiente. Fortalece la salud de las maneras explicadas en las previsiones para el año y para el mes pasado. Son excelentes los regímenes de desintoxicación; podría convenirte una limpieza del colon. Son importantes la moderación sexual y el sexo seguro.

La profesión ha sido importante en lo que va de año, pero después del 23 lo es más aún; el 90 por ciento de los planetas están sobre el horizonte de tu carta después de esta fecha. Marte continúa en tu décima casa, la de la profesión. La actividad profesional es frenética; es necesario que adoptes una actitud más osada en tu profesión.

Las finanzas van bien este mes, pero se ven más fuertes después del 10 que antes; el mes va a terminar próspero. Hasta el 10 el dinero procede de tu trabajo, a la manera anticuada. Las conexiones sociales son importantes todo el mes. El 10 Mercurio entra en Escorpio, tu séptima casa, y viaja con el Sol. Esto indica buen apoyo de la familia y las amistades. Del 28 al 30 Mercurio viaja con Júpiter; esto significa que llega un bonito día de paga; hay colaboración financiera con el cónyuge, pareja o ser amado actual; es fácil pagar deudas; estos días son buen periodo para contactar con inversores si tienes buenas ideas; podría formarse una sociedad de negocio o empresa conjunta, se presentará la oportunidad.

Noviembre

Mejores días en general: 2, 3, 11, 12, 21, 22, 29, 30
Días menos favorables en general: 1, 6, 7, 8, 14, 15, 27, 28
Mejores días para el amor: 2, 3, 4, 5, 6, 7, 8, 11, 12, 14, 15, 21, 22, 23, 24, 29, 30
Mejores días para el dinero: 1, 8, 9, 10, 19, 20, 23, 24, 27, 28
Mejores días para la profesión: 2, 10, 14, 15, 20, 28

El cónyuge, pareja o ser amado actual ha tenido un buen año financiero, pero este mes es mejor aún; el 8 Júpiter entra en su casa del dinero, clásica señal de prosperidad. El 22 el Sol entra en su casa del dinero y esta persona entra en una cima financiera anual. Parece que tú intervienes en sus finanzas.

La entrada de Júpiter en tu octava casa indica la importancia de la eficiencia en el pago de impuestos; una buena planificación de este asunto tiene un importante papel en tu economía. También es un periodo excelente para pagar deudas o renegociar un préstamo para conseguir condiciones más favorables, o para solicitar un préstamo, según sea tu necesidad. A veces indica herencia, pero es de esperar que nadie tenga que morir; podrías ser beneficiario de un testamento o ser nombrado por testamento para un puesto administrativo en una propiedad.

Hasta el 22 continúas en una cima amorosa y social. Pero Venus continúa en movimiento retrógrado hasta el 16. Esto quiere decir que se te siguen presentando oportunidades amorosas pero tú estás indeciso, vacilas, retrocedes. A partir del 16 esto irá cambiando. La Luna nueva del 7 va a esclarecer los asuntos amorosos a medida que avance el mes; te llegará toda la información que necesitas para tomar una buena decisión, sin esfuerzo por tu parte.

Tu planeta del dinero, Mercurio, pasa el mes en Sagitario, tu octava casa. Esto indica interés en los ingresos del cónyuge, pareja o ser amado actual; también indica la necesidad de una buena planificación respecto a impuestos y seguros. Si estás en edad, es buen periodo para hacer planes testamentarios. Del 4 al 20 Mercurio está «fuera de límites»; esto indica que sales de tu ambiente normal en busca de ingresos; a veces indica que hacer esto es una necesidad, que no puedes conseguir tus objetivos a menos que te abras a nuevas ideas, que salgas de la rutina. El 17 Mercurio inicia movimiento retrógrado, así que procura cerrar las gestiones de compras e inversiones importantes antes de esta fecha. Del 24 al 28 el Sol viaja con Júpiter; esto indica un bonito día de paga para ti y para un progenitor o figura parental; es probable que esta persona sea más generosa contigo en estos días.

Este mes la profesión sigue siendo importante pero algo menos ajetreada; el 16 Marte sale de tu décima casa.

El 6 termina la incursión de Urano por tu signo; vuelve a Aries, donde continuará el resto del año. Pero hizo su trabajo, dejó su mensaje acerca de los cambios importantes que ocurrirán a partir del próximo año.

Diciembre

Mejores días en general: 9, 10, 18, 19, 27, 28
Días menos favorables en general: 4, 5, 11, 12, 25, 26, 31
Mejores días para el amor: 2, 3, 4, 5, 9, 10, 14, 15, 18, 19, 23, 24, 27, 28, 31
Mejores días para el dinero: 4, 5, 6, 13, 16, 21, 22, 23, 24, 26
Mejores días para la profesión: 7, 11, 12, 17, 26

Aunque este mes no estás en una cima amorosa y social, la vida amorosa se ve activa y positiva. Venus está en movimiento directo y pasa casi todo el mes en tu séptima casa, la del amor. Plutón, tu planeta del amor, también está en movimiento directo. Por lo tanto, la confianza y el juicio social son buenos. Venus en tu séptima casa indica mucha popularidad; estás por tu ser amado y por tus amistades; antepones sus intereses a los tuyos; esto tiende a hacerte popular. Estás muy dedicado a tu relación amorosa. Las buenas dotes sociales (y las tienes ahora) son importantes no sólo en el amor sino también en las finanzas; Mercurio también está en tu séptima casa hasta el 13.

El 6 Mercurio retoma el movimiento directo, así que vuelve tu buen juicio financiero innato; esto es un punto positivo para las finanzas. El 13 Mercurio entra nuevamente en tu octava casa.

Esto, como hemos dicho, es bueno para pagar deudas o para solicitar un préstamo, según sea tu necesidad; es bueno para centrar la atención en el bienestar financiero de otros. Es bueno para atraer dinero ajeno a tus proyectos, o de inversores o de préstamo.

Tauro tiende a acumular; guarda, guarda, guarda; este es un buen mes para «desintoxicarte» de posesiones, para librarte de las cosas que ya no necesitas ni usas; el criterio debería ser el uso; las cosas que usas mantenlas; lo que no usas o lo vendes o lo das a una obra benéfica. El exceso de cosas bloquean, taponan, el sistema interno. Necesitas hacer espacio para lo nuevo y mejor que desea entrar.

El 21 el Sol entra en tu novena casa y comienza a viajar con el señor de tu novena casa; esto indica viaje al extranjero; otros países te llaman. Pasar las vacaciones con la familia en algún lugar del extranjero es buena idea. Este aspecto también es bueno si eres universitario; estás más disciplinado y concentrado en tus estudios.

Del 5 al 7, Marte, tu planeta de la espiritualidad, viaja con Neptuno. Fíjate en tus sueños en este periodo ya que son importantes. Este aspecto podrías sentirlo antes del 5. Trae progreso espiritual; entran en el cuadro más amistades espirituales.

Géminis

♊

Los gemelos

Nacidos entre el 21 de mayo y el 20 de junio

Rasgos generales

GÉMINIS DE UN VISTAZO

Elemento: Aire

Planeta regente: Mercurio
Planeta de la profesión: Neptuno
Planeta de la salud: Plutón
Planeta del amor: Júpiter
Planeta del dinero: la Luna

Colores: Azul, amarillo, amarillo anaranjado
Colores que favorecen el amor, el romance y la armonía social: Azul celeste
Colores que favorecen la capacidad de ganar dinero: Gris, plateado

Piedras: Ágata, aguamarina

Metal: Mercurio

Aromas: Lavanda, lila, lirio de los valles, benjuí

Modo: Mutable (= flexibilidad)

Cualidad más necesaria para el equilibrio: Pensamiento profundo en lugar de superficial

Virtudes más fuertes: Gran capacidad de comunicación, rapidez y agilidad de pensamiento, capacidad de aprender rápidamente

Necesidad más profunda: Comunicación

Lo que hay que evitar: Murmuración, herir con palabras mordaces, superficialidad, usar las palabras para confundir o malinformar

Signos globalmente más compatibles: Libra, Acuario

Signos globalmente más incompatibles: Virgo, Sagitario, Piscis

Signo que ofrece más apoyo laboral: Piscis

Signo que ofrece más apoyo emocional: Virgo

Signo que ofrece más apoyo económico: Cáncer

Mejor signo para el matrimonio y/o las asociaciones: Sagitario

Signo que más apoya en proyectos creativos: Libra

Mejor signo para pasárselo bien: Libra

Signos que más apoyan espiritualmente: Tauro, Acuario

Mejor día de la semana: Miércoles

La personalidad Géminis

Géminis es para la sociedad lo que el sistema nervioso es para el cuerpo. El sistema nervioso no introduce ninguna información nueva, pero es un transmisor vital de impulsos desde los sentidos al cerebro y viceversa. No juzga ni pesa esos impulsos; esta función se la deja al cerebro o a los instintos. El sistema nervioso sólo lleva información, y lo hace a la perfección.

Esta analogía nos proporciona una indicación del papel de los Géminis en la sociedad. Son los comunicadores y transmisores de información. Que la información sea verdadera o falsa les tiene sin cuidado; se limitan a transmitir lo que ven, oyen o leen. Enseñan lo que dice el libro de texto o lo que los directores les dicen que digan. Así pues, son tan capaces de propagar los rumores más infames como de transmitir verdad y luz. A veces no tienen muchos escrúpulos a la hora de comunicar algo, y pueden hacer un gran bien o muchísimo daño con su poder. Por eso este signo es el de los Gemelos. Tiene una naturaleza doble.

Su don para transmitir un mensaje, para comunicarse con tanta facilidad, hace que los Géminis sean ideales para la enseñanza, la literatura, los medios de comunicación y el comercio. A esto contribuye el hecho de que Mercurio, su planeta regente, también rige estas actividades.

Los Géminis tienen el don de la palabra, y ¡menudo don es ése! Pueden hablar de cualquier cosa, en cualquier parte y en cualquier momento. No hay nada que les resulte más agradable que una buena conversación, sobre todo si además pueden aprender algo nuevo. Les encanta aprender y enseñar. Privar a un Géminis de conversación, o de libros y revistas, es un castigo cruel e insólito para él.

Los nativos de Géminis son casi siempre excelentes alumnos y se les da bien la erudición. Generalmente tienen la mente llena de todo tipo de información: trivialidades, anécdotas, historias, noticias, rarezas, hechos y estadísticas. Así pues, pueden conseguir cualquier puesto intelectual que les interese tener. Son asombrosos para el debate y, si se meten en política, son buenos oradores.

Los Géminis tienen tal facilidad de palabra y de convicción que aunque no sepan de qué están hablando, pueden hacer creer a su interlocutor que sí lo saben. Siempre deslumbran con su brillantez.

Situación económica

A los Géminis suele interesarles más la riqueza del aprendizaje y de las ideas que la riqueza material. Como ya he dicho, destacan en profesiones como la literatura, la enseñanza, el comercio y el periodismo, y no todas esas profesiones están muy bien pagadas. Sacrificar las necesidades intelectuales por el dinero es algo impensable para los Géminis. Se esfuerzan por combinar las dos cosas.

En su segunda casa solar, la del dinero, tienen a Cáncer en la cúspide, lo cual indica que pueden obtener ingresos extras, de un modo armonioso y natural, invirtiendo en propiedades inmobiliarias, restaurantes y hoteles. Dadas sus aptitudes verbales, les encanta regatear y negociar en cualquier situación, pero especialmente cuando se trata de dinero.

La Luna rige la segunda casa solar de los Géminis. Es el astro que avanza más rápido en el zodiaco; pasa por todos los signos y casas cada 28 días. Ningún otro cuerpo celeste iguala la velocidad de la Luna ni su capacidad de cambiar rápidamente. Un análisis de la Luna, y de los fenómenos lunares en general, describe muy bien las actitudes geminianas respecto al dinero. Los Géminis son versátiles y flexibles en los asuntos económicos. Pueden ganar dinero de muchas maneras. Sus actitudes y necesidades en este sentido parecen variar diariamente. Sus estados de ánimo respecto al dinero son cambiantes. A veces les entusiasma muchísimo, otras apenas les importa.

Para los Géminis, los objetivos financieros y el dinero suelen ser solamente medios para mantener a su familia y tienen muy poco sentido en otros aspectos.

La Luna, que es el planeta del dinero en la carta solar de los Géminis, tiene otro mensaje económico para los nativos de este signo: para poder realizar plenamente sus capacidades en este ámbito, han de desarrollar más su comprensión del aspecto emocional de la vida. Es necesario que combinen su asombrosa capacidad lógica con una comprensión de la psicología humana. Los sentimientos tienen su propia lógica; los Géminis necesitan aprenderla y aplicarla a sus asuntos económicos.

Profesión e imagen pública

Los Géminis saben que se les ha concedido el don de la comunicación por un motivo, y que este es un poder que puede producir mucho bien o un daño increíble. Ansían poner este poder al servicio de las verdades más elevadas y trascendentales. Este es su primer objetivo: comunicar las verdades eternas y demostrarlas lógicamente. Admiran a las personas que son capaces de trascender el intelecto, a los poetas, pintores, artistas, músicos y místicos. Es posible que sientan una especie de reverencia sublime ante las historias de santos y mártires religiosos. Uno de los logros más elevados para los Géminis es enseñar la verdad, ya sea científica, histórica o espiritual. Aquellas personas que consiguen trascender el intelecto son los superiores naturales de los Géminis, y estos lo saben.

En su casa diez solar, la de la profesión, los Géminis tienen el signo de Piscis. Neptuno, el planeta de la espiritualidad y el altruismo, es su planeta de la profesión. Si desean hacer realidad su más elevado potencial profesional, los Géminis han de desarrollar su lado trascendental, espiritual y altruista. Es necesario que comprendan la perspectiva cósmica más amplia, el vasto fluir de la evolución humana, de dónde venimos y hacia dónde vamos.

Sólo entonces sus poderes intelectuales ocuparán su verdadera posición y Géminis podrá convertirse en el «mensajero de los dioses». Es necesario que cultive la facilidad para la «inspiración», que no se origina «en» el intelecto, sino que se manifiesta «a través» de él. Esto enriquecerá y dará más poder a su mente.

Amor y relaciones

Los Géminis también introducen su don de la palabra y su locuacidad en el amor y la vida social. Una buena conversación o una contienda verbal es un interesante preludio para el romance. Su único problema en el amor es que su intelecto es demasiado frío y desapasionado para inspirar pasión en otra persona. A veces las emociones los perturban, y su pareja suele quejarse de eso. Si estás enamorado o enamorada de una persona Géminis, debes comprender a qué se debe esto. Los nativos de este signo evitan las pasiones intensas porque estas obstaculizan su capacidad de pensar y comunicarse. Si adviertes frialdad en su actitud, comprende que esa es su naturaleza.

Sin embargo, los Géminis deben comprender también que una cosa es hablar del amor y otra amar realmente, sentir el amor e irradiarlo. Hablar elocuentemente del amor no conduce a ninguna parte. Es necesario que lo sientan y actúen en consecuencia. El amor no es algo del intelecto, sino del corazón. Si quieres saber qué siente sobre el amor una persona Géminis, en lugar de escuchar lo que dice, observa lo que hace. Los Géminis son muy generosos con aquellos a quienes aman.

A los Géminis les gusta que su pareja sea refinada y educada, y que haya visto mucho mundo. Si es más rica que ellos, tanto mejor. Si estás enamorado o enamorada de una persona Géminis, será mejor que además sepas escuchar.

La relación ideal para los Géminis es una relación mental. Evidentemente disfrutan de los aspectos físicos y emocionales, pero si no hay comunión intelectual, sufrirán.

Hogar y vida familiar

En su casa, los nativos de Géminis pueden ser excepcionalmente ordenados y meticulosos. Tienden a desear que sus hijos y su pareja vivan de acuerdo a sus normas y criterios idealistas, y si estos no se cumplen, se quejan y critican. No obstante, se convive bien con ellos y les gusta servir a su familia de maneras prácticas y útiles.

El hogar de los Géminis es acogedor y agradable. Les gusta invitar a él a la gente y son excelentes anfitriones. También son buenos haciendo reparaciones y mejoras en su casa, estimulados por su necesidad de mantenerse activos y ocupados en algo que les agrada hacer. Tienen muchas aficiones e intereses que los mantienen ocupados cuando están solos. La persona Géminis comprende a sus hijos y se lleva bien con ellos, sobre todo porque ella misma se mantiene joven. Dado que es una excelente comunicadora, sabe la manera de explicar las cosas a los niños y de ese modo se gana su amor y su respeto. Los Géminis también alientan a sus hijos a ser creativos y conversadores, tal como son ellos.

Horóscopo para el año 2018*

Principales tendencias

Este año cambian de signo importantes planetas lentos, y esto indica cambios en la dirección de tu vida. Aún no está establecido nada; todo está sujeto a cambio.

Júpiter pasa la mayor parte del año en tu sexta casa; esto es positivo en las facetas salud y trabajo. Si has tenido algún problema de salud, este año tendrás buenas noticias al respecto. También indica que se te presentan muy buenas oportunidades laborales; esto puede ocurrir en la empresa en que trabajas ahora o en otra. Estas oportunidades son felices. Volveremos a este tema.

Júpiter, que es tu planeta del amor, entrará en tu séptima casa hacia fin de año, el 8 de noviembre. Esto indica felicidad en el amor, y una vida amorosa estelar. El año que viene también será bueno. Volveremos a hablar de esto.

---

* Las previsiones de este libro se basan en el Horóscopo Solar y todos los signos que derivan de él; tu Signo Solar se convierte en el Ascendente, y las casas se numeran a partir de él. Tu horóscopo personal, el trazado concretamente para ti (según la fecha, hora y lugar exactos de tu nacimiento) podrían modificar lo que decimos aquí. Joseph Polansky

Saturno entró en tu octava casa a fines del año pasado, el 21 de diciembre. Es posible que aún no hayas notado su influencia, pero este año la notarás. Indica la necesidad de controlar el impulso y la actividad sexuales, preferir la calidad a la cantidad. También indica que el cónyuge, pareja o ser amado actual se ve en la obligación de reorganizar su vida financiera; ha asumido nuevas cargas financieras.

Plutón lleva muchos años en tu octava casa y continuará en ella muchos años más. Dado que Plutón es tu planeta de la salud, indica una tendencia a intervenciones quirúrgicas; es posible que ya hayas tenido alguna. Pero también conviene explorar los regímenes de desintoxicación. Volveremos a este tema.

Urano, el planeta del cambio y la experimentación, hace una incursión en tu casa doce, la de la espiritualidad, del 16 de mayo al 6 de noviembre. El año que viene entrará en esta casa para quedarse varios años. Esto significa que es posible que en los próximos años cambies de camino espiritual, que adoptes un criterio más científico. En los próximos años podrías cambiar también de maestro y enseñanza, tal vez muchas veces. Más adelante trataremos esto más a fondo.

Neptuno, tu planeta de la profesión y el más espiritual e idealista de los planetas, lleva unos años en tu décima casa, la de la profesión, y continuará en ella varios años más; es un planeta lento. El idealismo, entonces, es importante en la profesión; favorece el tipo de profesión espiritual. Volveremos a este tema.

Tus intereses más importantes este año son: la salud y el trabajo (hasta el 8 de noviembre); el amor y el romance (a partir del 8 de noviembre); la sexualidad, los estudios ocultos y la transformación personal; la profesión; las amistades, los grupos y las actividades de grupo (del 1 de enero al 16 de mayo, y del 6 de noviembre al 31 de diciembre); la espiritualidad (del 16 de mayo al 6 de noviembre).

Los caminos para tu mayor realización o satisfacción son: la comunicación y los intereses intelectuales (hasta el 17 de noviembre); las finanzas (a partir del 17 de noviembre); la salud y el trabajo (hasta el 8 de noviembre); el amor y el romance (a partir del 8 de noviembre).

Salud

(Ten en cuenta que esta es una perspectiva astrológica de la salud, no una médica. Antaño no había ninguna diferencia, ambas eran idénticas, pero en esta época podrían diferir muchísimo. Para una perspectiva médica, por favor, consulta a tu médico o a otro profesional de la salud.)

La salud es buena este año, como hemos dicho. La mayor parte del año (hasta el 8 de noviembre) sólo hay un planeta lento en alineación desfavorable contigo, Neptuno. El 8 de noviembre Júpiter entra en Sagitario, en alineación desfavorable. La mayoría de los planetas lentos están en alineación armoniosa contigo o te dejan en paz. Por lo tanto, la energía general es buena. Sin duda habrá periodos en que la salud y la energía serán menos buenas pero estos son de corta duración, la causa son los tránsitos de los planetas rápidos (y esto lo veremos en las previsiones mes a mes); no son tendencias para el año. Cuando termine el tránsito de los planetas rápidos, se normalizarán la salud y la energía.

La otra buena señal para la salud es la presencia de Júpiter en tu sexta casa, como hemos dicho; esto indica «buena suerte» en asuntos de salud. Con este tipo de tránsito se encuentran curas para enfermedades que se consideraban incurables; los remedios y las terapias tienden a ser eficaces. Aumenta la comprensión de la salud y la enfermedad.

Por buena que sea la salud, siempre se puede mejorar, como bien saben nuestros lectores. La mayoría de las veces se pueden prevenir los problemas; pero incluso en los casos en que no se puedan prevenir del todo, se pueden atenuar enormemente; no tienen por qué ser terribles. Presta más atención a las siguientes zonas, que son las vulnerables en tu carta:

Los pulmones, los brazos, los hombros y el sistema respiratorio. Estas zonas son siempre importantes para Géminis. Irán bien sesiones de reflexología. Siempre son recomendables masajes periódicos en los brazos y los hombros; en los hombros suele acumularse tensión, y conviene aflojarla.

El hígado y los muslos. Estas zonas son importantes desde octubre del año pasado, cuando Júpiter entró en tu sexta casa, y siguen siendo importantes hasta el 8 de noviembre de este año. Como siempre, irán bien sesiones de reflexología; masajes periódicos en los muslos; estos masajes no sólo fortalecen el hígado sino también la parte inferior de la espalda, zona muy importante en este periodo. Si te sientes indispuesto, una infusión de hierbas para limpiar el hígado podría ser justo lo que te conviene.

El colon, la vejiga y los órganos sexuales. Estas zonas son siempre importantes para ti. Irán bien sesiones de reflexología;

siempre son importantes la moderación sexual y el sexo seguro; si has sido negligente en esto, es probable que Saturno en tu octava casa refuerce el problema. Si te sientes indispuesto podría convenirte una infusión de hierbas para limpiar el colon. Muchos naturópatas afirman que todas las enfermedades comienzan en el colon. Es importante, entonces, mantenerlo limpio.

La columna, las rodillas, la dentadura, la piel, y la alineación esquelética general. Estas zonas sólo son importantes desde noviembre de 2008, cuando Plutón entró en Capricornio, y serán importantes muchos años más. Te irán bien masajes periódicos en la espalda y las rodillas; también te convienen visitas periódicas a un quiropráctico o un osteópata: es necesario tener bien alineadas las vértebras. Son buenas las terapias como la Técnica Alexander, el Rolfing y el Feldenkreis; el yoga y la gimnasia Pilates son excelentes para la columna. Protege bien las rodillas cuando hagas ejercicio. Usa un buen filtro solar cuando estés al aire libre al sol. Es importante hacer revisiones periódicas y limpieza de los dientes.

Hay otro tema sobre la salud que conviene considerar. Júpiter, tu planeta del amor, está en tu sexta casa. Así pues, buena salud para ti (en especial este año) significa buena salud social, una vida amorosa o conyugal sana. Si hay problemas en esto, podrían afectar a tu salud física. Por lo tanto, si surgiera un problema (no lo permita Dios) restablece lo más pronto posible la armonía en la vida amorosa y social. Cuando lo hagas, observa cómo se debilita y desaparece el problema de salud.

Hogar y vida familiar

Tu cuarta casa no está fuerte este año, Géminis, no es casa de poder; sólo transitan por ella los planetas rápidos, durante cortos periodos. Las potencias planetarias no te impulsan en uno ni otro sentido en esta faceta; te dan enorme libertad para configurarla como quieras, pero te falta el interés. Otras cosas son más importantes en este periodo; la tendencia es a dejar las cosas como están. Esencialmente estás satisfecho con la situación familiar y doméstica.

Mercurio, el señor de tu carta, es también tu planeta de la familia. Esto indica que la familia es importante para ti y tal vez forma parte de tu identidad. Es posible que te lleve tiempo forjar tu identidad como persona distinta dentro del grupo familiar.

Como saben nuestros lectores, Mercurio es un planeta de movimiento rápido, muchas veces irregular, errático (¿esto no describe bien a Géminis?). A veces avanza veloz con enorme seguridad; otras veces avanza lento y con cautela, y a veces, retrocede. Es la representación de la flexibilidad, que es un rasgo Géminis. Durante el año transita por todos los signos y casas del horóscopo. Hay, entonces, muchas tendencias de corto plazo en el hogar y la familia que dependen de dónde está Mercurio y de los aspectos que recibe. Estas tendencias es mejor tratarlas en las previsiones mes a mes.

Este no es un año particularmente fabuloso para hacer renovaciones importantes en la casa. De todos modos, si quieres redecorarla (dar otra mano de pintura o redistribuir las cosas) del 10 de julio al 7 de agosto y del 23 de agosto al 22 de septiembre son buenos periodos. Estos periodos también son buenos para comprar muebles u objetos de arte o bellos para la casa.

Para los hermanos y figuras fraternas este año hay probabilidades de mudanza, de renovación o de compra de otra casa. Tienen buena suerte en la compra o venta de una casa. El matrimonio de estas personas pasa por pruebas.

Los hijos y las figuras filiales prosperan este año, pero su vida doméstica y familiar se ve sin cambios ni novedades.

Es probable que los padres o figuras parentales se muden o hagan obras de renovación en la casa a partir del 8 de noviembre; esto podría ocurrir el próximo año también.

Los nietos (si los tienes) podrían mudarse, y tal vez muchas veces, este y los próximos años. Se ven muy inquietos.

Las figuras parentales de tu vida (los dos) hacen cambios importantes en su programa de salud; tal vez un susto o problema de salud los obliga a esto. Su situación laboral se ve inestable, y si son empleadores hay cambios en el personal.

Profesión y situación económica

Tu casa del dinero no es particularmente activa este año; no es casa de poder; sólo transitan por ella los planetas rápidos, y con bastante rapidez. Las finanzas no son un asunto importante. Pareces más interesado en las finanzas de otros que en las tuyas. En general, esto es bueno. Pareces satisfecho con las cosas como están y no tienes necesidad de hacer cambios drásticos. Pese a esto, me parece que acabarás el año más rico de como lo comenzaste.

El 17 de noviembre el nodo norte de la Luna entra en tu casa del dinero y estará en ella el resto del año (y el próximo año también). El nodo norte de la Luna tiende a indicar «exceso» en finanzas, y esto es bueno. Es mejor un exceso que demasiado poco.

Si surgiera algún problema financiero, es muy probable que se deba a la falta de atención; tendrás que obligarte a prestarle atención.

Dicho esto, este año vemos algunos cambios importantes en las finanzas, cambios y correcciones, más que de costumbre. Hay dos eclipses lunares (los normales) y estos siempre afectan a tus finanzas. Pero además hay un eclipse solar el 13 de julio que ocurre en tu casa del dinero. Esto va a producir cambios drásticos en las finanzas. Es probable que no seas tú quien inicie estos cambios sino que más bien reacciones a los acontecimientos causados por el eclipse. Hablaremos de esto con más detalle en las previsiones mes a mes.

Tu planeta del dinero es la Luna, el planeta más rápido y mudable de todos (más incluso que Mercurio). Mientras Mercurio transita por todos los signos y casas del horóscopo en un año, la Luna lo hace cada mes. Además, es muy mudable, a veces está creciente, a veces menguante, a veces está cerca de la Tierra, a veces muy alejada. Por lo tanto, hay todo tipo de tendencias financieras de corto plazo que dependen de dónde está la Luna y de los aspectos que recibe. Estas tendencias es mejor tratarlas en las previsiones mes a mes.

En este periodo estás más ambicioso que de costumbre. Los planetas lentos están principalmente en la mitad superior de tu carta. El 8 de noviembre estarán ahí «todos» los planetas lentos. La mitad inferior de tu carta (el sector del hogar y la familia) no igualará nunca el poder de la mitad superior. Tu décima casa está fuerte todo el año, mientras que tu cuarta casa sólo estará fuerte unos dos meses más o menos. Júpiter forma aspectos hermosos a tu planeta de la profesión casi todo el año. Por lo tanto, tienes éxito, eres elevado en tu situación y profesión. En la profesión cuentas con el buen apoyo de amistades y conexiones sociales. Si estás casado o casada o en una relación, cuentas con el apoyo de tu cónyuge, pareja o ser amado. Haces vida social con personas que pueden ayudarte en la profesión. Este año te conviene asistir a/u ofrecer fiestas o reuniones adecuadas.

Tus habilidades profesionales son muy importantes, pero este año se ven muy importantes también tus dotes sociales, tu simpatía, tu capacidad para llevarte bien con los demás. De dos personas con cualidades profesionales equivalentes, la que cae mejor obtiene la promoción o ascenso.

También te conviene (y esto ha sido la tendencia desde hace muchos años) participar en causas benéficas o altruistas. Es posible que recibas más reconocimiento por tus actividades espirituales que por las profesionales.

Júpiter en tu sexta casa, la del trabajo, indica que tu buena ética laboral es tenida en cuenta por los superiores de tu vida; es un factor importante en tu éxito. «Reza con devoción —dicen los sabios—, pero no dejes de darle al martillo.»

Amor y vida social

Como hemos dicho, este es un año fabuloso para la vida amorosa y social; el año que viene será mejor aún. Te encuentras, pues, en un ciclo social muy feliz y activo.

Júpiter, tu planeta del amor, pasa la mayor parte del año en tu sexta casa, de modo que el lugar de trabajo no es sólo lugar de trabajo sino también un centro social. Es posible que este año te ofrezcan felices oportunidades laborales, y las condiciones sociales del trabajo tienen un papel importante en tu elección. Este año la atmósfera y las oportunidades sociales podrían pesar más en la balanza que el salario.

Si estás soltero o soltera y sin compromiso, este aspecto indica oportunidades románticas con compañeros de trabajo o en funciones de la empresa. También indicaría atracción por profesionales de la salud o personas relacionadas con tu salud.

Júpiter está en tu sexta casa y le forma aspectos hermosos a tu planeta de la profesión casi todo el año. Por lo tanto, gran parte de tu actividad social está relacionada con la profesión y el trabajo. Esto también indicaría atracción por personas poderosas, de prestigio, personas que están por encima de ti en la jerarquía profesional. Te atraen personas que te pueden ayudar en la profesión, y parece que te llevas bien con ellas.

A veces este aspecto indica que los padres, jefes y figuras de autoridad apoyan tus objetivos sociales y a veces hacen de casamenteros. Me parece que estas personas tienen un papel importante y positivo en tu vida amorosa y social.

La verdadera fiesta romántica comienza el 8 de noviembre, cuando tu planeta del amor entra en tu séptima casa, la del amor.

Esto suele indicar boda o una relación parecida a matrimonio. Señala relaciones de tipo «comprometido».

Con este aspecto es muy posible que asistas a más bodas también; esto se respira. En general, asistirás a más fiestas y reuniones; también harás nuevas y significativas amistades.

Siempre has sentido atracción por personas extranjeras, religiosas o muy cultas. Cuando Júpiter entre en su signo, Sagitario, en noviembre, esta atracción se hará más fuerte. El centro social ya no será el lugar de trabajo sino el lugar de culto, la universidad o el extranjero.

Si estás con miras a un segundo matrimonio, se expande la vida social. Si estás casado o casada por segunda vez o estás en una relación, la relación pasará por pruebas este año; hay dos eclipses en la casa del segundo matrimonio. Las oportunidades románticas se presentarán en ambientes espirituales, reuniones para hacer oración, charlas o talleres de tipo espiritual o de meditación o en funciones benéficas. Me parece que anhelas una relación más espiritual.

Si estás con miras a un tercer matrimonio has tenido mucha inestabilidad en tu vida amorosa los siete años pasados. Este año las cosas se calman pero aún no es aconsejable el matrimonio. El próximo año será mejor que este.

Progreso personal

Neptuno, como hemos dicho, lleva varios años en tu décima casa, la de la profesión, de modo que muchas de las tendencias que hemos explicado en los últimos años continúan en vigor. Los planetas lentos indican proyectos y avances de largo plazo; en realidad el tránsito de un planeta lento no es un «acontecimiento» sino un «proceso».

Has estado en el proceso de espiritualizar tu profesión, y continúas en él. Estás imbuido de mucho idealismo. No te basta tener éxito en el sentido mundano; tu trabajo, tu profesión, tiene que tener un sentido, algo que beneficie a toda la humanidad. Este aspecto favorece las profesiones en obras benéficas, fundaciones y organizaciones no lucrativas. Pero también hay otras opciones: con frecuencia vemos personas con estos aspectos que trabajan en profesiones mundanas pero participan muy activamente en actividades benéficas, altruistas; se las conoce más por estas actividades que por su profesión mundana.

Hay aún otra manera de interpretar esto, y satisface muchos casos. Tu práctica y crecimiento espirituales se convierten en tu profesión, en el trabajo, la misión de tu vida. Esto podría parecer inverosímil, no práctico, como profesión, sin embargo es muy potente. Una revelación o progreso espiritual, tal vez cuando estás haciendo meditación, tiene el poder no sólo de cambiar tu vida sino que finalmente también la de la familia, la comunidad, el país e incluso el mundo.

Muchos de los grandes movimientos mundiales que vemos ahora comenzaron de esta manera.

La espiritualidad se hace importante de otro modo también. El 16 de mayo Urano entra en tu casa de la espiritualidad, la doce, y continúa en ella hasta el 6 de noviembre; el año que viene entrará en ella para quedarse los siete años siguientes. Esto indica cambios drásticos en tu práctica, enseñanza y maestro. Se tiran los viejos libros de reglas, los «no harás esto o aquello» y aprendes espiritualidad mediante ensayo, error y experimentos. Este aspecto favorece los métodos más científicos y racionales, que no los místicos tradicionales. Por lo tanto favorecería caminos como el ñana yoga, la ciencia hermética y la cábala, todos métodos racionales. Existen ciencias profundas de la espiritualidad, y algunas las han descubierto científicos y doctores seculares. Y este es el periodo para explorarlas.

Urano rige la astrología, por lo que otro camino viable sería el lado esotérico y filosófico de la astrología.

Previsiones mes a mes

Enero

Mejores días en general: 8, 9, 17, 18, 19, 27, 28
Días menos favorables en general: 5, 6, 12, 13, 14, 20, 21
Mejores días para el amor: 1, 2, 5, 6, 10, 11, 12, 13, 14, 15, 16, 20, 21, 27, 28, 29, 30
Mejores días para el dinero: 1, 2, 5, 6, 10, 11, 15, 16, 20, 21, 27, 28, 29, 30
Mejores días para la profesión: 1, 2, 10, 11, 20, 21, 29, 30

Comienzas el año con la mayoría de los planetas en tu sector occidental o social; incluso Mercurio, el señor de tu horóscopo, está en el sector occidental. Esto indica la necesidad de «seguir la corriente», dejar que los demás hagan su voluntad (siempre que esto no sea destructivo), conseguir los objetivos por consenso y acuerdo, que no por acción independiente. Estás viviendo con las condiciones que creaste en el pasado; procura arreglártelas lo mejor que puedas. Dentro de unos meses el poder planetario cambiará y será más fácil hacer los cambios necesarios.

Tu cima amorosa y social fue el mes pasado, pero este mes continúa siendo muy social; Mercurio está en tu séptima casa, la del amor, hasta el 11, lo que indica que tomas la iniciativa en el amor, vas en pos de lo que deseas, no te quedas sentado esperando que suene el teléfono; también indica más popularidad. Estás por tus amistades y por tu pareja; antepones sus intereses a los tuyos; dedicas tiempo a ellos; esto favorece la popularidad.

La salud está mejor que el mes pasado y puedes fortalecerla más de las maneras indicadas en las previsiones para el año. Este es un buen mes para hacer régimen de desintoxicación o para bajar de peso. La octava casa fuerte hasta el 20 va bien para proyectos de reinvención o transformación personal. Hay cosas en nuestra vida que podrían necesitar una «resurrección»; podría ser una relación, un proyecto creativo, un negocio; este es un buen mes para hacerlo ocurrir.

El 31 hay un eclipse, lunar se ve fuerte en ti; ocurre en tu tercera casa y produce dramas en la vida de hermanos, figuras fraternas o vecinos. Si eres estudiante aun no universitario haces cambios importantes en tus planes educacionales, y tal vez hay trastornos o reorganización en tu colegio. Todos los eclipses lunares afectan a tus finanzas pues la Luna es tu planeta del dinero; por lo tanto será necesario tomar medidas correctivas en tu vida financiera; los acontecimientos causados por el eclipse te indicarán qué debes hacer. Pasan por pruebas los coches y el equipo de comunicación; es posible que sea necesario repararlos o reemplazarlos.

Las Lunas nuevas y las Lunas llenas son siempre buenos días financieros para ti. La Luna llena del 1/2 es especialmente buena ya que la Luna está en su perigeo (su menor distancia a la Tierra). En general, la fase creciente de la Luna es mejor en las finanzas que la fase menguante, por lo tanto los días 1 y 2 y del 17 al 31 traen más entusiasmo y poder financiero.

Febrero

Mejores días en general: 4, 5, 14, 15, 23, 24
Días menos favorables en general: 2, 3, 9, 10, 16, 17
Mejores días para el amor: 4, 5, 6, 7, 9, 10, 16, 17, 25, 26
Mejores días para el dinero: 6, 7, 14, 15, 16, 17, 25, 26
Mejores días para la profesión: 6, 7, 16, 17, 25, 26

El 15 hay un eclipse solar que produce agitación y cambios, pero a pesar de eso el mes se ve próspero y exitoso.

Este eclipse ocurre en tu novena casa y por lo tanto afecta a los asuntos legales o jurídicos; si tienes algún asunto pendiente, este da un giro drástico en uno u otro sentido. Otros países te llaman este mes y sientes el deseo de viajar, pero evita viajar al extranjero durante el periodo del eclipse. Si eres universitario te ves obligado a hacer cambios en tus planes educacionales; es posible que cambies de facultad o de asignatura principal; otra posibilidad es que una universidad a la que querías entrar te rechaza pero otra (tal vez mejor) te acepta. Este eclipse hace impacto en Mercurio, el señor de tu horóscopo, y en Júpiter, tu planeta del amor. Hay, por lo tanto, dramas personales y en el amor. De todos modos el amor es problemático pues Marte pasa el mes en tu séptima casa; el eclipse no mejora las cosas; tal vez estabas en una lucha de poder con el ser amado y el eclipse lleva esto a una crisis; si la relación es buena sobrevivirá, pero hay tensión. En realidad el impacto en Mercurio es saludable pues te obliga a redefinirte, a aclararte respecto a quién eres y a qué imagen deseas presentar; harás cambios en esto a lo largo de los seis próximos meses más o menos. Todos los eclipses solares afectan a los hermanos, figuras fraternas y vecinos: hay dramas en sus vidas; también ponen a prueba los coches y el equipo de comunicación; esto lo tuviste el mes pasado y ahora otra vez; los cambios que no ocurrieron el mes pasado ocurren ahora.

El 18 dos planetas muy benéficos, el Sol y Mercurio, cruzan tu medio cielo y entran en tu décima casa; entonces comienzas una cima profesional anual y tienes mucho éxito, estás al mando, en la cumbre, asumiendo responsabilidades. Recibes reconocimiento por lo que eres y por tus capacidades profesionales. Tu apariencia y tu don de la palabra tienen un importante papel en tu progreso profesional.

La salud es fundamentalmente buena, pero después del 18 tendrás que estar más atento; el 50 por ciento de los planetas (y a veces el 60 por ciento) están en aspecto desfavorable contigo. Así pues, si eres vulnerable a alguna enfermedad (sea genética o adquirida) es muy probable que esto se active. Por lo tanto, el primer paso es procurar descansar lo suficiente. Además, fortalece la salud de las maneras indicadas en las previsiones para el año.

Marzo

Mejores días en general: 3, 4, 13, 14, 22, 23, 31
Días menos favorables en general: 1, 2, 8, 9, 15, 16, 17, 29, 30
Mejores días para el amor: 6, 7, 8, 9, 15, 16, 17, 18, 19, 24, 25, 26, 27
Mejores días para el dinero: 6, 7, 15, 16, 17, 24, 25, 26
Mejores días para la profesión: 6, 7, 15, 16, 17, 24, 25

Hasta el 20 continúas en una cima profesional anual; los planetas en tránsito por tu casa de la profesión son benéficos, amigables, serviciales. Esto indica éxito; cuentas con mucho respaldo cósmico. El Universo desea tu éxito. El 20 ya habrás conseguido tus objetivos de corto plazo y puedes pasar la atención a la vida social: las amistades, los grupos y las actividades de grupo.

Aunque Marte sigue en tu séptima casa hasta el 17, produciendo cierta fricción y tal vez luchas de poder, tu planeta del amor recibe buenos aspectos; me parece que hay cierta armonía entre tú y el ser amado.

El 9 inicia movimiento retrógrado Júpiter, tu planeta del amor, y el 23 lo inicia Mercurio, el señor de tu horóscopo. Esto complica un tanto la vida amorosa; tú y el ser amado estáis desorientados, indecisos; no hay ningún antagonismo entre vosotros (Marte sale de tu séptima casa el 17), sino simplemente indecisión.

Hasta el 20 sigue siendo necesario estar atento a la salud, pero va mejorando; día a día estás más fuerte. El 6 Mercurio y Venus entran en aspecto armonioso contigo. El 17 Marte sale de su aspecto desfavorable y el 20 el Sol comienza a formar aspectos armoniosos. En la primera parte del mes continúa fortaleciendo la salud de las maneras explicadas en las previsiones para el año. El 20 la salud ya debería haberse normalizado.

Las finanzas no son muy importantes en este periodo; tu casa del dinero está vacía. En esencia, esto es buena señal; indica un mes sin novedades ni cambios financieros; no hay necesidad de hacer cambios ni prestar mucha atención. La profesión es más importante que las finanzas; sin embargo se ve más prosperidad que el mes pasado. En primer lugar tenemos dos Lunas llenas; a la segunda se la llama Luna azul *(Blue Moon)*, que en lenguaje popular quiere decir «una rareza», algo que ocurre muy rara vez. Los días de Luna llena son buenos en las finanzas. El 26 es un día especialmente bueno ya que la Luna está en su perigeo, que es su posición más cercana a la Tierra; en esta posición es más fuerte por ti. En general, el periodo del 17 al 31, cuando la Luna está en fase creciente, será mejor que el del 2 al 16. Tienes más entusiasmo por los asuntos financieros.

Abril

Mejores días en general: 1, 9, 10, 11, 18, 19, 27, 28
Días menos favorables en general: 4, 5, 6, 12, 13, 25, 26
Mejores días para el amor: 2, 3, 4, 5, 6, 7, 8, 12, 13, 16, 17, 21, 22, 27, 29, 30
Mejores días para el dinero: 2, 3, 4, 5, 12, 13, 14, 15, 16, 21, 22, 25, 29, 30
Mejores días para la profesión: 2, 3, 12, 13, 21, 22, 29, 30

El 18 de febrero hubo un traslado decisivo de los planetas desde tu sector occidental o social al independiente sector oriental o del yo. El poder planetario se está aproximando a su posición oriental máxima (lo que ocurrirá dentro de los dos próximos meses). Estás en el periodo para hacer uso de tu iniciativa y habilidades. Estas son las que importan ahora. Es maravillosa la popularidad social, pero también necesitamos tener un centro, un núcleo fuerte, un fuerte sentido de identidad; este es el periodo para desarrollarlo. ¿Qué quieres? ¿Qué te gusta? ¿Qué condiciones te hacen feliz? ¿Qué opinas de la política o del mundo? No importa lo que piensen los demás ni si tus oponiones son populares o no. Eres tú, y eso es maravilloso. Estás en el periodo para ser tu yo auténtico. Y dado que la independencia personal está tan fuerte, ahora haz los cambios que es necesario hacer en tus condiciones. Configura tus condiciones a tu gusto. Tienes el poder y cuentas con el respaldo planetario. Tu felicidad depende con mucho de ti.

La salud es milagrosamente buena; sólo hay un planeta lento en alineación desfavorable; todos los demás o están en aspecto armonioso o te dejan en paz. Tal vez la disminución de las exigencias profesionales tengan alguna relación con esto. Venus entra en tu signo el 24. Si eres mujer y estás en edad de concebir, esto indica mayor fertilidad. En general, este aspecto aporta más diversión a la vida; estás de ánimo más alegre y travieso. Venus en tu signo favorece la apariencia; hay más amabilidad y encanto en tu conducta o actitud. Te relacionas más con los hijos y tal vez tienes un algo de niño. Este es muy buen periodo para comprar ropa y accesorios ya que tendrás muy buen gusto. Si eres hombre y soltero, esto atrae a mujeres jóvenes a tu vida; si eres mujer indica más belleza y donaire en la apariencia.

Tu planeta del amor continúa en movimiento retrógrado, el que continuará varios meses. Por lo tanto, no tienes ninguna necesidad de precipitarte a tomar decisiones en el amor, ni en uno ni en otro sentido; deja que el amor se desarrolle a su aire.

A partir del 20 está poderosa tu casa doce, la de la espiritualidad, este periodo es bueno para actividades de tipo espiritual: meditación, estudios espirituales, estudio de las Sagradas Escrituras y obras benéficas. Es un periodo para crecimiento interior.

Mayo

Mejores días en general: 7, 8, 16, 17, 24, 25
Días menos favorables en general: 2, 3, 9, 10, 22, 23, 29, 30
Mejores días para el amor: 2, 3, 7, 8, 9, 10, 17, 18, 19, 26, 27, 29, 30
Mejores días para el dinero: 4, 5, 9, 10, 14, 15, 18, 19, 24, 26, 27
Mejores días para la profesión: 9, 10, 18, 19, 26, 27

Este es un mes feliz y próspero, Géminis. Que lo disfrutes.

La salud fue buena el mes pasado y este mes es mejor aún (a partir del 16 Marte estará en alineación armoniosa contigo). Con más energía se te abren más posibilidades. Cosas que te parecían imposibles hace unos meses ahora son eminentemente factibles. Si quieres puedes fortaceler tu salud ya buena de las maneras indicadas en las previsiones para el año.

Las oportunidades laborales han sido buenas en lo que va de año y ahora lo son especialmente. La única pega es que debes averiguar más acerca de estas oportunidades, hacer más preguntas, resolver todas las dudas. Las cosas no son lo que parecen.

Hasta el 21 continúas en un periodo fuertemente espiritual; te conviene, pues, centrar la atención en tu vida y crecimiento espirituales. Cuando estamos bien espiritualmente, todas las demás facetas de la vida tienden a ir bien.

La importante entrada de Urano en tu casa doce el 16 indica que hay cambios inminentes en la espiritualidad. En los próximos años vas a cambiar de enseñanza, de maestro y de práctica, y tal vez muchas veces; vas a adoptar una visión más científica; vas a experimentar, a aprender mediante ensayo y error.

Venus sigue en tu primera casa hasta el 19; puedes repasar lo que hablamos sobre esto el mes pasado. El 19 entra en tu casa del dinero y trae más prosperidad; trae suerte en las especulaciones, en especial el 31, y prosperidad para los hijos o figuras filiales de tu vida; estos deberían ofrecerte más apoyo también (esto lo pueden hacer de muchas formas, según sea su edad y fase en la vida). Ganas dinero de modos felices. El 17, día en que la Luna está en su perigeo, es bueno en las finanzas. La Luna nueva del 15 y la Luna llena del 29, son potentes días financieros. En general, los ingresos serán más fuertes del 15 al 29, cuando la Luna está creciente, que antes del 15. La Luna creciente da más entusiasmo y poder en la capacidad de hacer ingresos.

El Sol entra en tu signo el 21 y entonces comienzas una de las cimas anuales de placer personal. Te ves y te sientes fabulosamente.

Junio

Mejores días en general: 3, 4, 12, 13, 20, 21, 22, 30
Días menos favorables en general: 5, 6, 7, 18, 19, 25, 26
Mejores días para el amor: 5, 6, 7, 14, 15, 16, 23, 24, 25, 26
Mejores días para el dinero: 3, 4, 5, 6, 7, 12, 13, 14, 15, 23, 24
Mejores días para la profesión: 5, 6, 7, 14, 15, 23, 24

Este mes, como el mes pasado, el poder planetario está en su posición oriental máxima del año. Estás, pues, en tu periodo más independiente. Si aún no has hecho los cambios necesarios, los cambios que favorezcan tu felicidad, ahora es el periodo. Más adelante, cuando los planetas se trasladen a tu sector occidental, será más difícil. En periodos como este comprendemos que al Cosmos le importa nuestra felicidad y toma un interés personal; se preocupa incluso de cosas aparentemente insignificantes, que tengamos la ropa, los accesorios y la imagen adecuados. Y cuando el Sol entre en tu casa del dinero el 22 verás que le importan tus finanzas y desea que seas rico (la única advertencia es que tienes que permitir que haga las cosas a su manera y no a la tuya; en cierto modo tienes que hacerte a un lado y dejar que la abundancia sea abundancia).

La profesión continúa siendo importante en este periodo, todavía tienes muchos planetas en la mitad superior de tu carta, pero desde el mes pasado la mitad inferior se ha hecho mucho más fuerte. Este es un periodo para dar más atención a tu yo, a tu familia y a tu bienestar emocional; también para divertirte y mimarte un poco; es bueno para poner tu cuerpo y tu imagen como deseas que sea.

El Sol en tu signo desde el mes pasado aumenta las facultades mentales y las dotes de comunicación (que siempre son buenas). Tienes una imagen estelar; resplandeces, y el sexo opuesto lo nota. Como dice la expresión «tú eres el mensaje que deseas enviar», y dado que eres más, tu mensaje llega.

Las finanzas no han sido muy importantes en lo que va de año, pero este mes lo son. Venus está en tu casa del dinero desde el 19 del mes pasado y continuará en ella hasta el 14 de este mes. El 1 y el 2 forma aspectos hermosos a Júpiter y a Neptuno; esto trae suerte en las especulaciones, tal vez un aumento de sueldo (oficial o no oficial) y una intuición financiera fabulosa. El 12 Mercurio entra en tu casa del dinero, lo que indica un fuerte interés en las finanzas (que es el 90 por ciento de la batalla: obtenemos aquello en que centramos la atención). El 22 entra el Sol en tu casa del dinero y tú comienzas una cima financiera anual. Hay prosperidad; el apoyo familiar se ve bueno también. Del 19 al 21 Mercurio forma aspectos hermosos a Júpiter y a Neptuno; esto indica un bonito día de paga; también es excelente para la profesión; cuentas con el favor de los superiores de tu vida. Y además, es un feliz periodo romántico.

Julio

Mejores días en general: 1, 10, 11, 18, 19, 27, 28, 29
Días menos favorables en general: 3, 4, 16, 17, 22, 23, 24, 30, 31
Mejores días para el amor: 1, 5, 6, 12, 13, 16, 20, 21, 22, 23, 24, 25, 26, 27, 28, 29
Mejores días para el dinero: 1, 3, 4, 12, 13, 20, 21, 22, 27, 28, 29
Mejores días para la profesión: 3, 4, 12, 13, 20, 21, 30, 31

Este mes es fundamentalmente feliz y próspero, pero dos eclipses se encargan de que las cosas no se vuelvan aburridas; te mantendrán atento y activo.

El eclipse solar del 13 ocurre en tu casa del dinero e indica la necesidad de tomar medidas correctivas en las finanzas; tus criterios y estrategias financieras no han sido realistas y los acontecimientos causados por el eclipse te lo revelan; podrían presentarse gastos imprevistos que te obligan a hacer cambios; los cambios que hagas serán buenos, pero normalmente no son agradables mientras se hacen. Todos los eclipses solares afectan a los hermanos, figuras fraternas y vecinos; los hermanos tendrán que redefinirse; pasan por pruebas los coches y el equipo de comunicación y es posible que tengas que hacerlos reparar o reemplazarlos. Este eclipse hace impacto en Plutón, tu planeta de la salud, por lo tanto hay cambios importantes en tu programa de salud; tal vez cambies de médico o terapeuta; o podrías tener un susto por la salud; pero tu salud es buena y es probable que no sea más que eso, un susto. En todo caso, busca una segunda opinión. Podría haber cambio de trabajo, pero no te preocupes, este año tienes impresionantes perspectivas laborales; tal vez cambian las condiciones del trabajo. Si eres empleador, habrá inestabilidad en el personal. Conduce más a la defensiva durante el periodo del eclipse.

El eclipse lunar del 27 ocurre en tu novena casa, así que evita viajar al extranjero en este periodo; si debes viajar, programa el viaje antes o después del eclipse. Si eres estudiante universitario (o estás a punto de serlo) haces cambios importantes en tus planes educacionales; tal vez cambias de facultad o de asignatura principal. Este eclipse también afecta a las finanzas pues el planeta eclipsado, la Luna, es tu planeta del dinero; no cabe duda, tu criterio o discernimiento financiero no ha sido realista y es necesario aplicar buenas medidas correctivas; los cambios que hagas establecerán las normas para la futura prosperidad. Este eclipe hace impacto en Marte y Urano, lo que indica drama en la vida de personas amigas, el tipo de drama que cambia la vida, y pasará por pruebas tu equipo de aparatos de alta tecnología; comprueba que tienes copia de seguridad de los documentos importantes y que están actualizados los programas antivirus y antipiratería. En mi experiencia personal he descubierto que los movimientos del Universo afectan a los aparatos mecánicos sensibles; la única pregunta es cómo; aún no se conoce de cierto su modo de actuar.

Agosto

Mejores días en general: 6, 7, 14, 15, 24, 25
Días menos favorables en general: 12, 13, 19, 20, 26, 27
Mejores días para el amor: 5, 8, 9, 14, 15, 16, 17, 19, 20, 24, 25, 26, 27
Mejores días para el dinero: 2, 3, 8, 9, 10, 11, 16, 17, 20, 26, 27, 31
Mejores días para la profesión: 8, 9, 16, 17, 26, 27

Si creíste que los eclipses del mes pasado eran los últimos, pues no; el 11 de este mes hay otro eclipse solar, el tercero del año. Refleja bastante al del 13 del mes pasado, pero en cierto sentido este es más fuerte: ocurre en tu tercera casa y eclipsa al señor de esta casa. Por lo tanto, durante este periodo debes conducir con más prudencia y a la defensiva; si no necesitas conducir es mejor que no conduzcas; si debes, hazlo con más prudencia. Nuevamente pasan por pruebas los coches y el equipo de comunicación. El Universo sólo desea lo mejor para ti y cualquier cosa inferior se elimina. Nuevamente hay drama en la vida de hermanos, figuras fraternas y vecinos; podría haber trastornos en el barrio, obras de construcción, etcétera. Si eres estudiante podrías cambiar de colegio o de planes educacionales; es posible que haya disturbios o reorganización en el colegio.

A pesar del eclipse este mes se ve feliz; está muy fuerte tu tercera casa, la de la comunicación y los intereses intelectuales, tu favorita. Tus facultades mentales, siempre buenas, son más fuertes aún. Si eres estudiante aprendes más rápido; retienes bien la información.

La salud es fundamentalmente buena, pero después del 22 necesita más atención; no pasa nada grave sino sólo que hay menos energía que la habitual (muchas veces esto no se nota pues es muy sutil, pero puede hacerte más vulnerable a gérmenes oportunistas). Fortalece la salud de las maneras indicadas en las previsiones para el año.

El poder planetario (los planetas rápidos) están dando energía a la mitad inferior de tu carta. Por lo tanto, es el periodo para pasar parte de energía y atención al hogar, la familia y los asuntos emocionales, el periodo para ocuparse más del «bienestar emocional». La profesión continúa siendo muy importante (la mitad superior de tu carta sigue muy fuerte) así que no la vas a desatender del todo, pero esfuérzate en estabilizar la vida familiar y doméstica. Este es el principal reto: tener éxito en la profesión y en el hogar.

Las finanzas no son muy importantes este mes. El 26 será un día financiero fuerte pues es Luna llena, y también el 10, en que la Luna está en su perigeo. El periodo del 11 al 26, cuando la Luna está en fase creciente, será más fuerte que los periodos de fase menguante, del 1 al 9 y del 26 al 31.

Septiembre

Mejores días en general: 2, 3, 11, 12, 20, 21, 29, 30
Días menos favorables en general: 9, 15, 16, 22, 23, 24
Mejores días para el amor: 2, 3, 4, 5, 13, 14, 15, 16, 22, 23, 24
Mejores días para el dinero: 1, 4, 5, 9, 13, 14, 18, 19, 22, 23, 24, 29
Mejores días para la profesión: 4, 5, 13, 14, 22, 23, 24

Tu planeta de la profesión, Neptuno, está en movimiento retrógrado, y tu cuarta casa está muy poderosa; esto quiere decir que los asuntos profesionales necesitan tiempo para resolverse y bien que puedes centrar la atención en el hogar y la familia; Aun cuando los asuntos profesionales se ven nebulosos, las exigencias siguen siendo fuertes.

El poder de la cuarta casa, como saben nuestros lectores, concierne a más que sólo el hogar y la familia; incluye las terapias cósmicas. Muchísimos problemas tienen su origen en el cuerpo mnemónico. Se reactivan o reestimulan viejos traumas; cuando ocurrieron acontecimientos difíciles en la juventud o infancia, se formularon afirmaciones, normalmente negativas que después se olvidaron. Sin embargo estas afirmaciones (u órdenes, si quieres) siguen actuando e impiden el progreso. Entonces, cuando está fuerte la cuarta casa, la naturaleza se encarga de traer esos recuerdos para que los puedas ver con tu actual comprensión. Lo que fue aterrador para un niño de tres años a un adulto sólo lo hace sonreír. Esto no es reescribir la historia, lo que ocurrió ocurrió, sino que va de reinterpretarla, de darle un giro diferente y, es de esperar, más sano. Esto lo cambia todo para nuestro bienestar emocional. Se activan recuerdos aparentemente al azar, pero en realidad no son al azar; tienen importancia en tu vida en el presente. Míralos y observa los sentimientos que despiertan en ti. Simplemente observa. Han perdido todo el poder que tenían sobre ti.

Este es también un buen mes si estás haciendo algún tipo de psicoterapia; hay progreso.

La Luna nueva del 9 esclarecerá asuntos emocionales y la situación familiar a medida que avanza el mes. Te llega de modo natural y normal la información que necesitas para tomar una buena decisión, con poco esfuerzo por tu parte.

Hasta el 22 sigue siendo necesario estar atento a la salud. Después hay una gran mejoría. Mientras tanto, como siempre, procura descansar lo suficiente. Fortalece la salud de las maneras explicadas en las previsiones para el año.

En el caso de que busques trabajo, este es un mes excelente, en especial hasta el 22. El Sol en Virgo favorece el trabajo, y tu planeta del trabajo, Plutón, recibe buenos aspectos. Los días 10, 11, 15 y 16 son especialmente buenos para encontrar trabajo.

Octubre

Mejores días en general: 1, 8, 9, 17, 18, 19, 27, 28
Días menos favorables en general: 6, 7, 12, 13, 14, 20, 21
Mejores días para el amor: 2, 3, 10, 11, 12, 13, 14, 20, 21, 29, 30
Mejores días para el dinero: 1, 2, 3, 8, 9, 10, 11, 18, 19, 20, 21, 29, 30
Mejores días para la profesión: 2, 3, 10, 11, 20, 21, 29, 30

El 22 del mes pasado entraste en otra de tus cimas de placer personal. Esto no va solamente de pasarlo bien, que te divertirás, sino de recargar las pilas para que en el futuro el trabajo vaya mejor. Si aprovechas este periodo, después del 23 te vendrán nuevas ideas y un nuevo entusiasmo para el trabajo. Hasta esta fecha es buen periodo para explorar tu creatividad, en especial tu escritura.

El 16 del mes pasado el poder planetario pasó de tu independiente sector oriental, el del yo, al social sector occidental, el de los demás. El 70 por ciento de los planetas (y a veces el 80 por ciento) están en tu sector occidental y esto continuará varios meses. La independencia personal es más débil, pero el Cosmos te compensa de otras maneras. Te ves obligado a cultivar (y a depender de) tus dotes sociales, tu capacidad para conseguir la colaboración de los demas. El poder planetario avanza hacia los demás, no hacia ti. Probablemente tu manera no es la mejor en este periodo; deja que se impongan los demás, mientras esto no sea destructivo. Adáptate lo mejor posible a las condiciones desagradables; toma nota de lo que es necesario cambiar. Cuando el poder planetario se traslade al sector oriental de tu carta y avance hacia ti, podrás hacer los cambios y te resultará más fácil.

Urano en tu casa doce, la de la espiritualidad, desde mayo, causa mucha efervescencia en tu vida espiritual; has hecho todo tipo de cambios en tu práctica y enseñanza, en especial si naciste en la primera parte del signo. Ahora que tu planeta de la espiritualidad, Venus, inicia movimiento retrógrado el 5, será mejor que antes de hacer cambios importantes estudies más las cosas. También están en movimiento retrógrado los otros dos planetas relacionados con tu espiritualidad: Neptuno, el planeta genérico de la espiritualidad, y Urano, el ocupante de tu casa doce. Los sueños y las intuiciones necesitan más verificación en este periodo; son acertados, pero es posible que su significado no sea lo que crees.

El movimiento retrógrado de Venus (que sólo ocurre cada dos años) afecta a los hijos y figuras filiales de tu vida. Si bien prosperan este año (y en especial este mes) parecen desorientados en sus asuntos personales; no saben qué desean ni cuáles deben ser sus objetivos al respecto.

Noviembre

Mejores días en general: 4, 5, 14, 15, 23, 24
Días menos favorables en general: 2, 3, 9, 10, 16, 17, 29, 30
Mejores días para el amor: 4, 5, 8, 9, 10, 14, 15, 19, 23, 24, 27
Mejores días para el dinero: 6, 7, 8, 16, 17, 19, 25, 26, 27
Mejores días para la profesión: 6, 7, 8, 16, 17, 25, 26

El amor y el romance son el principal titular del mes. Si ya estás en una relación hay más y feliz actividad social. Si aún no estás en una relación, sin duda encuentras posibilidades interesantes. Tu planeta del amor, Júpiter, entra el 8 en tu séptima casa, la del amor; ahí está en su signo y casa, es fuerte en los sentidos celestial y terrestre; es ultrafuerte para ti. Por lo tanto, tu talante y magnetismo sociales son extraordinariamente fuertes; es como si hubieras tomado una poción o píldora del amor. Las personas se sienten atraídas por ti.

Si estás soltero o soltera es posible que te cases, si no este mes en los próximos doce meses. O tal vez entables una relación que es como matrimonio pero sin las formalidades. También podría formarse una sociedad de negocios. El 22 el Sol se reunirá con Júpiter en tu séptima casa y entonces entras en una cima amorosa y social anual. Según sea tu edad, esta podría ser una cima de toda la vida; o será simplemente otra cima amorosa más.

Mercurio, el señor de tu horóscopo, pasa el mes en tu séptima casa. Con esto aumenta tu popularidad; estás por los demás, en especial por el ser amado; estás en modalidad romance. Llegas a los demás y eres activo en el amor. Todo el mes es bueno para el amor, pero los mejores días parecen ser del 24 al 28 (el Sol viaja con Júpiter) y el 29 y 30 (Mercurio viaja con Júpiter).

La vida social es activa, pero también lo es la profesión, y será un reto arreglárselas entre las dos. El 16 Marte cruza tu medio cielo y entra en tu décima casa, la de la profesión. Esto indica la necesidad de ser más osado en la profesión; las amistades triunfan y te ayudan.

Tus conocimientos tecnológicos tienen un papel importantísimo a partir del 16. El traslado de los planetas desde la mitad inferior de tu carta a la superior también indica que debes centrar la atención en la profesión. Trabajas mucho pero este trabajo compensa; hay éxito.

El 7, Luna nueva, y el 23, Luna llena, son potentes días financieros, en especial el 23, pues ocurre en tu signo. El 26, cuando la Luna está en su perigeo, también es un día especialmente bueno en las finanzas, pues está en su perigeo en tu casa del dinero.

Diciembre

Mejores días en general: 2, 3, 11, 12, 21, 22, 29, 30
Días menos favorables en general: 6, 7, 14, 15, 27, 28
Mejores días para el amor: 2, 3, 6, 7, 14, 15, 16, 23, 24, 26
Mejores días para el dinero: 6, 7, 16, 17, 23, 24, 26, 27
Mejores días para la profesión: 4, 5, 14, 15, 23, 24, 31

Siguen en vigor muchas de las tendencias de que hablamos el mes pasado. La profesión y el amor siguen siendo los principales centros de atención.

Marte continúa en tu décima casa. Tu planeta de la profesión, Neptuno, retomó el movimiento directo el 25 del mes pasado. Hay claridad mental respecto a tu profesión y camino profesional. Esta comienza a avanzar otra vez. Marte viaja con Neptuno este mes; del 5 al 7 están en conjunción. Esto indica, como dijimos el mes pasado, mucha actividad en la profesión. El éxito viene de ser más osado y combativo. Neptuno solo sería demasiado pasivo, pero Marte lo incita a la actividad. También indica el éxito y la ayuda de amistades. Las actividades online y tu pericia tecnológica también dan impulso a la profesión. Los jefes y padres (o figuras parentales) tienen un mes financiero excelente; la industria en que trabajas va bien este mes. Venus da un impulso a tu profesión los días 20 y 21, ya que forma aspectos hermosos a Neptuno. Los hijos y figuras filiales tienen éxito y también te ayudan en la profesión. Apelar al mercado juvenil es útil en la profesión.

La salud ha estado más delicada después del 22 del mes pasado; este mes también necesita más atención, hasta el 21. Procura, pues, dormir lo suficiente; no te permitas cansarte en exceso. Fortalece la salud de las maneras explicadas en las previsiones para el año. Lo bueno es que este mes está fuerte tu sexta casa, la de la salud; Mercurio está en ella hasta el 13 y Venus estará en ella a partir del 2. Esto indica que estás atento, estás al tanto.

La vida amorosa sigue brillando. Hasta el 21 continúas en una cima amorosa y social anual. Mercurio, planeta importantísimo en tu carta, el señor de tu horóscopo, entra el 13 en tu séptima casa, esta vez en movimiento directo. Das otra oportunidad a una persona a la que tal vez conociste el mes pasado y de la que te alejaste. Este aspecto favorece tu popularidad y te da buena suerte en el amor.

Las vacaciones de Navidad tienden a ser un periodo social en el mundo, pero para ti lo son más, más que temporadas de vacaciones anteriores.

Cáncer

El Cangrejo

Nacidos entre el 21 de junio y el 20 de julio

Rasgos generales

CÁNCER DE UN VISTAZO

Elemento: Agua

Planeta regente: Luna
Planeta de la profesión: Marte
Planeta de la salud: Júpiter
Planeta del amor: Saturno
Planeta del dinero: el Sol
Planeta de la diversión y los juegos: Plutón
Planeta del hogar y la vida familiar: Venus

Colores: Azul, castaño rojizo, plateado
Colores que favorecen el amor, el romance y la armonía social: Negro, azul índigo
Colores que favorecen la capacidad de ganar dinero: Dorado, naranja

Piedras: Feldespato, perla

Metal: Plata

Aromas: Jazmín, sándalo

Modo: Cardinal (= actividad)

Cualidad más necesaria para el equilibrio: Control del estado de ánimo

Virtudes más fuertes: Sensibilidad emocional, tenacidad, deseo de dar cariño

Necesidad más profunda: Hogar y vida familiar armoniosos

Lo que hay que evitar: Sensibilidad exagerada, estados de humor negativos

Signos globalmente más compatibles: Escorpio, Piscis

Signos globalmente más incompatibles: Aries, Libra, Capricornio

Signo que ofrece más apoyo laboral: Aries

Signo que ofrece más apoyo emocional: Libra

Signo que ofrece más apoyo económico: Leo

Mejor signo para el matrimonio y/o las asociaciones: Capricornio

Signo que más apoya en proyectos creativos: Escorpio

Mejor signo para pasárselo bien: Escorpio

Signos que más apoyan espiritualmente: Géminis, Piscis

Mejor día de la semana: Lunes

La personalidad Cáncer

En el signo de Cáncer los cielos han desarrollado el lado sentimental de las cosas. Esto es lo que es un verdadero Cáncer: sentimientos. Así como Aries tiende a pecar por exceso de acción, Tauro por exceso de inacción y Géminis por exceso de pensamiento, Cáncer tiende a pecar por exceso de sentimiento.

Los Cáncer suelen desconfiar de la lógica, y tal vez con razón. Para ellos no es suficiente que un argumento o proyecto sea lógico, han de «sentirlo» correcto también. Si no lo sienten correcto lo rechazarán o les causará irritación. La frase «sigue los dictados de tu corazón» podría haber sido acuñada por un Cáncer, porque describe con exactitud la actitud canceriana ante la vida.

Sentir es un método más directo e inmediato que pensar. Pensar es un método indirecto. Pensar en algo jamás toca esa cosa.

Sentir es una facultad que conecta directamente con la cosa o tema en cuestión. Realmente la tocamos y experimentamos. El sentimiento es casi otro sentido que poseemos los seres humanos, un sentido psíquico. Dado que las realidades con que nos topamos durante la vida a menudo son dolorosas e incluso destructivas, no es de extrañar que Cáncer elija erigirse barreras de defensa, meterse dentro de su caparazón, para proteger su naturaleza vulnerable y sensible. Para los Cáncer se trata sólo de sentido común.

Si se encuentran en presencia de personas desconocidas o en un ambiente desfavorable, se encierran en su caparazón y se sienten protegidos. Los demás suelen quejarse de ello, pero debemos poner en tela de juicio sus motivos. ¿Por qué les molesta ese caparazón? ¿Se debe tal vez a que desearían pinchar y se sienten frustrados al no poder hacerlo? Si sus intenciones son honestas y tienen paciencia, no han de temer nada. La persona Cáncer saldrá de su caparazón y los aceptará como parte de su círculo de familiares y amigos.

Los procesos del pensamiento generalmente son analíticos y separadores. Para pensar con claridad hemos de hacer distinciones, separaciones, comparaciones y cosas por el estilo. Pero el sentimiento es unificador e integrador. Para pensar con claridad acerca de algo hay que distanciarse de aquello en que se piensa. Pero para sentir algo hay que acercarse. Una vez que un Cáncer ha aceptado a alguien como amigo, va a perseverar. Tendrías que ser muy mala persona para perder su amistad. Un amigo Cáncer jamás te abandonará, hagas lo que hagas. Siempre intentará mantener cierto tipo de conexión, incluso en las circunstancias más extremas.

Situación económica

Los nativos de Cáncer tienen una profunda percepción de lo que sienten los demás acerca de las cosas, y del porqué de esos sentimientos. Esta facultad es una enorme ventaja en el trabajo y en el mundo de los negocios. Evidentemente, es indispensable para formar un hogar y establecer una familia, pero también tiene su utilidad en los negocios. Los cancerianos suelen conseguir grandes beneficios en negocios de tipo familiar. Incluso en el caso de que no trabajen en una empresa familiar, la van a tratar como si lo fuera. Si un Cáncer trabaja para otra persona, entonces su jefe o jefa se convertirá en la figura parental y sus compañeros de trabajo en sus hermanas y hermanos. Si la persona Cáncer es el jefe o la jefa, entonces considerará a todos los empleados sus hijos. A los cancerianos les gusta la sensación de ser los proveedores de los demás. Disfrutan sabiendo que otras personas reciben su sustento gracias a lo que ellos hacen. Esta es otra forma de proporcionar cariño y cuidados.

Leo está en la cúspide de la segunda casa solar, la del dinero, de Cáncer, de modo que estas personas suelen tener suerte en la especulación, sobre todo en viviendas, hoteles y restaurantes. Los balnearios y las salas de fiesta son también negocios lucrativos para los nativos de Cáncer. Las propiedades junto al mar los atraen. Si bien básicamente son personas convencionales, a veces les gusta ganarse la vida de una forma que tenga un encanto especial.

El Sol, que es el planeta del dinero en la carta solar de los Cáncer, les trae un importante mensaje en materia económica: necesitan tener menos cambios de humor; no pueden permitir que su estado de ánimo, que un día es bueno y al siguiente malo, interfiera en su vida laboral o en sus negocios. Necesitan desarrollar su autoestima y un sentimiento de valía personal si quieren hacer realidad su enorme potencial financiero.

Profesión e imagen pública

Aries rige la cúspide de la casa diez, la de la profesión, en la carta solar de los Cáncer, lo cual indica que estos nativos anhelan poner en marcha su propia empresa, ser más activos en la vida pública y política y más independientes. Las responsabilidades familiares y el temor a herir los sentimientos de otras personas, o de hacerse daño a sí mismos, los inhibe en la consecución de estos objetivos. Sin embargo, eso es lo que desean y ansían hacer.

A los Cáncer les gusta que sus jefes y dirigentes actúen con libertad y sean voluntariosos. Pueden trabajar bajo las órdenes de un superior que actúe así. Sus líderes han de ser guerreros que los defiendan.

Cuando el nativo de Cáncer está en un puesto de jefe o superior se comporta en gran medida como un «señor de la guerra». Evidentemente sus guerras no son egocéntricas, sino en defensa de aquellos que están a su cargo. Si carece de ese instinto luchador, de esa independencia y ese espíritu pionero, tendrá muchísimas dificultades para conseguir sus más elevados objetivos profesionales. Encontrará impedimentos en sus intentos de dirigir a otras personas.

Debido a su instinto maternal, a los Cáncer les gusta trabajar con niños y son excelentes educadores y maestros.

Amor y relaciones

Igual que a los Tauro, a los Cáncer les gustan las relaciones serias y comprometidas, y funcionan mejor cuando la relación está claramente definida y cada uno conoce su papel en ella. Cuando se casan, normalmente lo hacen para toda la vida. Son muy leales a su ser amado. Pero hay un profundo secretillo que a la mayoría de nativos de Cáncer les cuesta reconocer: para ellos casarse o vivir en pareja es en realidad un deber. Lo hacen porque no conocen otra manera de crear la familia que desean. La unión es simplemente un camino, un medio para un fin, en lugar de ser un fin en sí mismo. Para ellos el fin último es la familia.

Si estás enamorado o enamorada de una persona Cáncer debes andar con pies de plomo para no herir sus sentimientos. Te va a llevar un buen tiempo comprender su profunda sensibilidad. La más pequeña negatividad le duele. Un tono de voz, un gesto de irritación, una mirada o una expresión puede causarle mucho sufrimiento. Advierte el más ligero gesto y responde a él. Puede ser muy difícil acostumbrarse a esto, pero persevera junto a tu amor. Una persona Cáncer puede ser una excelente pareja una vez que se aprende a tratarla. No reaccionará tanto a lo que digas como a lo que sientas.

Hogar y vida familiar

Aquí es donde realmente destacan los Cáncer. El ambiente hogareño y la familia que crean son sus obras de arte personales. Se esfuerzan por hacer cosas bellas que los sobrevivan. Con mucha frecuencia lo consiguen.

Los Cáncer se sienten muy unidos a su familia, sus parientes y, sobre todo, a su madre. Estos lazos duran a lo largo de toda su vida y maduran a medida que envejecen. Son muy indulgentes con aquellos familiares que triunfan, y están apegados a las reliquias de familia y los recuerdos familiares. También aman a sus hijos y les dan todo lo que necesitan y desean. Debido a su naturaleza cariñosa, son muy buenos padres, sobre todo la mujer Cáncer, que es la madre por excelencia del zodiaco.

Como progenitor, la actitud de Cáncer se refleja en esta frase: «Es mi hijo, haya hecho bien o mal». Su amor es incondicional. Haga lo que haga un miembro de su familia, finalmente Cáncer lo perdonará, porque «después de todo eres de la familia». La preservación de la institución familiar, de la tradición de la familia, es uno de los principales motivos para vivir de los Cáncer. Sobre esto tienen mucho que enseñarnos a los demás.

Con esta fuerte inclinación a la vida de familia, la casa de los Cáncer está siempre limpia y ordenada, y es cómoda. Les gustan los muebles de estilo antiguo, pero también les gusta disponer de todas las comodidades modernas. Les encanta invitar a familiares y amigos a su casa y organizar fiestas; son unos fabulosos anfitriones.

Horóscopo para el año 2018*

Principales tendencias

Tal vez la mejor descripción de este año que comienza sería «agridulce». Júpiter en Escorpio trae muchos acontecimientos felices, más dinero, más diversión, optimismo y creatividad personal. Pero Saturno, que está en Capricornio desde el final del año pasado, dice: «Espera un momento, tienes verdaderas responsabilidades, no puedes dedicarte sólo a pasarlo bien». El reto, entonces, será disfrutar de tu vida al tiempo que cumples con todas tus responsabilidades, y es posible que este año te encuentres con unas cuantas extras.

Plutón ya lleva nueve años en tu séptima casa, la del amor, desde noviembre de 2008. Esto ha sido causa de muchos cambios en tu vida amorosa y social. Es posible que hayas pasado por divorcio, separación, ruptura de relaciones, o hayas estado a punto

---

* Las previsiones de este libro se basan en el Horóscopo Solar y todos los signos que derivan de él; tu Signo Solar se convierte en el Ascendente, y las casas se numeran a partir de él. Tu horóscopo personal, el trazado concretamente para ti (según la fecha, hora y lugar exactos de tu nacimiento) podrían modificar lo que decimos aquí. Joseph Polansky

de divorciarte. Desde la perspectiva espiritual, estás dando a luz a la vida social de tus sueños, a tu vida amorosa y social ideal. Esto también entraña una purga de lo que ya está viejo y gastado. Normalmente esto son actitudes y creencias interiores, pero suelen manifestarse en el exterior también. Hay muerte de viejas relaciones y comienzo de otras. Ahora que Saturno ha entrado en tu séptima casa estas nuevas relaciones van a pasar por pruebas. Sólo sobrevivirán las buenas. Volveremos a este tema.

Urano lleva siete años en tu décima casa, la de la profesión. Esto ha producido muchos cambios en la profesión, cambios de diversos tipos; por ejemplo, un cambio debido a una reorganización en la empresa o industria en que trabajas; o un cambio en tu modo de considerar tu profesión; o un verdadero cambio de profesión, así como un abogado se convierte en un locutor o presentador de espectáculos, o un médico comienza a escribir blogs o inicia un negocio o trabajo por Internet, en fin, cosas de esta naturaleza. Este año Urano continúa en tu décima casa, pero el 16 de mayo saldrá de ella para entrar en tu casa once, en la que estará hasta el 6 de noviembre. El próximo año pasará a tu casa once para quedarse en ella unos siete años más o menos. Así pues, habrá más estabilidad en la profesión, más seguridad. Volveremos a este tema.

La entrada de Urano en tu casa once va a poner a prueba las amistades. En los próximos siete años irá cambiando tu círculo social, hasta llegar a ser totalmente diferente.

Neptuno lleva unos años en tu novena casa y continuará en ella varios años más. Esto indica la espiritualización de tus creencias religiosas y filosóficas; es posible que estés explorando el lado místico de la religión con que te criaste.

El 8 de noviembre Júpiter entra en tu sexta casa, Sagitario, que es su signo y casa y por lo tanto es muy poderoso en ella. Esto va a traer oportunidades laborales felices, muy buenas. También traerá buenas noticias en la faceta salud. Hablaremos más de esto.

Los intereses más importantes para ti este año son: los hijos, la diversión, y la creatividad (hasta el 8 de noviembre); la salud y el trabajo (a partir del 8 de noviembre); el amor y el romance; viajes al extranjero, la educación superior y la religión; la profesión (del 1 de enero al 16 de mayo y del 6 de noviembre al 31 de diciembre).

Los caminos para tu mayor realización o satisfacción este año son: la diversión, los hijos y la creatividad (hasta el 8 de noviembre); la salud y el trabajo (a partir del 8 de noviembre); las finanzas (hasta el 17 de noviembre); el cuerpo, la imagen y el placer personal (a partir del 17 de noviembre).

Salud

(Ten en cuenta que esta es una perspectiva astrológica de la salud, no una médica. Antaño no había ninguna diferencia, ambas eran idénticas, pero en esta época podrían diferir muchísimo. Para una perspectiva médica, por favor, consulta a tu médico o a otro profesional de la salud.)

Este año será necesario estar más atento a la salud; tienes a tres poderosos planetas lentos en alineación desfavorable contigo. Así pues, la energía general no es la que debiera y esto tiende a hacer a la persona más vulnerable. Además, habrá periodos en el año en que se añadirán los aspectos desfavorables de los planetas rápidos, por lo que la vulnerabilidad será mayor. Esto no significa enfermedad propiamente tal, sino solamente la necesidad de prestar más atención a la salud; no es algo que puedas dar por descontado.

Hasta el 8 de noviembre estará vacía tu sexta casa (sólo transitarán por ella los planetas rápidos) así que la tendencia será a «falta de atención»; tendrás que obligarte a prestarle atención a la salud.

Lo bueno, como saben nuestros lectores, es que se puede hacer mucho para fortalecer la salud y prevenir problemas. Da más atención a las siguientes zonas, que son las vulnerables este año:

El corazón. Este órgano es importante desde 2008 y continuará siendo importante muchos años más. Te irán bien sesiones de reflexología. Dado que muchos terapeutas espirituales afirman que la preocupación (p. ej., la falta de fe) es causa principal de los problemas cardiacos, te conviene cultivar la fe.

El estómago (si eres mujer, también los pechos). Estas zonas son siempre importantes para Cáncer. Te convienen sesiones de reflexología. Comer bien es siempre un asunto importante en tu caso (aunque no para todo el mundo). Lo que comes es importante y debes consultarlo con un profesional, pero «cómo» comes es igualmente importante. El acto de comer se ha de elevar por encima del apetito animal a un acto de culto. Bendice tu comida; agradécela. Haz una acción de gracia antes y después de la comida, con tus palabras. Pon una música suave y relajante mientras comes; esto cambiará las vibraciones de la comida y de tu sistema digestivo. El alimento se digiere mejor y obtienes sólo lo más elevado y mejor de lo que comes.

El hígado y los muslos. Estas zonas también son siempre importantes para Cáncer; Júpiter, el regente de estas zonas, es tu planeta de la salud. Te irán bien sesiones de reflexología. Se aconsejan masajes periódicos en los muslos. De vez en cuando te conviene hacer una limpieza del hígado con infusiones de hierbas, en especial si te sientes indispuesto.

El colon, la vejiga y los órganos sexuales. Estas zonas se han vuelto importantes desde hace poco, desde octubre del año pasado, y continúan siendo importantes hasta el 8 de noviembre. También son importantes el sexo seguro y la moderación en la actividad sexual, ni exceso ni demasiado poco. Escucha a tu cuerpo, no a tu mente; tu cuerpo te dirá cuándo ya tienes bastante. De vez en cuanto te conviene hacer una limpieza del colon con infusión de hierbas.

Tu planeta de la salud en Escorpio indica una tendencia hacia la intervención quirúrgica; más o menos la consideras la solución rápida a un problema de salud; pero ten presente que Escorpio también rige la desintoxicación y muchas veces esta hace el mismo trabajo, aun cuando lleva algo más de tiempo. Este año respondes mejor a la desintoxicación.

Tu planeta de la salud en la quinta casa indica la necesidad de «permanecer» feliz. Controla el estado de ánimo (Cáncer suele variar mucho de estado anímico). Evita la depresión como a la peste. Haz fluir la creatividad; una afición creativa sería placentera y terapéutica en este periodo.

Hogar y vida familiar

El hogar y la familia son siempre importantes para ti, Cáncer, pero este año es menor la intensidad. Tu cuarta casa, la del hogar y la familia, está prácticamente vacía, sólo transitan por ella los planetas rápidos y por cortos periodos.

Es posible que en los dos años pasados te hayas mudado o hayas redecorado la casa. También se ha expandido el círculo familiar. Los aspectos indican que te sientes satifecho y no necesitas hacer ningún cambio importante; este es un año en que las cosas continúan como están.

Si estás en edad de concebir, el año pasado fuiste excepcionalmente fértil, y la tendencia continúa este año; un embarazo no sería una sorpresa.

Este año tu atención está más centrada en tus hijos (o en las figuras filiales de tu vida) que en los demás familiares. Te llevas bien con ellos; te causan muchísima felicidad y alegría. También se ven muy prósperos, llevan un estilo de vida más elevado de lo normal. Podrían sentir la inclinación a viajar también. Se ven «felices campistas».

Este año no se ven probabilidades de obras importantes de renovación o reparación en la casa, aunque esto podría modificarlo tu carta astral personal, hecha especialmente para ti. Pero si deseas dar otra mano de pintura o cambiar la disposición del mobiliario, o embellecer la casa de alguna otra manera, del 7 de agosto al 9 de septiembre, y del 16 de noviembre al 2 de diciembre son buenos periodos. Estos periodos también son buenos para comprar objetos de arte para la casa.

Tu planeta del hogar y la familia es Venus. Este es un planeta de movimiento rápido; en un año transita por todos los sectores del horóscopo. Hay, por lo tanto, muchas tendencias de corto plazo en la vida familiar y doméstica, según dónde esté Venus y los aspectos que reciba. Estas tendencias es mejor tratarlas en las previsiones mes a mes.

Este año Venus hace movimiento retrógrado (que sólo hace cada dos años) del 5 de octubre al 16 de noviembre. Este no es un periodo para tomar decisiones familiares importantes ni para gastos mayores en la casa; es un periodo para hacer revisión y ver qué mejoras se pueden hacer. Cuando Venus retome el movimiento directo el 16 de noviembre, podrás poner por obra tus planes.

Un progenitor o figura parental ha hecho muchos cambios personales en los siete años pasados; ahora las cosas comienzan a estabilizarse. El otro progenitor o figura parental tiene un año superpróspero y es generoso contigo; esta persona podría cambiar de trabajo este año. No se ven probabilidades de mudanza para ellos, se encuentran ante muchos retrasos y dificultades.

Los hijos prosperan, como hemos dicho, pero no es probable que se muden de casa.

Entre los hermanos o figuras fraternas podría haber mudanza u obras de renovación en la casa a partir del 8 de noviembre; esto también podría ocurrir el año que viene.

Los nietos, si los tienes, tienen un año familiar y doméstico sin novedades ni cambios.

Profesión y situación económica

Este año se ve muy próspero; Júpiter te forma aspectos hermosos. Hay, pues, expansión financiera, oportunidades felices, lo que en el mundo se llama «buena suerte» (que sólo es una aplicación de las leyes espirituales). Hay suerte en las especulaciones, así que tal vez no te haría ningún daño invertir modestas sumas en alguna forma de especulación (eso sí, no el dinero para el alquiler ni para la alimentación, y tampoco de modo automático sino guiado por la intuición). Las especulaciones son favorables, pero el Cosmos tiene otras maneras de hacerte prosperar.

Este año se ven muchos cambios drásticos y medidas correctivas en las finanzas; más que de costumbre. Tenemos tres eclipses solares, cuando normalmente sólo hay dos. Y dado que el Sol es tu planeta del dinero, estos indican cambios y dramas. Además, dos eclipes, uno solar y uno lunar, ocurren en tu casa del dinero; esto quiere decir que cuatro de los cinco eclipses afectan a las finanzas. Mi impresión es que podrías haber subestimado los ingresos y necesitas cambiar de estrategia.

Si hay debilidad financiera este año es que tu casa del dinero está vacía; sólo transitan por ella los planetas rápidos, y durante cortos periodos. Por lo general esto indica satisfacción con los ingresos; más o menos das por descontada la prosperidad y no necesitas darle mucha atención. De todos modos, si surgiera algún problema financiero, la causa podría ser la falta de atención.

Los aspectos hermosos de Júpiter a tu Sol natal sugiere que tus ingresos proceden del trabajo; tu trabajo genera la buena suerte. También indica ingresos procedentes del campo de la salud.

Júpiter en tu quinta casa indica que los hijos o figuras filiales son importantes en las finanzas; muchas veces son la fuerza motivadora del éxito financiero; y muchas veces colaboran con ideas o inspiraciones. Si están en edad, podrían ayudarte o apoyarte materialmente también.

Júpiter en tu quinta casa también indica ingresos provenientes de industrias que abastecen el mercado juvenil: música, entretenimientos, deportes, o empresas que proveen a estas industrias.

Urano está en tu décima casa desde hace casi siete años y continuará en ella gran parte de este año. Estos siete años pasados has tenido muchos cambios en la profesión; a veces han sido cambios relacionados con la industria o con la empresa en que trabajas; también podría haber habido un verdadero cambio de profesión, has elegido algo totalmente diferente. Ahora comienza a calmarse esta incertidumbre profesional; aún no ha acabado del todo, pero el próximo año ya habrá acabado; habrá más estabilidad y seguridad en la profesión.

Urano en tu décima casa favorece la profesión de tipo autónomo, la que ofrece mucha libertad y cambios. También favorece los medios de comunicación y el mundo de Internet. El único problema de la profesión autónoma es la inseguridad y la incertidumbre; aprender a vivir con esto ha sido una de las principales lecciones para ti en estos siete años pasados.

Hay muchas tendencias de corto plazo en la profesión, las que dependen de dónde está Marte, tu planeta de la profesión, y de los aspectos que recibe. Estas tendencias es mejor tratarlas en las previsiones mes a mes.

Amor y vida social

La vida amorosa y social se ve difícil este año; pero las dificultades o retos ofrecen muchas recompensas si los llevas bien.

Como hemos dicho, Saturno está ahora en tu séptima casa y continuará en ella dos años. Esto no es conducente al matrimonio ni a una relación amorosa seria, comprometida. Aun si encuentras a una «persona especial», no es aconsejable que te cases. Disfruta de la relación en lo que es; el próximo año podría ser un mejor periodo para eso.

Si ya estás casado o casada o en una relación seria, la relación pasará por pruebas este año. Esto no suele ser agradable, pero tiene sus puntos positivos. No podemos saber si el amor es verdadero en los tiempos buenos, cuando todo es idílico; sólo lo descubrimos durante los tiempos difíciles. Si tu matrimonio o relación resiste las dificultades de los dos próximos años es probable que sobreviva a cualquier cosa.

Saturno es tu planeta del amor, por lo tanto, en general, tiendes a ser tradicional y conservador en el matrimonio y la relación. Ahora, con Saturno en su signo y casa, en la que es más «saturnino» que de costumbre, tú tiendes a ser más conservador aún. Y esto va para el cónyuge, pareja o la persona con que estás relacionado.

Si estás soltero o soltera tiendes a favorecer a personas mayores, más establecidas, personas de tipo empresarial, de negocios. En el amor hay un sentido práctico (siempre tienes esto, pero ahora más aún). Te atrae la persona buena proveedora, la persona ambiciosa, la persona que puede ayudarte en la profesión. El problema en esto es que es más probable una relación «por conveniencia» que por verdadero amor.

El cónyuge, pareja o ser amado actual se ve muy «empresarial» en este periodo; una persona fría, reservada. Falta el elemento pasión; será necesario encenderla artificialmente. Tú y tu pareja tendréis que trabajar en esto; los dos tendréis que practicar, convertir en proyecto el enviar cariño y simpatía a los demás.

Si estás soltero o soltera hay menos citas y fiestas este año; el Cosmos te llama a ser más selectivo en estas cosas; es necesario atender más a la calidad que a la cantidad. Saldrás menos, pero las citas serán de mejor calidad.

Este aspecto muchas veces trae desilusiones sociales. Tal vez tus expectativas eran demasiado elevadas; tal vez has sido muy ingenuo. Esto debes considerarlo no una desilusión sino una «revelación divina». A veces la verdad duele, pero es mejor que vivir una mentira.

Si estás en un segundo matrimonio o estás con miras a casarte por segunda vez, lo tienes bastante bien. Si estás soltero o soltera hay romance, pero no tienes por qué precipitarte al matrimonio.

Progreso personal

Como hemos dicho, Saturno en tu séptima casa provoca dificultades o retos en la vida amorosa y social. Esta se reorganiza y se hace más estable; pero esto es un proceso, no un acontecimiento. Saturno va a reorganizar y poner a prueba tu actitud hacia el amor, tus ideas acerca de qué es y de qué va el amor. Cuando actúa en el amor, Saturno hace a la persona escéptica respecto al amor, al menos respecto al amor romántico que se idealiza en nuestra cultura. Esta piensa, más o menos, «en todo caso el amor es una ilusión así que bien podría ser práctica al respecto». Este era el concepto en muchas culturas durante miles de años y continúa predominando en muchas partes del mundo. Los matrimonios los concertaban los padres, los que, supuestamente, tenían más claras las ideas que los hijos. Rara vez se tomaba en cuenta la química entre las dos personas. El matrimonio era práctico, creaba lazos, alianzas, entre las familias, ya fueran financieras o diplomáticas. Muchas veces era (o es) un instrumento o asunto de Estado. Nunca se trataba de «satisfacción o realización personal». La idea era que se puede aprender a amar a cualquier persona así que bien se puede aprender a amar a alguien que es útil para el Estado o para la fortuna de la familia. Casi todos los matrimonios eran «de conveniencia».

Este concepto se ha abandonado en gran parte en el mundo occidental, aunque, analizándolo, hay un algo muy espiritual en esta actitud: es posible aprender a amar a cualquier persona, con práctica y paciencia. En un sentido espiritual, es simplemente una elección, una elección momento a momento. Puede que la química no sea la debida, puede que los hábitos y modales afectados sean repelentes, pero, como sabe el meditador, estos no son obstáculos para el amor. El amor espiritual está por encima de cualquiera y de toda condición humana; no depende de «objetos»; es una fuerza espiritual con la que cualquiera puede conectar; discurre sin distinción por todas las partes de la vida: lo bueno, lo malo y lo feo. Este amor podría no aprobar ciertos actos, no blanquea la realidad, pero ama a pesar de estas cosas.

Aprender este tipo de amor te será muy útil en los dos próximos años; la meditación te ayudará.

Hay otra lección sobre el amor que enseña Saturno; no es popular, desde luego, pero es válida. Generalmente Deber y Amor se consideran actitudes opuestas, antagónicas. Se piensa que el deber supone disciplina, firmeza y determinación, esfuerzo. El amor, en cambio, no supone esfuerzo. Sin embargo, el deber realizado de forma amorosa es tal vez la forma de amor superior, más elevada. Cuando se ama de verdad a una persona siempre se cumple el deber hacia ella.

Como hemos dicho, Saturno en la séptima casa tiende a causar decepción, no sólo en el amor sino también en la amistad. Tal vez esperábamos demasiado; tal vez la persona amada o amiga está pasando por un drama personal; tal vez la persona no era lo que creíamos que era, etcétera. Sea como sea, este es un año para practicar el arte del perdón. No es sabio ni saludable aferrarse a los agravios. Vas a necesitar toda la ayuda posible en tus relaciones y el perdón será una inmensa ayuda.

El verdadero perdón no va de «blanquear» la historia; no empapelamos las cosas. La persona hizo lo que hizo; estuvo mal. Sin embargo, perdonamos. El verdadero perdón viene cuando logramos ponernos en la piel de la otra persona y comprendemos por qué hizo lo que hizo; suele entonces llegar la comprensión de que «si yo me hubiera encontrado en esa situación podría haber actuado así también».

Por último, algunas relaciones no van a sobrevivir a las dificultades que vienen. En la disolución también hay lecciones. En esta situación tienes elección: puedes maximizar o minimizar la negatividad. La disolución siempre produce negatividad; de lo que se trata es «¿deseas maximizarla o minimizarla?». Es mejor minimizarla, siempre que sea posible. Por desgracia, muchas personas eligen lo primero.

Previsiones mes a mes

Enero

Mejores días en general: 1, 2, 10, 11, 20, 21, 29, 30
Días menos favorables en general: 8, 9, 15, 16, 22, 23
Mejores días para el amor: 5, 6, 15, 16, 25, 27, 28
Mejores días para el dinero: 1, 2, 3, 4, 5, 6, 10, 11, 15, 16, 20, 21, 27, 28, 29, 30, 31
Mejores días para la profesión: 1, 2, 10, 11, 20, 21, 22, 23

Saturno en tu séptima casa indica un año de menos actividad social, pero este mes hay un aumento; estás en una cima amorosa y social anual. Gran parte de la actividad social tiene más que ver con el trabajo que con el romance. Podría formarse una sociedad de negocios o una empresa conjunta; se presentan las oportunidades.

El 21 del mes pasado se hizo dominante la mitad superior de tu carta; después del 11 está aún más dominante pues Mercurio pasa de la mitad inferior a la superior. Entras, pues, en tu periodo profesional; aún no estás en una cima, esta será dentro de unos meses, pero prestas más atención a la profesión; los asuntos familiares y domésticos son menos importantes. Sirves mejor a tu familia triunfando en el mundo.

Este mes es necesario estar atento a la salud, en especial hasta el 20; el 60 por ciento de los planetas (y a veces el 70 por ciento) están en alineación desfavorable contigo. Procura descansar lo suficiente; puede que los dolores y achaques sean menos serios de lo que los sientes; son simplemente la consecuencia de una energía baja. Cuando la energía está baja suelen activarse problemas que ya existen. Fortalece la salud de las maneras explicadas en las previsiones para el año. Hasta el 11 se ve potente la curación con técnicas espirituales; después del 27 da más atención a la cabeza, la cara y el cuero cabelludo; podrían convenirte sesiones de terapia sacro-craneal. Lo más importante es mantener elevada la energía; después del 20 verás mejoría, pero sigue siendo necesario que estés atento.

El 31 hay un eclipse lunar que ocurre en tu casa del dinero; esto indica la necesidad de reconsiderar y cambiar tu estrategia y planificación financieras. Los acontecimientos producidos por el eclipse te señalarán en qué te has equivocado. Todos los eclipses lunares son fuertes en ti pues la Luna es el señor de tu horóscopo; así pues, durante ese periodo tómate las cosas con calma y reduce tus actividades; pasa más tiempo tranquilo en la casa; dentro de los próximos meses te vas a redefinir, vas a cambiar tu imagen y tu concepto de ti mismo. Es saludable hacer esto, pero con el eclipse te ves obligado a hacerlo.

El 20 tu planeta del dinero entra en Acuario, tu octava casa. Este periodo es bueno para pagar o contraer deudas, para planificar el pago de impuestos, hacer planes testamentarios y de seguros. Si tienes buenas ideas, es buen periodo para atraer inversores a tus proyectos.

Febrero

Mejores días en general: 6, 7, 16, 17, 25, 26
Días menos favorables en general: 4, 5, 11, 12, 19
Mejores días para el amor: 2, 4, 5, 11, 12, 16, 21, 25, 26
Mejores días para el dinero: 4, 5, 6, 7, 14, 15, 16, 17, 25, 26, 27, 28
Mejores días para la profesión: 9, 10, 19, 20, 27, 28

Las finanzas no han sido muy importantes en tu vida el año pasado ni lo que va de este; tal vez no les has prestado bastante atención. Así pues, los eclipses (el del mes pasado y el del 15 de este) te obligan a darles más atención y a hacer los cambios necesarios. Es tentador llevar la vida financiera con «piloto automático», pero a veces es necesario intervenir.

El eclipse solar del 15 ocurre en tu octava casa. Este afecta no solo a tus finanzas sino también a las de tu cónyuge, pareja o ser amado actual; si estás en una sociedad de negocios también afecta a tus socios. Tanto tú como estas personas debéis tomar medidas correctivas en las finanzas. Los criterios y estrategias no han sido realistas, como lo revelarán los acontecimientos producidos por el eclipse. La conexión con la octava casa suele indicar casi muerte (o miedo a la muerte); en este caso tiene más que ver con casi muerte financiera que con muerte física. Este eclipse hace impacto en Mercurio y en Júpiter, por lo tanto podría haber cambios laborales; cambian las condiciones en el lugar de trabajo. Este mes tu salud es buena, pero el impacto en Júpiter podría ser causa de un susto en la salud; también va a producir cambios drásticos en tu programa de salud dentro de los próximos meses. Si eres empleador, hay inestabilidad en el lugar de trabajo y drama en la vida de empleados. El impacto en Mercurio pone a prueba los coches y el equipo de comunicación; además, durante este periodo debes conducir más a la defensiva. Si conducir no es una necesidad, no lo hagas. Dado que Mercurio rige tu casa doce, la de la espiritualidad, podría haber disturbios o trastornos en una organización benéfica o espiritual a la que perteneces; hay dramas en la vida de tu gurú o figura de gurú.

El 9 y el 10 evita la especulación y procura no gastar en exceso. Si estás soltero o soltera no es recomendable el matrimonio este año, pero a partir del 18 mejora la vida amorosa. Todavía necesitas ir lento en el amor y ser más selectivo respecto a las personas con que sales y a las fiestas que asistes.

La salud es buena este mes y después del 18 será mejor aún. A partir de esta fecha hay mucha agua en el horóscopo: el 50 por ciento de los planetas (y a veces el 60 por ciento) están en elemento agua; esto es agradable para ti, pero pon atención a tus estados de ánimo. Las hidroterapias son buenas todo el año, pero en especial este mes.

Marzo

Mejores días en general: 6, 7, 15, 16, 17, 24, 25
Días menos favorables en general: 3, 4, 10, 11, 12, 18, 19, 31
Mejores días para el amor: 1, 8, 10, 11, 12, 18, 19, 20, 26, 27, 29
Mejores días para el dinero: 6, 7, 15, 16, 17, 24, 25, 26, 27
Mejores días para la profesión: 8, 9, 18, 19, 20, 29, 30

Este es un mes feliz, próspero y exitoso, Cáncer, disfrútalo.

El 18 del mes pasado se hizo muy fuerte tu novena casa, considerada una de las más felices, y continúa poderosa hasta el 20. Tu planeta del dinero, el Sol, en la novena casa indica prosperidad, el aumento de la riqueza. Empresas extranjeras, inversiones en el extranjero y personas extranjeras en general, tienen un importante papel en los ingresos. Tu planeta del dinero en Piscis hasta el 20 indica «dinero milagroso», que no «dinero natural»; indica la capacidad para acceder a las fuentes sobrenaturales de la abundancia; también indica buena intuición financiera.

El poder que hay en la novena casa significa buena suerte si eres universitario. Si tienes pendiente algún asunto legal o jurídico, también hay buena suerte. Te llaman otros países, hay aires de viaje. Los planetas favorecen más el viaje por mar que por vía aérea o terrestre. Un crucero podría ser interesante.

Teniendo el nodo norte de la Luna en tu casa del dinero tu problema podría ser demasiado dinero, que no poco. El nodo norte tiende al exceso; pero es agradable tener este problema.

El 20 el Sol cruza tu medio cielo y entra en tu décima casa, la de la profesión; el 40 por ciento de los planetas están en ella, es un porcentaje fuerte. La profesión va bien, tienes éxito; podría haber aumento de sueldo (oficial o no oficial). Cuentas con el favor de los superiores de tu vida en las finanzas; tu buena fama profesional es importante, protégela. El 17 entra Marte, tu planeta de la profesión, en tu séptima casa, la del amor, así que progresas en tu profesión por medios sociales. Asiste a las fiestas y reuniones adecuadas, tal vez también te conviene ofrecerlas.

A partir del 20 es necesario estar más atento a la salud. Muchísimos planetas están en alineación desfavorable contigo. Procura descansar lo suficiente, trata de no trabajar en exceso en tu profesión; tómate ratos de descanso. Fortalece la salud de las maneras explicadas en las previsiones para el año. Hasta el 17 (con Marte en tu sexta casa) serán buenos los masajes en el cuero cabelludo y la cara; también es importante el buen tono muscular.

Abril

Mejores días en general: 2, 3, 12, 13, 21, 22, 29
Días menos favorables en general: 1, 7, 8, 14, 15, 27, 28
Mejores días para el amor: 7, 8, 16, 17, 25, 27
Mejores días para el dinero: 2, 3, 4, 5, 12, 13, 14, 15, 16, 21, 22, 23, 24, 25, 29, 30
Mejores días para la profesión: 7, 8, 14, 15, 16, 17, 25, 26

La mayor parte del mes siguen en vigor muchas de las tendencias de que hablamos el mes pasado. La profesión continúa siendo el principal titular. Sigues contando con el favor de los superiores de tu vida. Tu buena fama profesional sigue teniendo un importante papel en los ingresos.

El hogar y la familia son siempre importantes para ti, pero este mes lo son menos. Tu éxito en el mundo es la mejor manera de servir a tu familia.

Del 17 al 19, tu planeta del dinero, el Sol, viaja con Urano (y esto podrías sentirlo antes). Esto indica un repentino trastorno en las finanzas, tal vez un gasto inesperado o algún cambio que hace necesario actuar. Lo bueno es que es de corta duración; muchas veces el gasto repentino es compensado por una entrada de dinero repentina e inesperada. El 20, cuando el Sol entra en tu casa once, adquieren importancia la alta tecnología y el mundo online. Este es un buen tránsito pues el Sol está en el conservador Tauro: será bueno el juicio financiero. Después del 20 te irá muy bien participar en grupos y organizaciones; es agradable y será útil a tu economía. Es muy probable que gastes más en ordenadores y aparatos de alta tecnología.

Ha habido dificultades en el amor desde el 17 del mes pasado; Marte entró en tu séptima casa y continuará en ella este mes. Esto podría ser causa de luchas de poder en la relación amorosa, y estas nunca son sanas. Además, puede llevar a relaciones de conveniencia, no de verdadero amor (teniendo a Saturno en tu séptima casa todo el año, tienes esta tendencia de todos modos; ahora esta se hace más fuerte). Lo bueno es que avanzas en la profesión por medios sociales, como dijimos el mes pasado. Tienes el don de conocer a las personas que te pueden ayudar en la profesión. Como el mes pasado, es posible que muchas de tus actividades sociales estén relacionadas con tu profesión, o con personas relacionadas con tu profesión.

Sigue siendo necesario estar atento a la salud, en especial hasta el 20. Lo bueno es que está mejor que el mes pasado. Fortalece la salud de las maneras indicadas en las previsiones para el año. Lo más importante es hacer lo posible por mantener elevada la energía. Después del 20 mejora más la salud, pero sigue siendo necesario estar atento (hay pesos pesados en Capricornio; están Marte, Plutón y Saturno, potencias que hay que tomar en serio).

Mayo

Mejores días en general: 9, 10, 18, 19, 26, 27, 28
Días menos favorables en general: 4, 5, 11, 12, 13, 24, 25, 31
Mejores días para el amor: 4, 5, 7, 8, 14, 17, 22, 26, 31
Mejores días para el dinero: 4, 5, 9, 10, 14, 15, 18, 19, 20, 21, 24, 26, 27
Mejores días para la profesión: 4, 5, 11, 12, 13, 15, 16, 24

El 20 de marzo el poder planetario comenzó a trasladarse de tu sector occidental o social al sector oriental o independiente. Esto representa un cambio psíquico en ti; el poder planetario avanza en dirección a ti; te apoya. Debido a esto eres más independiente que lo habitual; estás más en ánimo de «puedo». De todos modos el sector occidental sigue siendo muy fuerte: el 50 por ciento de los planetas, y a veces el 60 por ciento, continúan en él, por lo que, aunque un poco menos, siguen siendo importantes los demás y el contar con su favor. Este es un periodo para hacer las cosas a tu manera; importan tu iniciativa y habilidades; necesitas menos la aprobación de los demás. Así pues, este es el periodo para hacer esos cambios que es necesario hacer, para asumir la responsabilidad de tu felicidad. Tienes unos cuantos meses de mayor independencia; si esperas demasiado, cuando los planetas comiencen a alejarse de ti, sí que podrías hacer los cambios pero con más dificultad.

Las finanzas se ven bien este mes; si hay alguna debilidad se debe a tu casa del dinero vacía, lo que significa que tal vez no les prestas bastante atención. Si surgiera algún problema, comienza a poner más atención; obtenemos aquello en que centramos la atención. El 1 tu planeta del dinero forma aspectos hermosos a Saturno; esto indica buena colaboración financiera con el cónyuge, pareja o ser amado actual; las amistades en general ayudan. El 11 y el 12 el Sol forma aspectos hermosos a Plutón; esto nos da unos cuantos mensajes: hay más suerte en las especulaciones; los hijos y figuras filiales te apoyan o ayudan financieramente; en general, los niños y los jóvenes aportan más apoyo. Es probable que gastes más en los hijos, pero también ellos te estimulan a ganar más. El 21 el Sol entra en tu casa doce, la de la espiritualidad; esto indica buena intuición en las finanzas; este es un buen periodo para profundizar en las dimensiones espirituales de la riqueza. El horóscopo dice que si estás bien en lo espiritual, las finanzas y la familia cuidan de sí mismos.

Venus entra en tu signo el 19; este es un aspecto feliz. Mejora tu apariencia, tu imagen es más atractiva y elegante; los familiares te manifiestan su cariño. El amor sigue siendo problemático, pero el problema no es tu apariencia.

Venus está «fuera de límites» la mayor parte del mes, del 6 al 31. Esto significa que los familiares salen de su esfera normal, buscan soluciones en lugares alejados o desconocidos.

Junio

Mejores días en general: 5, 6, 7, 14, 15, 23, 24
Días menos favorables en general: 1, 2, 8, 9, 20, 21, 22, 28, 29
Mejores días para el amor: 1, 2, 6, 7, 10, 16, 18, 23, 24, 28, 29
Mejores días para el dinero: 3, 4, 5, 6, 7, 12, 13, 14, 15, 16, 17, 23, 24
Mejores días para la profesión: 3, 4, 8, 9, 12, 13, 20, 21, 22, 30

Este mes es feliz, Cáncer, no perfecto, pero esencialmente feliz. El poder planetario está en su posición oriental máxima, en especial después del 21. Estás en el periodo de máxima independencia del año. Ha habido periodos de más independencia en tu vida, pero este año el sector occidental de tu carta (el social) continúa fuerte; es el tipo de mes en que debes equilibrar tus intereses con los de los demás; tus deseos personales son fuertes, pero también lo son las exigencias sociales. De todos modos, si necesitas cambiar condiciones, este es el periodo para hacerlo.

El mes se ve próspero. El 1 y el 2 Venus forma aspectos hermosos a Júpiter y a Neptuno (estos días hay un gran trígono exacto, y este es un aspecto muy positivo). La familia en su conjunto prospera, en especial un progenitor o figura parental; esta persona es más generosa contigo; el apoyo familiar es bueno todo el mes. Tu planeta del dinero continúa en tu casa doce hasta el 21, por lo que continúa acentuada tu intuición financiera. La intuición es eminentemente lógica, aunque normalmente esto no lo vemos enseguida; lo vemos después, en retrospectiva. El 21 el Sol cruza tu ascendente y entra en tu primera casa; esto es un aspecto muy feliz para las finanzas; te llegan beneficios inesperados; las oportunidades financieras te buscan. Das la imagen de persona adinerada en este periodo y los demás te ven así; «rezumas» riqueza, por así decirlo. Además de estar en tu signo, tu planeta del dinero forma parte de un gran trígono en agua, aspecto inusual y afortunado. Las finanzas fluyen sin tropiezos y tienes ante ti las mejores posibilidades.

Como el mes pasado, la vida amorosa no va tan bien como podría, pero el problema no es tu apariencia. Tú y el ser amado veis las cosas desde perspectivas opuestas; la tendencia es a estar separados (tú haces tu vida y el ser amado la suya); aun cuando no haya separación física, la hay emocionalmente. El reto es zanjar las diferencias, por parte de los dos; respetar la perspectiva del otro y llegar a acuerdos. A veces es mejor una y a veces otra; las dos perspectivas son válidas. En astrología, los opuestos siempre son las mejores parejas (si no se matan antes).

Julio

Mejores días en general: 3, 4, 12, 13, 20, 21, 30, 31
Días menos favorables en general: 5, 6, 18, 19, 25, 26
Mejores días para el amor: 5, 6, 7, 8, 16, 25, 26
Mejores días para el dinero: 1, 3, 4, 12, 13, 14, 15, 20, 21, 22, 27, 28, 29
Mejores días para la profesión: 1, 5, 6, 10, 11, 18, 19, 27, 28, 29

Las finanzas no han sido muy importantes; la mayor parte de lo que va de año tu casa del dinero ha estado prácticamente vacía. Al parecer, estabas satisfecho con las cosas como estaban. Pero el 14 del mes pasado esta casa comenzó a hacerse poderosa; el 14 entró en ella Venus y el 29 entró Mercurio. Este mes se hará aún más fuerte pues el Sol entra en ella el 22. El mes pasado fue próspero y este mes lo es más aún. Hay una intensa atención a las finanzas y esto lo cambia todo.

Venus en la casa del dinero desde el 14 del mes pasado indica que gastas más en la casa y la familia, lo que no es sorprendente; también indica buen apoyo familiar y que las conexiones familiares tienen un importante papel en los ingresos. El 10 Venus sale de tu casa del dinero. Mercurio pasa todo el mes en ella; esto indica buena intuición financiera; favorece las actividades de compra, venta y comercio en general; en todo lo que hagas son importantes las buenas ventas, mercadotecnia y relaciones públicas. La entrada del Sol en la casa del dinero también es un aspecto maravilloso: está en su signo y casa, y ahí es más poderoso que lo habitual; esto favorece las especulaciones, las industrias que proveen a la juventud: diversión, música, etcétera. Si eres más conservador, favorece los servicios eléctricos y el oro.

Marte, tu planeta de la profesión, pasa la mayor parte del mes «fuera de límites», a partir del 9; esto indica que tus actividades profesionales te sacan de tu esfera normal y te llevan a terreno desconocido.

Este mes dos eclipses sacuden al mundo y mantienen interesantes las cosas. El eclipse solar del 13 ocurre en tu signo; tómate las cosas con calma y reduce tus actividades en este periodo. Como ocurre con todos los eclipses solares, se presenta la necesidad de tomar medidas correctivas en las finanzas; los acontecimientos producidos por el eclipse te indicarán qué es necesario hacer. El eclipse en tu signo indica la necesidad de redefinirte, de redefinir tu imagen y concepto de ti mismo.

El eclipse lunar del 27 ocurre en tu octava casa y también afecta a tu imagen y concepto de ti mismo; sin duda es un periodo para hacer una revisión personal y decidir qué imagen deseas presentar al mundo. Este eclipse hace impacto en Marte, así que vienen cambios y trastornos en la profesión; también podría producir una feliz oportunidad profesional. Es posible que te recomienden una intervención quirúrgica; también podrían recomendar esta a tus jefes o figuras parentales.

Agosto

Mejores días en general: 8, 9, 16, 17, 26, 27
Días menos favorables en general: 1, 2, 3, 14, 15, 21, 22, 29, 30
Mejores días para el amor: 4, 5, 12, 14, 15, 21, 22, 24, 25, 31
Mejores días para el dinero: 2, 3, 8, 9, 10, 11, 16, 17, 20, 26, 27, 31
Mejores días para la profesión: 1, 2, 3, 6, 13, 22, 29, 30

Tu planeta de la profesión, Marte, está en movimiento retrógrado y «fuera de límites». Esto sugiere que te encuentras en terreno desconocido, desorientado e inseguro. Es muy comprensible. Este es el periodo para adquirir toda la claridad mental que puedas. Los asuntos profesionales necesitan tiempo para resolverse, así que mientras tanto puedes poner más atención al hogar y la familia y a tu bienestar emocional. El 21 de junio el poder planetario pasó a la mitad inferior de tu carta; ahora los planetas se están aproximando a su posición inferior máxima o nadir (esto ocurrirá dentro de unos meses). La profesión es importante todo el año, pero puedes pasar cierta atención al hogar y la familia.

Este mes estás en una cima financiera anual; la atención está en las finanzas, como debe ser. Es un mes próspero. Mercurio pasa el mes en tu casa del dinero, lo que indica que, como el mes pasado, en lo que sea que trabajes, son importantes las ventas, la mercadotecnia, la publicidad y las relaciones públicas; hay que dar a conocer tu producto o servicio; esto lo vemos todo el mes, y el próximo también: la entrada de tu planeta del dinero en tu tercera casa el 22 sugiere lo mismo. La compra, la venta, la venta al detalle, son caminos hacia beneficios. Es probable que este mes gastes más en libros y revistas o en educación.

El 11 hay un eclipse solar que ocurre en tu casa del dinero, e indica la necesidad de hacer más correcciones en tu vida financiera; no han sido realistas tu criterio y estrategia, como te lo revelarán los acontecimientos producidos por el eclipse. Lo bueno es que serás capaz de hacer los cambios necesarios. Este eclipse también afecta a las personas adineradas de tu vida; pasan por dramas, tal vez dramas de aquellos que cambian la vida. Este tipo de eclipse podría ser causa de trastornos o reorganización en tu banco o agencia bursátil.

La salud y la energía son pasables este mes. Debes tener presente, eso sí, que a partir del 13 (cuando Marte vuelve a entrar en Capricornio) tendrás tres planetas poderosos en alineación desfavorable contigo. Así pues, mantente atento a las necesidades de tu cuerpo; si estás cansado, descansa. Fortalece la salud de las maneras indicadas en las previsiones para el año.

El amor sigue muy difícil.

Septiembre

Mejores días en general: 4, 5, 13, 14, 22, 23, 24
Días menos favorables en general: 11, 12, 17, 18, 19, 25, 26
Mejores días para el amor: 1, 2, 3, 8, 9, 13, 17, 18, 19, 22, 23, 27
Mejores días para el dinero: 1, 4, 5, 7, 9, 13, 14, 18, 19, 22, 23, 24, 29
Mejores días para la profesión: 1, 10, 11, 20, 21, 25, 26, 29, 30

Este mes disminuye la importancia de las finanzas; el 6 Mercurio sale de tu casa del dinero, y esta queda prácticamente vacía, sólo la Luna transita por ella el 7. Por lo tanto, ya has conseguido más o menos tus objetivos financieros de corto plazo y no necesitas darles mucha atenión. Hasta el 22 tu planeta del dinero está en tu tercera casa, así que, como hemos visto en los dos meses pasados, son importantísimas las ventas, la mercadotecnia y la publicidad; este aspecto también favorece la compraventa y la venta al por menor. El 22 tu planeta del dinero entra en tu cuarta casa, la del hogar y la familia; gastas más en esta faceta; también puedes ganar del hogar y la familia; con este aspecto a veces la persona trabaja más desde casa; o la familia o conexiones familiares ofrecen apoyo u oportunidades financieros; o la familia estimula a ganar más, con ideas y consejos; o la persona gana mediante una industria que provee al hogar.

Es necesario estar más atento a la salud después del 22; como siempre, y esto es lo principal, procura descansar lo suficiente, con buen descanso. Centra la atención en lo que es realmente esencial en tu vida y deja estar las trivialidades. Fortalece la salud de las maneras explicadas en las previsiones para el año.

Marte, tu planeta de la profesión, continúa «fuera de límites» hasta el 24; pero parece que ya estás aclimatado en el terreno desconocido. Marte ya está en movimiento directo. Te sientes más seguro, más orientado en tu profesión.

Este mes te encuentras en uno de los conflictos clásicos que enfrentan muchas personas, sólo que el tuyo es más intenso. Está fuerte tu cuarta casa, la del hogar y la familia, pero también son fuertes las exigencias de la profesión. Debes arreglártelas para dar a cada uno lo debido; tu tarea es tener éxito en el hogar y en la profesión.

La familia en su conjunto prospera este año. También los hijos y figuras filiales; muy pronto habrán conseguido sus objetivos financieros, al menos los de corto plazo, y se dedicarán a otros intereses.

Marte sale de tu séptima casa el 11. El amor debería ir un poco mejor, pero aun así necesita mucho esfuerzo y trabajo.

Octubre

Mejores días en general: 2, 3, 10, 11, 20, 21, 29, 30
Días menos favorables en general: 8, 9, 15, 16, 22, 23
Mejores días para el amor: 2, 3, 6, 10, 11, 15, 16, 20, 21, 24, 25, 29, 30

Mejores días para el dinero: 1, 2, 3, 4, 5, 8, 9, 10, 11, 18, 19, 20, 21, 29, 30, 31
Mejores días para la profesión: 1, 8, 9, 17, 18, 19, 22, 23, 27, 28

Este es un mes feliz y próspero, Cáncer. Disfrútalo.

Hasta el 22 sigue fuerte tu cuarta casa, la del hogar y la familia, tu favorita; el Cosmos te impulsa a centrar la atención en lo que más te gusta. Pero, como el mes pasado, tienes que dividir tu tiempo para atender también a las exigencias de la profesión que continúan fuertes. Desde el 11 del mes pasado tu planeta de la profesión está en tu octava casa y continúa en ella el resto de este mes. A veces este aspecto produce experiencias de casi muerte en la profesión; transformaciones. Por otro lado indica una atención muy intensa, que es la que normalmente lleva al éxito.

Con Júpiter en tu quinta casa, hasta ahora has tenido un año muy agradable, placentero, y este mes lo es más aún, en especial después del 23. La entrada del Sol en tu quinta casa el 23 inicia una cima de placer personal anual. La creatividad ha sido fuerte todo lo que va de año, y ahora lo es más aún. Y si estás en edad de concebir, tal vez engendres un hijo en este periodo.

La prosperidad es mucho más fuerte después del 23 que antes. Hasta el 23 necesitas trabajar arduo por tus ingresos, trabajar arduo para conseguir tus objetivos financieros. Después del 23 esto se da más fácil y de modos felices.

El planeta del dinero en la quinta casa favorece las especulaciones y el correr riesgos. El dinero llega con facilidad y se gasta con igual facilidad. Gastas más en los hijos o figuras filiales de tu vida, pero ellos también pueden inspirarte o estimularte a ganar más. Si están en edad es posible que te ayuden o te ofrezcan oportunidades. Lo bueno de esta posición es que la persona disfruta del dinero que tiene; gasta en actividades de ocio o diversión. El planeta del dinero en la quinta casa va de «dinero feliz»; las oportunidades financieras se te presentan cuando estás en el teatro, en un balneario o una fiesta, cuando te estás divirtiendo. Del 11 al 12 evita la especulación; del 23 al 25 hay un trastorno de corta duración en las finanzas; es posible que tengas que hacer algunos cambios.

Después del 22 la salud y la energía mejoran espectacularmente. Mientras tanto fortalece la salud de las maneras indicadas en las previsiones para el año.

Noviembre

Mejores días en general: 6, 7, 8, 16, 17, 25, 26
Días menos favorables en general: 4, 5, 11, 12, 19, 20
Mejores días para el amor: 2, 4, 5, 10, 11, 12, 14, 15, 21, 23, 24
Mejores días para el dinero: 1, 6, 7, 8, 16, 17, 19, 27, 28
Mejores días para la profesión: 4, 5, 15, 16, 19, 20, 25, 26

Este mes ocurren muchas cosas. El 6 Urano vuelve a tu décima casa y en ella continuará produciendo cambios en la profesión; pero después de siete años de esto ya sabes arreglártelas. Más importante aún, Júpiter, tu planeta de la salud y el trabajo, entra en Sagitario el 8; esto indica cambios laborales; el trabajo podría ser menos agradable de lo que ha sido hasta ahora. Por el lado positivo, en los próximos doce meses más o menos tendrás maravillosas oportunidades de trabajo nuevo. Tus perspectivas laborales son, desde luego, brillantes.

Hasta el 22 continúas en una cima de placer personal. Después de esta fecha ya tendrás saciados tus deseos de ocio y vuelves a estar en ánimo para trabajar. Este será un buen periodo para hacer todas esas tareas vulgares, aburridas, detallistas, que has ido postergando; tienes la energía y el impulso para hacerlas. La entrada de Júpiter en tu sexta casa trae cambios en el programa de salud también. El hígado y los muslos, siempre importantes para ti, lo son más aún; ya no es necesario dar tanta atención al colon, la vejiga y los órganos sexuales. Tal vez podría convenirte consultar a un médico extranjero o seguir un tratamiento extranjero; o tal vez desees viajar al extrajero para hacerte un tratamiento.

Júpiter en tu sexta casa, que es su signo y casa, es un punto positivo para la salud; en ella es mucho más fuerte por ti que antes.

Ahora el poder planetario está principalmente en el sector occidental de tu carta; está ahí desde fines de septiembre y ahora se está aproximando a su posición occidental máxima. Es el periodo para cultivar tus dotes sociales; el periodo para hacer las cosas por consenso y no por actos directos; deja que los demás se impongan mientras esto no sea destructivo. La simpatía, caer bien, es más importante en las finanzas y en la profesión que las habilidades personales. Si te llevas bien con los demás, irán bien las finanzas y la profesión.

Hasta el 22 tu planeta del dinero está en tu quinta casa, la del «dinero feliz», así que ten presente lo que hablamos el mes pasado. El 22 entra en tu sexta casa, y entonces el dinero proviene del trabajo y del servicio productivo. Es posible que gastes más en asuntos de salud en este periodo, pero también tendrás oportunidad de ganar de estas cosas. Los hijos y figuras filiales han prosperado este año y este mes la prosperidad es especialmente fuerte para ellos.

Diciembre

Mejores días en general: 4, 5, 14, 15, 23, 24, 31
Días menos favorables en general: 2, 3, 9, 10, 16, 17, 29, 30
Mejores días para el amor: 2, 3, 8, 9, 10, 14, 15, 18, 23, 24, 27
Mejores días para el dinero: 6, 7, 16, 17, 25, 26, 27
Mejores días para la profesión: 4, 5, 14, 15, 16, 17, 23, 24, 31

Desde el 16 del mes pasado tu planeta de la profesión te ha formado buenos aspectos y la tendencia continúa este mes. Te llevas bien con jefes, mayores, padres y figuras parentales. Los superiores de tu vida parecen amablemente dispuestos hacia ti. Hay novedades felices en la profesión. Podría ser necesario un viaje al extranjero por trabajo (me parece que del 5 al 7); tu disposición a viajar favorece tu profesión.

Está fuerte tu quinta casa, la de la diversión, pero también lo está la sexta, la del trabajo. Así pues, trabajas mucho y te diviertes mucho.

Como el mes pasado, el dinero proviene del trabajo (podrías tener la posibilidad de hacer trabajos u horas extras pagados). Entre el 21 y el 22 se presenta una muy buena oportunidad laboral; estos son también días financieros excelentes.

La salud es fundamentalmente buena este mes, pero no te permitas deprimirte por los altibajos normales en las finanzas. La salud es salud y el dinero es dinero; tenlos separados en la mente. Después del 21 tendrás que estar más atento a la salud; da más atención al hígado y a los muslos; masajes periódicos en los muslos no sólo van a fortalecer el hígado sino también la parte inferior de la espalda. Si te sientes indispuesto podría convenirte una limpieza del hígado con infusión de hierbas.

El 21 tu planeta del dinero entra en tu séptima casa; esto indica la importancia de las conexiones sociales en las finanzas. Las personas que conoces son más importantes que lo que tienes. A veces este aspecto indica algún tipo de sociedad de negocios o una empresa conjunta. Me parece que intervienes en las finanzas de tu cónyuge, pareja o ser amado actual.

El poder planetario está ahora en su posición occidental máxima, por lo que la simpatía es aún más importante para el éxito que tus capacidades. La simpatía es importante en las finanzas también; puede que no tengas el mejor producto o el mejor servicio, pero les caes bien a tus clientes y eso basta.

El 21 inicias una cima amorosa y social anual; tal vez no sea comparable a cimas de años pasados, pero es muy activa. Si estás soltero o soltera y sin compromiso es posible que salgas más en citas, pero no se ven probabilidades de romance serio; disfruta de estas cosas en lo que son.

Leo

♌

El León

Nacidos entre el 21 de julio y el 21 de agosto

Rasgos generales

LEO DE UN VISTAZO

Elemento: Fuego

Planeta regente: Sol
Planeta de la profesión: Venus
Planeta de la salud: Saturno
Planeta del amor: Urano
Planeta del dinero: Mercurio

Colores: Dorado, naranja, rojo
Colores que favorecen el amor, el romance y la armonía social: Negro, azul índigo, azul marino
Colores que favorecen la capacidad de ganar dinero: Amarillo, amarillo anaranjado

Piedras: Ámbar, crisolita, diamante amarillo

Metal: Oro

Aroma: Bergamota, incienso, almizcle

Modo: Fijo (= estabilidad)

Cualidad más necesaria para el equilibrio: Humildad

Virtudes más fuertes: Capacidad de liderazgo, autoestima y confianza en sí mismo, generosidad, creatividad, alegría

Necesidad más profunda: Diversión, alegría, necesidad de brillar

Lo que hay que evitar: Arrogancia, vanidad, autoritarismo

Signos globalmente más compatibles: Aries, Sagitario

Signos globalmente más incompatibles: Tauro, Escorpio, Acuario

Signo que ofrece más apoyo laboral: Tauro

Signo que ofrece más apoyo emocional: Escorpio

Signo que ofrece más apoyo económico: Virgo

Mejor signo para el matrimonio y/o las asociaciones: Acuario

Signo que más apoya en proyectos creativos: Sagitario

Mejor signo para pasárselo bien: Sagitario

Signos que más apoyan espiritualmente: Aries, Cáncer

Mejor día de la semana: Domingo

La personalidad Leo

Cuando pienses en Leo, piensa en la realeza; de esa manera te harás una idea de cómo es Leo y por qué los nativos de este signo son como son. Es verdad que debido a diversas razones algunos Leo no siempre expresan este rasgo, pero aun en el caso de que no lo expresen, les gustaría hacerlo.

Un monarca no gobierna con el ejemplo (como en el caso de Aries) ni por consenso (como hacen Capricornio y Acuario), sino por su voluntad personal. Su voluntad es ley. Sus gustos personales se convierten en el estilo que han de imitar todos sus súbditos. Un rey tiene en cierto modo un tamaño más grande de lo normal. Así es como desea ser Leo.

Discutir la voluntad de un Leo es algo serio. Lo considerará una ofensa personal, un insulto. Los Leo nos harán saber que su voluntad implica autoridad, y que desobedecerla es un desacato y una falta de respeto.

Una persona Leo es el rey, o la reina, en sus dominios. Sus subordinados, familiares y amigos son sus leales súbditos. Los Leo reinan con benevolente amabilidad y con miras al mayor bien para los demás. Su presencia es imponente, y de hecho son personas poderosas. Atraen la atención en cualquier reunión social. Destacan porque son los astros en sus dominios. Piensan que, igual que el Sol, están hechos para brillar y reinar. Creen que nacieron para disfrutar de privilegios y prerrogativas reales, y la mayoría de ellos lo consiguen, al menos hasta cierto punto.

El Sol es el regente de este signo, y si uno piensa en la luz del Sol, es muy difícil sentirse deprimido o enfermo. En cierto modo la luz del Sol es la antítesis misma de la enfermedad y la apatía. Los Leo aman la vida. También les gusta divertirse, la música, el teatro y todo tipo de espectáculos. Estas son las cosas que dan alegría a la vida. Si, incluso en su propio beneficio, se los priva de sus placeres, de la buena comida, la bebida y los pasatiempos, se corre el riesgo de quitarles su voluntad de vivir. Para ellos, la vida sin alegría no es vida.

Para Leo la voluntad humana se resume en el poder. Pero el poder, de por sí, y al margen de lo que digan algunas personas, no es ni bueno ni malo. Únicamente cuando se abusa de él se convierte en algo malo. Sin poder no pueden ocurrir ni siquiera cosas buenas. Los Leo lo saben y están especialmente cualificados para ejercer el poder. De todos los signos, son los que lo hacen con más naturalidad. Capricornio, el otro signo de poder del zodiaco, es mejor gerente y administrador que Leo, muchísimo mejor. Pero Leo eclipsa a Capricornio con su brillo personal y su presencia. A Leo le gusta el poder, mientras que Capricornio lo asume por sentido del deber.

Situación económica

Los nativos de Leo son excelentes líderes, pero no necesariamente buenos jefes. Son mejores para llevar los asuntos generales que los detalles de la realidad básica de los negocios. Si tienen buenos jefes, pueden ser unos ejecutivos excepcionales trabajando para ellos. Tienen una visión clara y mucha creatividad.

Los Leo aman la riqueza por los placeres que puede procurar. Les gusta llevar un estilo de vida opulento, la pompa y la elegancia. Incluso aunque no sean ricos, viven como si lo fueran. Por este motivo muchos se endeudan, y a veces les cuesta muchísimo salir de esa situación.

Los Leo, como los Piscis, son generosos en extremo. Muchas veces desean ser ricos sólo para poder ayudar económicamente a otras personas. Para ellos el dinero sirve para comprar servicios y capacidad empresarial, para crear trabajo y mejorar el bienestar general de los que los rodean. Por lo tanto, para los Leo, la riqueza es buena, y ha de disfrutarse plenamente. El dinero no es para dejarlo en una mohosa caja de un banco llenándose de polvo, sino para disfrutarlo, distribuirlo, gastarlo. Por eso los nativos de Leo suelen ser muy descuidados con sus gastos.

Teniendo el signo de Virgo en la cúspide de su segunda casa solar, la del dinero, es necesario que los Leo desarrollen algunas de las características de análisis, discernimiento y pureza de Virgo en los asuntos monetarios. Deben aprender a cuidar más los detalles financieros, o contratar a personas que lo hagan por ellos. Tienen que tomar más conciencia de los precios. Básicamente, necesitan administrar mejor su dinero. Los Leo tienden a irritarse cuando pasan por dificultades económicas, pero esta experiencia puede servirles para hacer realidad su máximo potencial financiero.

A los Leo les gusta que sus amigos y familiares sepan que pueden contar con ellos si necesitan dinero. No les molesta e incluso les gusta prestar dinero, pero tienen buen cuidado de no permitir que se aprovechen de ellos. Desde su «trono real», a los Leo les encanta hacer regalos a sus familiares y amigos, y después disfrutan de los buenos sentimientos que estos regalos inspiran en todos. Les gusta la especulación financiera y suelen tener suerte, cuando las influencias astrales son buenas.

Profesión e imagen pública

A los Leo les gusta que los consideren ricos, porque en el mundo actual la riqueza suele equivaler a poder. Cuando consiguen ser ricos, les gusta tener una casa grande, con mucho terreno y animales.

En el trabajo, destacan en puestos de autoridad y poder. Son buenos para tomar decisiones a gran escala, pero prefieren dejar los pequeños detalles a cargo de otras personas. Son muy respetados por sus colegas y subordinados, principalmente porque tienen el don de comprender a los que los rodean y relacionarse bien con ellos. Generalmente luchan por conquistar los puestos más elevados, aunque hayan comenzado de muy abajo, y trabajan muchísimo por llegar a la cima. Como puede esperarse de un signo tan carismático, los Leo siempre van a tratar de mejorar su situación laboral, para tener mejores oportunidades de llegar a lo más alto.

Por otro lado, no les gusta que les den órdenes ni que les digan lo que han de hacer. Tal vez por eso aspiran a llegar a la cima, ya que allí podrán ser ellos quienes tomen las decisiones y no tendrán que acatar órdenes de nadie.

Los Leo jamás dudan de su éxito y concentran toda su atención y sus esfuerzos en conseguirlo. Otra excelente característica suya es que, como los buenos monarcas, no intentan abusar del poder o el éxito que consiguen. Si lo llegan a hacer, no será voluntaria ni intencionadamente. En general a los Leo les gusta compartir su riqueza e intentan que todos los que los rodean participen de su éxito.

Son personas muy trabajadoras y tienen buena reputación, y así les gusta que se les considere. Es categóricamente cierto que son capaces de trabajar muy duro, y con frecuencia realizan grandes cosas. Pero no olvidemos que, en el fondo, los Leo son en realidad amantes de la diversión.

Amor y relaciones

En general, los Leo no son del tipo de personas que se casan. Para ellos, una relación es buena mientras sea agradable. Cuando deje de serlo, van a querer ponerle fin. Siempre desean tener la libertad de dejarla. Por eso destacan por sus aventuras amorosas y no por su capacidad para el compromiso. Una vez casados, sin embargo, son fieles, si bien algunos tienen tendencia a casarse más de una vez en su vida. Si estás enamorado o enamorada de un Leo, limítate a procurar que se lo pase bien, viajando, yendo a casinos y salas de fiestas, al teatro y a discotecas. Ofrécele un buen vino y una deliciosa cena; te saldrá caro, pero valdrá la pena y os lo pasaréis muy bien.

Generalmente los Leo tienen una activa vida amorosa y son expresivos en la manifestación de su afecto. Les gusta estar con personas optimistas y amantes de la diversión como ellos, pero acaban asentándose con personas más serias, intelectuales y no convencionales. Su pareja suele ser una persona con más conciencia política y social y más partidaria de la libertad que ellos mismos. Si te casas con una persona Leo, dominar su tendencia a la libertad se convertirá ciertamente en un reto para toda la vida, pero ten cuidado de no dejarte dominar por tu pareja.

Acuario está en la cúspide de la casa siete, la del amor, de Leo. De manera, pues, que si los nativos de este signo desean realizar al máximo su potencial social y para el amor, habrán de desarrollar perspectivas más igualitarias, más acuarianas, con respecto a los demás. Esto no es fácil para Leo, porque «el rey» sólo encuentra a sus iguales entre otros «reyes». Pero tal vez sea esta la solución para su desafío social: ser «un rey entre reyes». Está muy bien ser un personaje real, pero hay que reconocer la nobleza en los demás.

Hogar y vida familiar

Si bien los nativos de Leo son excelentes anfitriones y les gusta invitar a gente a su casa, a veces esto es puro espectáculo. Sólo unos pocos amigos íntimos verán el verdadero lado cotidiano de un Leo. Para este, la casa es un lugar de comodidad, recreo y transformación; un retiro secreto e íntimo, un castillo. A los Leo les gusta gastar dinero, alardear un poco, recibir a invitados y pasárselo bien. Disfrutan con muebles, ropa y aparatos de última moda, con todas las cosas dignas de reyes.

Son apasionadamente leales a su familia y, desde luego, esperan ser correspondidos. Quieren a sus hijos casi hasta la exageración; han de procurar no mimarlos ni consentirlos demasiado. También han de evitar dejarse llevar por el deseo de modelar a los miembros de su familia a su imagen y semejanza. Han de tener presente que los demás también tienen necesidad de ser ellos mismos. Por este motivo, los Leo han de hacer un esfuerzo extra para no ser demasiado mandones o excesivamente dominantes en su casa.

Horóscopo para el año 2018*

Principales tendencias

Este año tenemos tres eclipses solares, los que son causa de cambios personales drásticos (más que lo habitual); normalmente son dos los eclipses solares, y este año tenemos tres. Siendo el Sol tu planeta regente, los eclipses te afectan mucho. Además, dos eclipses, uno solar y uno lunar, ocurren en tu signo, y esto refuerza los cambios que vemos. Te vas a redefinir y reinventar más que de costumbre; generalmente la persona se ve obligada a hacer esto por los acontecimientos que producen los eclipses. Volveremos a este tema.

El principal titular este año es la salida de Urano de Aries y su entrada en Tauro; esto es importante. Este año Urano sólo hace una corta incursión en Tauro, del 16 de mayo al 6 de noviembre, pero el año que viene entrará en él para quedarse los siete años siguientes. Esto va a afectar dos facetas importantes de tu vida, el amor (Urano es tu planeta del amor) y la profesión (Tauro es tu décima casa solar). También afectará a la salud, ya que Urano te formará aspectos desfavorables. Volveremos a este tema.

Júpiter pasa la mayor parte del año en tu cuarta casa; esto suele indicar mudanza, obras de renovación en la casa o la compra de una segunda casa (a veces la persona no compra la casa pero tiene la posibilidad de comprarla). Indica también felicidad proveniente de la familia. Continuaremos con esto más adelante.

Plutón ya lleva nueve años en tu sexta casa, y a fines del año pasado Saturno se le reunió en ella. Esto producirá cambios en el programa de salud (se hacen vulnerables otros órganos) y una mayor ética laboral. Es posible que este año tengas que trabajar más arduo, y la situación laboral no será muy feliz. Tendrás que soportarlo y sonreír. Volveremos a este tema.

El 8 de noviembre Júpiter entra en Sagitario, y el 6 de ese mismo mes Urano sale de su aspecto desfavorable; estos dos podero-

---

* Las previsiones de este libro se basan en el Horóscopo Solar y todos los signos que derivan de él; tu Signo Solar se convierte en el Ascendente, y las casas se numeran a partir de él. Tu horóscopo personal, el trazado concretamente para ti (según la fecha, hora y lugar exactos de tu nacimiento) podrían modificar lo que decimos aquí. Joseph Polansky

sos planetas te formarán aspectos armoniosos. Por lo tanto, los dos últimos meses del año serán mucho más felices y fáciles que los anteriores. Júpiter en Sagitario es un aspecto feliz para ti; indica más diversión, más creatividad y más relación (feliz) con los hijos.

Neptuno lleva varios años en tu octava casa y continuará en ella varios años más. En los años pasados hemos hablado de esto, y las tendencias continúan en vigor. Neptuno está espiritualizando la actividad y la actitud sexual. La actividad sexual será más elevada, más refinada; será menos un acto de lujuria y más un acto de culto.

Las facetas de interés más importantes para ti este año son: el hogar y la familia (hasta el 8 de noviembre); la diversión, los hijos, la creatividad (a partir del 8 de noviembre); la salud y el trabajo; la sexualidad, los estudios ocultos, la reinvención personal; viajes al extranjero, la religión, la educación superior (hasta el 16 de mayo y a partir del 6 de noviembre): la profesión (del 16 de mayo al 6 de noviembre).

Los caminos de mayor realización o satisfacción para ti este año son: el hogar y la familia (hasta el 8 de noviembre); la diversión, los hijos, la creatividad (a partir del 8 de noviembre); el cuerpo, la imagen y el placer personal (hasta el 17 de noviembre); la espiritualidad (a partir del 17 de noviembre)

Salud

(Ten en cuenta que esta es una perspectiva astrológica de la salud, no una médica. Antaño no había ninguna diferencia, ambas eran idénticas, pero en esta época podrían diferir muchísimo. Para una perspectiva médica, por favor, consulta a tu médico o a otro profesional de la salud.)

La salud es fundamentalmente buena este año. Hasta el 16 de mayo sólo tienes un planeta lento en alineación desfavorable contigo, Júpiter, y normalmente sus presiones no son graves. El 16 de mayo Urano entrará en una alineación desfavorable también. Y hasta el 6-8 de noviembre tendrás la alineación desfavorable máxima (de los planetas lentos). Después del 6-8 de noviembre, tanto Júpiter como Urano entrarán en alineación armoniosa contigo.

La otra novedad buena es que este año está muy poderosa tu sexta casa; le prestas atención a tu salud, no permites que problemas pequeños se conviertan en grandes. Teniendo a Saturno en tu sexta casa estás más receptivo a un programa de salud diario disciplinado. Te veo más disciplinado en tu actitud hacia la salud.

La entrada de Urano en Tauro la sentirás con más intensidad si naciste en los primeros días de tu signo, entre el 23 al 26 de julio. Si no, no la sentirás muy fuerte este año (pero sí en los próximos años).

Tu salud es buena, pero de todos modos puedes fortalecerla dando más atención a las siguientes zonas, que son las vulnerables en tu carta, y así prevendrás problemas antes de que aparezcan:

El corazón. Este órgano es siempre importante para Leo; Leo rige el corazón. Te irán bien sesiones de reflexología. Lo importante es evitar la preocupación y la ansiedad, las dos emociones que sobrecargan de trabajo al corazón.

La columna, las rodillas, la dentadura, la piel y la alineación esquelética general. Estas zonas también son siempre importantes para Leo pues Saturno, el regente de estas zonas, es tu planeta de la salud. Este año y el próximo son más importantes aún pues Saturno está en tu casa de la salud. Serán importantes, entonces, masajes periódicos en la espalda y las rodillas. Es importante la salud de la columna así que te convienen visitas periódicas a un quiropráctico u osteópata. Serán buenas las terapias como la Técnica Alexander, el Feldenkreis y el Rolfing. También son buenos el yoga y la gimnasia Pilates, para la columna y la postura. Debes hacerte controles periódicos de los dientes. Si tomas el sol usa un buen filtro solar. Protege más las rodillas cuando hagas ejercicio.

El colon, la vejiga y los órganos sexuales. Estas zonas sólo adquirieron importancia en 2008, cuando entró Plutón en tu sexta casa para estar en ella muchos años, por lo que seguirán siendo importantes esos años. El sexo seguro y la moderación sexual (gran problema para Leo) continúan siendo importantes. Tu tendencia es al exceso; si escuchas a tu cuerpo en lugar de a tu mente sabrás cuándo ya has tenido bastante. Podría convenirte una limpieza del colon de vez en cuando, en especial cuando te sientas indispuesto.

Siendo Saturno tu planeta de la salud tiendes a ser conservador en estos asuntos; te inclinas hacia la medicina ortodoxa. Esta tendencia se intensifica este año al tener a Saturno en su signo y casa; vas a tender a descartar cualquier tratamiento nuevo o experimental; te convendrá ser algo más flexible en tu criterio.

Plutón es tu planeta del hogar y la familia; su posición en tu sexta casa indica que para ti buena salud significa una vida familiar y doméstica sana, armonía doméstica. Así pues, si surgiera algún problema (no lo permita Dios), armoniza esta faceta lo más pronto posible. Esfuérzate también en mantener la armonía emocional. Debes mantener positivos y constructivos tus estados anímicos.

Hogar y vida familiar

Los intereses familiares y domésticos han sido felices e importantes desde octubre del año pasado; Júpiter entró en tu cuarta casa y va a pasar gran parte de este año en ella.

Si estás en edad de concebir, esto indica más fertilidad, y esto vale para el año que viene también.

Como hemos dicho, Júpiter en la cuarta casa suele indicar mudanza, obras de renovación en la casa o la compra de otra casa. Esto puede ocurrir de diversas maneras, pero el resultado final es una casa más grande y más cómoda. Muchas veces la persona compra artículos caros para la casa; es «como si» se hubiera mudado o agrandado el espacio para residir.

Este aspecto indica la prosperidad de un progenitor o figura parental y su generosidad contigo. La familia en su conjunto es más próspera. Tu casa actual aumenta de valor, como también gran parte de los muebles. Por lo general este aspecto indica la compra o venta afortunada de una casa.

Este año se expande el círculo familiar; normalmente esto ocurre por nacimientos o bodas. Pero a veces también indica que conoces a personas que van a ser como familiares para ti; tienes esa sensación hacia ellas y el sentimiento es recíproco.

Plutón, tu planeta de la familia, lleva ya nueve años en tu sexta casa, por lo tanto hay mucha atención a la salud de la familia y los familiares. Hay mucho interés en hacer más «sana» la casa. A veces la persona gasta en librarse del plomo, el moho u otras sustancias dañinas (y siempre se descubren nuevas amenazas); o compra un equipo o artilugios de salud para la casa. Hemos escrito sobre esto en años anteriores, y la tendencia sigue muy en vigor. Tu casa tiene tanto de hogar como de balneario de salud.

Este aspecto también indica trabajo desde la casa, tal vez instalando la oficina en casa o una empresa con sede en la casa.

Las obras de renovación van bien todo el año, pero me parece que del 1 al 26 de enero es el mejor periodo. Si deseas redecorar, cambiar la disposición de los muebles o embellecer la casa, del 9 de septiembre al 5 de octubre, del 23 de octubre al 22 de noviembre y del 2 al 31 de diciembre son los mejores periodos. Estos periodos también son buenos para comprar objetos bellos, cuadros o esculturas y cosas de esa naturaleza.

El matrimonio de un progenitor o figura parental se ve difícil este año y pasará por severas pruebas; podría haber obras de reparación en su casa (hay dos eclipses en la cuarta casa de esta persona), pero no mudanza necesariamente.

Para los hijos y figuras filiales hay probabilidades de mudanza este año; los veo más prósperos a partir del 8 de noviembre.

Los hermanos y figuras fraternas prosperan, pero están mejor sin mudarse.

Los nietos (si los tienes) tienen un año familiar sin novedades ni cambios.

Profesión y situación económica

Tu casa del dinero está prácticamente vacía este año, sólo transitan por ella los planetas rápidos, y por cortos periodos, por lo tanto las finanzas no son muy importantes para ti; hay otras cosas mucho más importantes. Normalmente esto indica una situación sin novedades ni cambios. Pareces satisfecho con las cosas como están y no necesitas hacer ningún cambio importante. Este año tienes mucha libertad en tus finanzas, pero te falta el interés; está ausente la pasión financiera. Si surgiera algún problema (no lo permita Dios), esta podría ser la causa; tendrás que prestarles más atención.

Júpiter en tu cuarta casa la mayor parte del año indica buena suerte en inmobiliaria o en industrias que proveen al hogar: fábricas de muebles, paisajismo, diseño de interiores. También indica buena aptitud para las industrias hotelera y alimentaria; ya hemos hablado de esto. También indica buen apoyo familiar; las conexiones familiares también traen buena suerte.

Mercurio es tu planeta del dinero; es un planeta de movimiento rápido, con frecuencia irregular; a veces avanza rápido y haces mucho progreso; a veces avanza lento y tienes la sensación de que retrocedes en lugar de avanzar; esto refleja el movimiento de Mercurio en el firmamento. Como saben nuestros lectores, en un año Mercurio transita por todos los sectores del horóscopo. Forma aspectos buenos y malos con todos los planetas de tu carta. Por lo tanto en las finanzas hay muchas tendencias que dependen de dónde está Mercurio y de los aspectos que recibe; estas es mejor tratarlas en las previsiones mes a mes.

Lo bueno de tener a Mercurio como planeta del dinero es que el dinero y las oportunidades de ingresos pueden llegar de muchas maneras y a través de muchos tipos de personas y actividades.

Este año Mercurio hace movimiento retrógrado tres veces (lo que es mejor que los dos años pasados en que estuvo retrógrado cuatro veces). Estos son periodos para hacer revisión de la vida financiera y evitar hacer compras o inversiones importantes; el juicio financiero no está a la altura durante estos periodos. Este año estos periodos son del 23 de marzo al 15 de abril; del 26 de julio al 19 de agosto y del 17 de noviembre al 6 de diciembre.

Puede que las finanzas no sean muy importantes, pero la profesión sí lo será (con la entrada de Urano en Tauro). Esto lo sentirás más si naciste en los primeros días del signo (del 23 al 26 de julio); si no, lo sentirás en los próximos años. Este aspecto indica que habrá cambios importantes en la profesión, y los cambios ocurrirán de repente, inesperadamente. Favorece una profesión de tipo más libre, autónoma. Es posible que estés en los medios de comunicación electrónica; apostaría que si hiciéramos una encuesta de las figuras de los medios, en especial del mundo del espectáculo, encontraríamos un número desproporcionado de nativos de Leo o de personas que tienen fuerte el signo. También habrá mucho cambio en la empresa o la industria en que trabajas. Durante los siete próximos años no me sorprendería que cambiaras de profesión o de rumbo profesional.

Urano es tu planeta del amor. Su posición cerca de tu medio cielo, del 16 de mayo al 6 de noviembre, indica que tu buen talante social podría ser más importante (o al menos igual de importante) que tus habilidades profesionales. La simpatía se convierte en un factor; así pues, cultívala. Es importante asistir a/o tal vez ofrecer, el adecuado tipo de fiestas y reuniones. Harás más progreso profesional en ambientes sociales que de la forma normal.

El cónyuge, pareja o ser amado actual tiene mucho éxito este año y es posible que te abra puertas. Lo mismo podemos decir de amistades y conexiones sociales.

Amor y vida social

Si bien este año está vacía tu séptima casa, vemos muchos cambios y trastornos en el amor. En primer lugar hay dos eclipses en tu séptima casa, uno solar el 15 de febrero, y uno lunar el 27 de julio. Estos eclipses pondrán a prueba la relación amorosa actual. Si es buena, esencialmente sana, sobrevivirá e incluso mejorará; pero si es defectuosa, se disolverá. Pero más importante que los eclipses es el cambio de signo de tu planeta del amor, que sale de Aries y entra en Tauro. Esto no es solamente el cambio de signo de un planeta lento sino que también indica un cambio, un cambio inmenso, en tu actitud y en tus necesidades en el amor, lo que es más difícil de llevar.

Urano, tu planeta del amor, ha estado en Aries los siete años pasados, por lo que has sido persona de amor a primera vista, de flechazo. Tendías a precipitarte a entablar una relación, y tal vez has pagado el precio de eso; te seducía la «emoción» del amor, la aventura, la conquista; te enamorabas y desenamorabas con bastante rapidez. Ahora (y esto es sólo el comienzo) tu planeta del amor entra en el conservador Tauro; deseas más estabilidad en el amor; deseas una relación que dure; deseas «fiabilidad y seriedad» en la persona amada. Esto es todo un cambio psíquico. Como ya hemos dicho, si naciste entre los primeros días del signo, del 23 al 26 de julio, esto lo sentirás fuerte este año.

Y dado que Urano va a rondar por tu medio cielo, la cúspide de tu décima casa, la de la profesión, te atraen personas de elevada posición, poderosas; personas que ya tienen éxito, personas de categoría y prestigio. La riqueza también será un atractivo (mucho más que en los siete años pasados).

La riqueza y el poder son excitantes en este periodo (en especial del 16 de mayo al 6 de noviembre).

Encontrarás oportunidades románticas cuando estés atendiendo a tus objetivos profesionales y con personas relacionadas con tu profesión. Muchas veces este aspecto indica «romance de oficina», una relación con un jefe o un superior de la empresa o industria en que trabajas o de tu profesión.

Deseas una persona que te apoye y pueda ayudarte en tu profesión y trabajo de tu vida; y esto lo encontrarás o bien este año o en los venideros.

Aunque hay muchos cambios en el amor y en lo social, me parece que triunfarás en el amor. Urano será el planeta más «elevado» en tu carta. El amor estará en los primeros lugares de tus prioridades; tu atención estará muy centrada en esto; y eso es el 90 por ciento del éxito. Según la ley espiritual, siempre obtenemos aquello en que centramos la atención, sea bueno, malo o mediocre.

Esta posición también se puede interpretar como que el amor es tu profesión; tu misión es tu vida amorosa, tu relación o matrimonio y las amistades: estar presente para ellos.

Urano en tu décima casa indica que te agrada alternar socialmente con personas elevadas y poderosas, lo que llaman la «élite». Gran parte de tu vida social estará relacionada con tu profesión.

Progreso personal

La presencia de Júpiter en tu cuarta casa tiene muchos más significados que los relativos al hogar y la familia de que hemos hablado. En la ciencia esotérica, el subconsciente, también llamado «mente profunda» se considera el verdadero hogar de la persona. Vivimos en él y en las condiciones que nos ha creado (mediante nuestras órdenes conscientes o inconscientes). Es el depósito en el que está almacenado todo lo que nos ha ocurrido, no sólo en esta vida sino también en vidas anteriores. Esta parte de la mente es inmensa, una especie de gigante, silencioso y medio dormido, capaz de todo tipo de proezas sobrenaturales, pero que está siempre al mando de la mente consciente. Cuando se presentan dificultades o retos en la vida, o condiciones indeseables, es necesario comprender a esta mente.

Este es un año para profundizar esta comprensión. Así pues, si estás recibiendo una terapia de tipo ortodoxo, deberías ver progreso este año; e incluso si no estás en un tipo de terapia, este año vas a experimentar una terapia «de la Naturaleza».

Muchas personas sufren de enfermedades que no son físicas, financieras ni sociales, sino los efectos secundarios de asuntos más profundos; generalmente sufren de «experiencias no digeridas o parcialmente digeridas». En el pasado le ocurrieron cosas a la persona, las que evaluó con una mente inmadura; llegó a conclusiones, se formó juicios, e incluso (lo que ocurre a menudo) hizo afirmaciones apasionadas, afirmaciones negativas, destructivas. Si estas cosas se dejan sin atender continúan actuando en la psique (y en nuestros asuntos) hasta mucho después de haberlas olvidado conscientemente. Incluso afirmaciones hechas por niños pequeños continúan actuando en la vida adulta en un plano inconsciente.

Júpiter en la cuarta casa suele interpretarse como «nostalgia», cariño por el pasado. Esto es cierto, pero también es sólo un efecto secundario. Mediante las potencias planetarias la Naturaleza trae a la memoria recuerdos de experiencias o acontecimientos ya olvidados. Da la impresión de que esto ocurriera inesperadamente: una persona amiga ha soñado con algún acontecimiento del pasado, o te encuentras con una persona que te recuerda alguna experiencia del pasado. Y aunque a la mente consciente esto podría parecerle «al azar», estos recuerdos son importantes, significativos. La Naturaleza te ayuda a enfrentar viejas experiencias que siguen activas en tu mente para que las mires desde tu actual estado de conciencia. Lo que para un niño o niña fue un trauma terrible, la persona adulta lo ve de modo diferente. Y al verlo, el trauma del pasado pierde su poder y quedas libre para crearte nuevas condiciones y circunstancias. El contenido emocional ha dejado de ser activo.

Esto no va de reescribir la historia: los hechos siguen siendo los hechos, los acontecimientos siguen siendo los acontecimientos; pero esta historia se reinterpreta; cambia el significado del acontecimiento del pasado. Y esto lo cambia todo. En muchos casos, al ver el trauma del pasado desde su perspectiva actual la persona lo considera un gran beneficio en su vida y lo agradece. No era lo que creyó que era; sólo era el severo amor del Cosmos que actuó en su mayor y mejor interés. Entonces se produce la curación.

Previsiones mes a mes

Enero

Mejores días en general: 3, 4, 12, 13, 14, 22, 23, 31
Días menos favorables en general: 10, 11, 17, 18, 25,26
Mejores días para el amor: 4, 5, 6, 13, 14, 15, 16, 17, 18, 19, 23, 24, 27, 28, 31
Mejores días para el dinero: 1, 2, 3, 4, 5, 6, 10, 11, 15, 16, 20, 21, 25, 26, 29, 30
Mejores días para la profesión: 5, 6, 15, 16, 25, 26, 27, 28

Comienzas el año con todos los planetas en el sector occidental o social de tu carta; esto es muy excepcional; únicamente la Luna transitará por tu sector oriental, y sólo durante la mitad del mes. Este no es, pues, un periodo para luchas de poder ni para hacerte valer; este mes el poder planetario está por los demás. Por naturaleza eres una persona fuerte e independiente, pero en este periodo lo eres menos; adáptate a las situaciones lo mejor que puedas; busca el consenso en todo lo que hagas; deja que los demás se impongan, mientras esto no sea destructivo; olvídate de ti y está por los demás. Si haces esto, el mes se ve feliz. El 20 el Sol entra en tu séptima casa y tú entras en una cima amorosa y social anual. Tu norma de anteponer a los demás en este periodo te hace muy popular. Si estás en una relación te veo muy dedicado al ser amado. Si no estás en una relación, a partir del 20 tendrás más oportunidades románticas.

Anteponer a los demás podría parecer algo virtuoso o santo, pero en astrología no se considera así: es simplemente el ciclo en que está la persona en el momento.

El 31 hay un eclipse lunar que ocurre en tu signo. Esto indica que ves la necesidad de redefinirte, tú y tu imagen; la necesidad de aclarar quién eres y cómo deseas que te vean o consideren los demás. El planeta eclipsado, la Luna, rige tu casa doce, la de la espiritualidad; esto significa que hay cambios en tu espiritualidad; cambias de práctica, de maestro o de enseñanza; a veces esto se produce debido a una revelación interior, algo bueno. A veces indica trastornos o reorganización en una organización espiritual o benéfica a la que perteneces o con la que tienes relación. Hay drama en la vida de tu gurú o figura de gurú. Personas amigas pasan por una crisis financiera y se ven obligadas a hacer cambios en sus finanzas. El cónyuge, pareja o ser amado actual podría tener un susto por la salud, y es probable que pase por cambios laborales.

A partir del 20 debes estar más atento a tu salud, pero en especial durante el periodo del eclipse. Procura descansar lo suficiente, esto siempre es lo más importante. Además, fortalece la salud de las maneras explicadas en las previsiones para el año.

Febrero

Mejores días en general: 9, 10, 19, 27, 28
Días menos favorables en general: 6, 7, 14, 15, 21, 22
Mejores días para el amor: 4, 5, 10, 14, 15, 16, 19, 20, 25, 26, 28
Mejores días para el dinero: 2, 3, 4, 5, 6, 7, 14, 15, 16, 17, 25, 26
Mejores días para la profesión: 4, 5, 16, 21, 22, 25, 26

Hasta el 18 sigue siendo necesario que estés atento a tu salud. El 15 hay un eclipse solar que no favorece las cosas y es fuerte en ti. Durante este periodo tómate las cosas con calma y reduce tus actividades; pasa más tiempo tranquilo en casa y evita las situaciones difíciles o estresantes.

Este eclipse ocurre en tu séptima casa, la del amor, y pone a prueba a tu relación actual, y también las relaciones de amistad. El eclipse hace aflorar agravios reprimidos de modo que se puedan resolver. A veces ocurren acontecimientos dramáticos en la vida del ser amado, y esto complica las cosas. Ten más paciencia con el ser amado y con las amistades durante este periodo. Las buenas relaciones sobreviven a estas cosas, pero las defectuosas están en peligro.

Todos los eclipses solares te afectan personalmente, pues el Sol es un planeta importantísimo en tu carta, rige tu horóscopo; este eclipse no es diferente. Te obliga a redefinirte y a redefinir tu imagen y concepto de ti mismo (en este sentido es una repetición del eclipse del mes pasado). Nuevos acontecimientos, producidos por el eclipse, te obligan a hacer esta revaluación. Dentro de los próximos meses cambiarás tu manera de vestirte, tu corte de pelo y tu presentación general. Esto es un proceso de seis meses que continúa hasta los siguientes eclipses.

Un eclipse solar en la séptima casa suele indicar un cambio inminente en la situacion marital. Si estás soltero o soltera, con este aspecto podrías decidir casarte; si estás casado o casada y en una relación defectuosa, podrías decidir divorciarte.

Este eclipse hace impacto en otros dos planetas, Mercurio y Júpiter. Su impacto en Mercurio indica la necesidad de cambios en las finanzas, y normalmente se debe a algún trastorno o crisis en esta faceta; los acontecimientos causados por el eclipse te revelarán por qué no eran realistas tus criterios y estrategias. El impacto en Júpiter afecta a los hijos y figuras filiales de tu vida; durante este periodo deberán estar en casa y evitar situaciones arriesgadas o peligrosas. También ellos se ven obligados a redefinirse. Este no es un buen periodo para las especulaciones ni para viajar; evita viajar si es posible.

Después del 18 mejoran la salud y la energía. Mientras tanto fortalece la salud de las maneras indicadas en las previsiones para el año.

Marzo

Mejores días en general: 8, 9, 18, 19, 26, 27
Días menos favorables en general: 6, 7, 13, 14, 20, 21
Mejores días para el amor: 8, 9, 13, 14, 18, 19, 26, 27
Mejores días para el dinero: 1, 2, 6, 7, 8, 15, 16, 17, 18, 19, 24, 25, 26, 27, 29, 30
Mejores días para la profesión: 8, 18, 19, 20, 21, 26, 27

Este mes tu dedicación a los demás se extiende también a la vida financiera; tu regalo está en hacer ricas a otras personas; a veces esto entraña ayuda material, a veces consejos u otros tipos de ayuda.

Estando muy fuerte tu octava casa hasta el 20, este es un buen periodo para planificar el pago de impuestos, y si estás en la edad adecuada, es bueno para hacer planes testamentarios.

Este es un buen mes para hacer regímenes de desintoxicación de todo tipo; para bajar de peso si lo necesitas; para hacer revisión de tus posesiones y librarte de las cosas que no necesitas ni usas. En esto hay algo muy mágico: te sientes más «liviano», menos cargado, menos bloqueado. El exceso de bagaje bloquea la mente además del espacio físico. Este es un mes para prosperar «podando», librándote de lo que sobra; un árbol podado crece mejor después.

El 20 se hace muy fuerte tu novena casa. Esto es todo un cambio psíquico en la actitud hacia la vida. Ahora eres más feliz y despreocupado, más semejante a tu yo Leo normal; hay optimismo, viajes y expansión de tus horizontes. Si eres estudiante universitario deberías tener un buen mes.

Mercurio, tu planeta del dinero, estará en tu novena casa a partir del 6. Esto indica mayores ingresos. Se ven positivas las inversiones en el extranjero y las empresas extranjeras; personas extranjeras podrían ser importantes en tu vida financiera.

Plutón está en tu sexta casa, la de la salud, desde hace muchos años. El 17 entra Marte en esta casa. Desde hace años has tenido la tendencia a intervenciones quirúrgicas y ahora se acentúa esta tendencia. No sería una sorpresa si te recomendaran una operación. A veces estas cosas son necesarias y a veces no. Ten presente que la desintoxicación es potente este mes y suele tener los mismos resultados que una operación quirúrgica, aunque tarda algo más de tiempo.

Ahora está dominante la mitad superior de tu carta, por lo tanto es el periodo para centrar más la atención en tu profesión y tus objetivos externos. A partir del 6 estará Venus en tu novena casa; este es buen aspecto para la profesión; se ensanchan los horizontes profesionales. Eres optimista respecto a tu profesión. Hay probabilidades de viaje de trabajo.

Abril

Mejores días en general: 4, 5, 6, 14, 15, 23, 24
Días menos favorables en general: 2, 3, 9, 10, 11, 16, 17, 29
Mejores días para el amor: 6, 7, 8, 9, 10, 11, 15, 16, 17, 24, 27
Mejores días para el dinero: 2, 3, 4, 5, 6, 12, 13, 14, 15, 21, 22, 23, 24, 25, 26, 29, 30
Mejores días para la profesión: 7, 8, 16, 17, 27

Este es un mes feliz y exitoso, Leo, que lo disfrutes.

Hasta el 20 sigue muy poderosa tu novena casa; esto es bueno si tienes pendiente algún asunto legal o jurídico; cuentas con mucha ayuda cósmica. Si eres universitario tienes éxito en tus estudios; si has solicitado admisión en la universidad, este mes tienes buenas noticias. El deseo de viajar es muy fuerte, pero la conjunción de Marte con Saturno del 1 al 3 indica retrasos. Tal vez sea mejor programar el viaje (que parece relacionado con el trabajo) para después del 3.

La vida amorosa resplandece este mes; Urano, tu planeta del amor, recibe estimulación positiva. Del 17 al 19 hay oportunidades románticas si estás sin compromiso; si estás en una relación hay más romance, intimidad, unión, con el ser amado; estáis en la misma onda, física y filosóficamente. Un viaje al extranjero podría traer romance este mes; las oportunidades románticas se presentan también en funciones religiosas o de la universidad.

La vida financiera va bien, pero tu planeta del dinero está en movimiento retrógrado hasta el 15; aunque esto no impide la entrada de ingresos, enlentece un poco las cosas; el juicio financiero no está a la altura acostumbrada. Hasta el 15 evita las compras precipitadas, sobre todo las de artículos caros. Normalmente tiendes a precipitarte en los asuntos financieros; te gusta hacer las cosas a toda prisa, y este mes, con tu planeta del dinero en Aries, esta tendencia es más fuerte. Resiste el atractivo del «dinero rápido». Después del 15 mejora mucho la claridad en las finanzas; también puedes esperar mayores ingresos.

Como hemos dicho, hay éxito este mes. Venus pasa casi todo el mes en tu décima casa, la de la profesión; esto indica que es ultraimportante tu talante social, tu simpatía. Se reconocen tu facilidad de palabra y tus buenas ideas. El 20 el Sol cruza tu medio cielo y entra en tu décima casa. Estás en la cumbre, donde te corresponde estar; se te respeta y admira; eres más prominente; podrías recibir honores y reconocimiento por tus logros profesionales y por lo que eres. La apariencia y el buen talante en general son importantes en la profesión; te vistes de acuerdo a tu éxito.

Mayo

Mejores días en general: 2, 3, 11, 12, 13, 20, 21, 29, 30
Días menos favorables en general: 7, 8, 14, 15, 26, 27,28
Mejores días para el amor: 3, 7, 8, 13, 17, 22, 26, 31
Mejores días para el dinero: 2, 3, 9, 10, 13, 14, 18, 19, 22, 23, 26, 27, 31
Mejores días para la profesión: 7, 8, 14, 15, 17, 26

Este mes es más o menos azaroso; hay muchos cambios, pero en esencia es exitoso. Tienen que ocurrir varios cambios para que consigas tus objetivos, y este mes vemos el comienzo.

Del 14 al 18 Marte forma aspectos dinámicos con Urano; evita los enfrentamientos y controla tu genio; con este aspecto las personas tienden a reaccionar de modo exagerado. Tal vez no te conviene viajar en este periodo; si debes, programa el viaje para antes o después de estos días.

Continúas en una cima profesional anual y la atención debe estar en la profesión; los asuntos familiares y domésticos cuidarán de sí mismos; la familia apoya tus objetivos profesionales. El 16 Urano hace una importantísima entrada en tu décima casa; esto va a producir mucho cambio en la profesión, en la empresa y la industria en que trabajas. Es posible incluso que cambies tu camino profesional, en especial si naciste en los primeros días del signo.

La entrada de Urano en tu casa de la profesión es buena para la vida amorosa; esta se hace importante, prominente, un principal centro de atención. Las dotes sociales son siempre importantes en la profesión, y ahora lo son más. Procura asistir a las reuniones o fiestas convenientes u ofrecerlas. Si estás casado o casada o en una relación, tu pareja también tiene éxito este mes y te ayuda en la profesión; esta persona está en situación de hacerlo. Si estás soltero o soltera y sin compromiso las oportunidades amorosas se presentan cuando estás atendiendo a tus objetivos profesionales y con personas relacionadas con tu profesión; te atraen personas poderosas, de prestigio, y alternas con este tipo de personas también.

Hasta el 21 es necesario estar atento a la salud; como siempre, procura descansar lo suficiente. Fortalece la salud de las maneras indicadas en las previsiones para el año.

Los ingresos serán fuertes este mes; tu planeta del dinero ya está en movimiento directo y hasta el 13 está en tu novena casa, la de la expansión; el 13 cruza tu medio cielo y entra en tu décima casa, la de la profesión. Esto suele indicar aumento de sueldo (oficial o no oficial). Los superiores de tu vida apoyan tus objetivos financieros. Naturalmente tu mayor categoría lleva a más dinero.

Junio

Mejores días en general: 8, 9, 16, 17, 25, 26
Días menos favorables en general: 3, 4, 10, 11, 23, 24, 30
Mejores días para el amor: 1, 3, 4, 6, 7, 10, 16, 18, 23, 24, 28, 30
Mejores días para el dinero: 3, 4, 5, 6, 7, 14, 15, 18, 19, 23, 24
Mejores días para la profesión: 6, 7, 10, 11, 16, 23, 24

Ahora el poder planetario está en el sector oriental de tu carta, el del yo. El sector occidental o social continúa fuerte (y esta es la tendencia todo el año) pero estás en un periodo de más independencia. Te será más fácil hacer los cambios que desees hacer; dependes menos de los demás (aunque algo sí). Tu reto en este periodo es equilibrar tus intereses con los de los demás; no puedes excederte ni en uno ni en otro sentido; a veces tu manera es la mejor, a veces es mejor la de los demás.

El 16 del mes pasado Marte entró en tu séptima casa, la del amor, y estará en ella todo el mes. Esto tiene sus puntos positivos y sus puntos negativos; por un lado, podrías ser demasiado osado en el amor, demasiado lanzado. Por otro lado indica que se amplía el círculo social, pues Marte rige tu novena casa, la de la expansión; si logras evitar las luchas de poder con el ser amado o con una posible pareja, las cosas deberían ir bien.

Urano continúa en tu décima casa y continúa produciendo cambios. En la profesión puede ocurrir cualquier cosa en cualquier momento. Ahora viene muy a propósito la antigua expresión: «No esperes nada pero está preparado para cualquier cosa». El 1 y el 2 Venus forma aspectos hermosos con Júpiter y esto trae éxito, elevación y reconocimiento en la profesión. Venus es tu planeta de la profesión; del 1 al 7 está «fuera de límites», de modo que exploras caminos profesionales fuera de tu ámbito normal; o tal vez las exigencias de la profesión te obligan a salir fuera de tu ámbito.

Los ingresos se ven buenos este mes, hay ciertos baches en el camino, pero, en esencia, las finanzas van bien. En primer lugar, tu planeta del dinero, Mercurio, avanza muy rápido, transita por tres signos y casas del horóscopo. Así pues, cubres mucho terreno; haces progreso rápido; hay seguridad financiera. Hasta el 12 Mercurio está en Géminis, tu casa once; ahí está en su casa, se siente a gusto y es muy fuerte para tu bien. Este aspecto indica la importancia de las conexiones sociales, la actividad online y la alta tecnología en tus ingresos. El 12 Mercurio entra en tu espiritual casa doce, por lo tanto la intuición, que no la lógica tridimensional, será la fuerza orientadora. Los días 15-16 y 22-23 hay ciertos dramas en las finanzas, tal vez retrasos, pero son cosas de corta duración. El 19 o el 20 es un bonito día de paga pues Mercurio forma trígono con Júpiter; estos días son más favorables las especulaciones; pero la buena suerte puede adoptar otras formas también. El 29 Mercurio cruza tu ascendente y entra en tu primera casa; esto te trae beneficios inesperados y oportunidades financieras. El mes es esencialmente próspero.

Julio

Mejores días en general: 5, 6, 14, 15, 22, 23, 24
Días menos favorables en general: 1, 7, 8, 20, 21, 27, 28, 29
Mejores días para el amor: 1, 5, 6, 7, 16, 25, 26, 27, 28, 29
Mejores días para el dinero: 1, 5, 6, 12, 13, 14, 15, 16, 17, 20, 21, 22, 23, 24, 27, 28, 29
Mejores días para la profesión: 5, 6, 7, 8, 16, 25, 26

Este es un mes fundamentalmente feliz, Leo, pero dos eclipses sacuden las cosas y producen cambios necesarios; estos cambios no siempre son agradables a corto plazo, pero a la larga son buenos. Los dos eclipses son fuertes en ti, así que durante estos periodos tómate las cosas con calma y reduce tus actividades.

El eclipse solar del 13 ocurre en tu casa doce, la de la espiritualidad. Podría producir trastornos, confusión, en una organización espiritual o benéfica a la que perteneces o con la que te relacionas; suele provocar acontecimientos dramáticos en la vida del gurú o figura de gurú de tu vida; hay cambios en tu programa espiritual, de enseñanza y práctica. La vida onírica será más activa durante este periodo, pero no muy importante; en gran parte son residuos o desechos psíquicos agitados por el eclipse. Más importante aún, este eclipse (y habrá otro similar el próximo mes) te obliga a hacer una revisión personal, a revaluarte, a redefinir quién eres, tu concepto de ti y la imagen que proyectas a los demás; es importante que te definas ahora, que si no te definirán otros y normalmente esto no es agradable. Dentro de los seis próximos meses, habrá cambiado la imagen que presentas al mundo, tu apariencia. Esto está de acuerdo con la ley espiritual; cambia tu manera de pensar y cambiará tu apariencia. Este eclipse hace impacto en Plutón, tu planeta de la familia; por lo tanto habrá dramas en la familia y será necesario hacer reparaciones en la casa; un progenitor o figura parental experimenta dramas de aquellos que cambian la vida (esto está en vigor los seis próximos meses).

El eclipse lunar del 27 también es fuerte; ocurre en tu séptima casa, la del amor, y pone a prueba la relación amorosa actual o la relación con los socios si estás en una sociedad de negocios; tal vez hay dramas en la vida de estas personas y eso pone a prueba la relación; o salen a la luz los trapos sucios para que se haga una limpieza. Cuando la relación es buena sobrevive a estas pruebas e incluso mejora; son las relaciones defectuosas las que están en peligro. Este eclipse hace impacto en Urano, tu planeta del amor, lo que refuerza lo ya dicho. También hace impacto en Marte, por lo que no es prudente viajar en este periodo (además, Marte está en movimiento retrógrado todo el mes). Si eres estudiante universitario podrías hacer cambios importantes en tus planes educacionales; tal vez cambias de facultad. Si tienes pendiente algún asunto legal o jurídico este da un giro drástico, en uno u otro sentido. Hay trastornos en tu lugar de culto.

Agosto

Mejores días en general: 1, 2, 3, 10, 11, 19, 20, 29, 30
Días menos favorables en general: 4, 5, 16, 17, 24, 25, 31
Mejores días para el amor: 4, 5, 12, 14, 15, 21, 24, 25, 31
Mejores días para el dinero: 1, 2, 3, 8, 9, 10, 11, 12, 13, 16, 17, 19, 20, 26, 27, 29, 30
Mejores días para la profesión: 4, 5, 14, 15, 24, 25, 31

El 11 hay otro eclipse solar, el tercero del año, algo muy excepcional. Todos los eclipses solares son fuertes en ti, pero este lo es más, pues ocurre en tu signo. Nuevamente te ves obligado a redefinirte, a revaluarte y decidir cómo deseas que te consideren los demás. Esto produce un cambio de la personalidad y de la imagen; los cambios que no se hicieron el mes pasado se hacen este mes. Si no has sido cuidadoso con tu dieta este eclipse produce una desintoxicación del cuerpo, y esto no es una enfermedad, aunque se podría pensar que lo es; es una limpieza, colabora con ella. Los socios y las amistades podrían pasar por una crisis en su relación amorosa. Los jefes y mayores tienen dramas en sus familias.

La salud es buena, pero reduce tus actividades durante el periodo del eclipse, unos días antes del 11 y unos días después.

Desde el 22 del mes pasado estás en el mejor periodo del año para cambiar las condiciones que te irritan; aprovéchalo pues más adelante será difícil. El Sol en tu signo da energía y resplandor a tu imagen; te ves fabuloso; tienes energía y carisma.

Las finanzas van bien pero las cosas avanzan lento; hay contratiempos y retrasos. Tu planeta del dinero, Mercurio, está en movimiento retrógrado hasta el 19. De todos modos, a pesar de esto, el mes debería ser próspero (si llevas bien los retrasos). Mercurio está en tu signo. Tienes la apariencia de persona rica y te sientes rico; los demás te ven así. El eclipse podría disminuir tu seguridad y autoestima, pero cuando haya pasado ese periodo se restablecerá tu natural seguridad en ti mismo, tal vez más fuerte que antes.

Siguen los cambios en tu profesión, en la emprea y la industria en que trabajas, pero ahora es el periodo para ocuparte más de la familia y el hogar; es importante tu bienestar emocional. Del 5 al 9 Venus tiene su solsticio: se detiene en el firmamento, en su movimiento latitudinal, y luego cambia de dirección. Esto es lo que ocurre en tu profesión también.

El 19 Mercurio retoma el movimiento directo, y el 23 entra el Sol en tu casa del dinero. Así pues, puedes esperar mayor prosperidad a partir del 19. Y el 23 entras en una cima financiera anual.

Septiembre

Mejores días en general: 7, 15, 16, 25, 26
Días menos favorables en general: 1, 13, 14, 20, 21, 27, 28
Mejores días para el amor: 1, 2, 3, 8, 9, 13, 17, 20, 21, 22, 23, 27
Mejores días para el dinero: 4, 5, 9, 13, 14, 18, 19, 22, 23, 24, 29
Mejores días para la profesión: 1, 2, 3, 13, 22, 23, 27, 28

Desde el 9 de julio Marte está «fuera de límites», y esto continúa la mayor parte del mes, hasta el 24. Por lo tanto, si eres estudiante universitario te abres a nuevas ideas en tus estudios, experimentas con nuevos métodos y temas educacionales; siempre lo mismo, lo mismo, es aburrido. Y aunque no seas estudiante, esto también ocurre en tu vida religiosa; exploras otras religiones y filosofías; buscas respuestas que no están en la tradición en que te criaste. En esencia esto es saludable. Es posible que viajes a lugares exóticos, a lugares que normalmente no visitarías.

Las finanzas son el principal titular este mes. Hasta el 22 continúas en una cima financiera anual; los ingresos son fuertes, tu atención está en esto. El señor de tu horóscopo en la casa del dinero siempre es un indicador financiero positivo; él siempre es tu amigo, te ayuda. Gastas en ti, adoptas la imagen de la riqueza y sin duda te sientes más rico que de costumbre; es posible que hagas más alarde de tu riqueza ante el mundo (a Leo le encanta alardear). Mercurio, tu planeta del dinero, está en movimiento directo todo el mes y avanza rápido; esto indica progreso financiero rápido; tomas decisiones rápidas (y normalmente acertadas). Hasta el 6 está Mercurio en tu signo, señal positiva en las finanzas: te trae beneficios inesperados y oportunidades financieras; no necesitas salir a buscarlas; las personas adineradas de tu vida están dispuestas favorablemente hacia ti. El 6 Mercurio entra en tu casa del dinero, su signo y casa, y ahí es ultrapoderoso para tu bien. Es probable que gastes más en salud y en productos de salud, pero también puedes ganar en este campo; el juicio financiero es bueno, llevas con facilidad los detalles de las finanzas. El 22, cuando tanto Mercurio como el Sol salen de tu casa del dinero, ya has conseguido tus objetivos financieros de corto plazo y puedes pasar la atención a otras cosas: educación, lectura, intereses intelectuales y pasatiempos.

Venus, tu planeta de la profesión, entra en tu cuarta casa el 9 (y la mayoría de los planetas están bajo el horizonte de tu carta), de modo que tu misión, tu profesión, es el hogar y la familia; a veces este aspecto indica que el trabajo profesional se hace en la casa.

La salud es buena este mes. Si naciste en uno de los primeros días de tu signo (del 22 al 25 de julio) debes tener más cuidado con tu salud, pero si no, tu salud es fundamentalmente buena. Puedes fortalecerla más de las maneras indicadas en las previsiones para el año.

Octubre

Mejores días en general: 4, 5, 12, 13, 14, 22, 23, 31
Días menos favorables en general: 10, 11, 17, 18, 19, 25, 26
Mejores días para el amor: 2, 3, 6, 10, 11, 15, 17, 18, 19, 20, 21, 24, 25, 29, 30
Mejores días para el dinero: 1, 2, 3, 6, 7, 9, 10, 11, 20, 21, 29, 30
Mejores días para la profesión: 2, 3, 10, 11, 20, 21, 25, 26, 29, 30

El señor de tu horóscopo está en Libra hasta el 23, por lo tanto en este periodo tienes más encanto social, aunque esto no sirve de mucho a la vida amorosa. Marte, el planeta de la guerra y el conflicto, está todo el mes en tu séptima casa, la del amor; y ya avanzado el mes el Sol está en oposición con Urano, tu planeta del amor. Los problemas en el amor se pueden solucionar pero con gran esfuerzo por tu parte y por parte del ser amado. Procura no empeorar las cosas con luchas de poder; los dos debéis respetar vuestras diferencias; veis las cosas desde perspectivas opuestas; si lográis limar vuestras diferencias, las cosas se podrán solucionar y la relación será más fuerte que antes.

Tu cuarta casa, la del hogar y la familia, es con mucho la casa más fuerte del horóscopo este mes; el 50 por ciento de los planetas o están en ella o transitan por ella; esto es muchísima energía. Además, tu planeta de la profesión, Venus, pasa el mes en tu cuarta casa, aumentando su importancia; tu verdadera profesión es el hogar y la familia, estar presente para la familia. Venus inicia el movimiento retrógrado el 5 mientras que tu planeta de la familia retoma el movimiento directo el 2; esto es otra indicación de que has de prestar más atención a la familia; los asuntos profesionales se resolverán dentro de uno o dos meses, necesitan tiempo, así que bien puedes centrar la atención en la familia.

Teniendo en tu cuarta casa a tu planeta del dinero (a partir del 10) y a tu planeta de la profesión (todo el mes), el mensaje del horóscopo es: restablece la armonía emocional, arregla la situación familiar, y las finanzas y la profesión irán bien naturalmente.

Las finanzas se ven fuertes este mes; hasta el 10 Mercurio está en Libra, tu tercera casa; esto favorece las actividades de venta, mercadotecnia y comunicación; también el comercio y venta al por menor; las oportunidades financieras se presentan en el barrio; los vecinos podrían tener un importante papel en tu vida financiera. El 10 Mercurio entra en tu cuarta casa, lo que indica apoyo de la familia y de las conexiones familiares. Este aspecto favorece los sectores inmobiliaria residencial, empresas alimentarias, hoteles y las industrias que proveen al hogar; también favorece el ganar dinero desde casa, desde una oficina o despacho en casa o de una empresa con sede en la casa.

Este es buen mes para mudarse o comprar otra casa; también es bueno para embellecer o redecorar la casa.

Tal vez la función más importante de la cuarta casa es restablecer la armonía emocional, asimilar el pasado y hacer las paces con él. Si estás en algún tipo de psicoterapia harás buen progreso.

Noviembre

Mejores días en general: 1, 9, 10, 19, 20, 27, 28
Días menos favorables en general: 6, 7, 8, 14, 15, 21, 22
Mejores días para el amor: 2, 4, 5, 10, 14, 15, 20, 23, 24, 28
Mejores días para el dinero: 1, 2, 3, 8, 9, 10, 19, 20, 27, 28, 29, 30
Mejores días para la profesión: 4, 5, 14, 15, 21, 22, 23, 24

Este mes se hace más fácil la vida amorosa; el ser amado cambia su posición a una que es más armoniosa con la tuya. El 16 Marte sale de tu séptima casa; el amor será mejor aún el mes que viene.

Tu cuarta casa continúa fuerte hasta el 22, así que sigue centrando la atención en la vida familiar y doméstica y en tu bienestar emocional. Esto establecerá la infraestructura para tu futuro empuje profesional, que comenzará el próximo año. Tu planeta de la profesión sigue en movimiento retrógrado hasta el 16, de modo que los asuntos profesionales necesitan más estudio y reflexión; todavía no debes tomar ninguna decisión importante. Cuando Venus retome el movimiento directo el 16 puedes avanzar en la profesión mediante buena mercadotecnia y buena comunicación. Si eres estudiante aun no universitario, el tránsito del planeta de la profesión por la tercera casa es buen aspecto; indica dedicación a los estudios y éxito; en este periodo consideras tu misión en la vida aprender lo que hay que aprender y obtener buenas notas.

Júpiter entra en tu quinta casa el 8, tránsito importante y muy feliz. No sólo trae prosperidad para los doce próximos meses sino también diversión, dicha y mayor creatividad. Leo es uno de los signos del zodiaco más creativos, y en este periodo aumenta tu creatividad. Este es un periodo del año festivo en general, pero para ti lo es más; más que en años pasados.

Te encanta la especulación, Leo, pero ahora esto se acentúa. El 22 el Sol entra en tu quinta casa y comienza a viajar con Júpiter; te llaman los casinos y los lugares de diversión nocturnos.

Mercurio, tu planeta del dinero, pasa el mes en tu quinta casa; normalmente esto es una buena señal financiera; indica dinero feliz, dinero que ganas cuando te estás divirtiendo, y también suele favorecer la especulación, pero resulta que el 17 Mercurio inicia el movimiento retrógrado, y esto complica las cosas. Si vas a especular (difícil imaginar que no) hazlo con la mitad (o un cuarto) de lo que habías pensado. El 29 o el 30 es un bonito día de paga, pues Mercurio viaja con Júpiter; pero podría haber retrasos.

La salud es buena este mes y después del 22 será mejor aún; hasta entonces fortalece la salud de las maneras explicadas en las previsiones para el año.

Diciembre

Mejores días en general: 6, 7, 16, 17, 25, 26
Días menos favorables en general: 4, 5, 11, 12, 18, 19, 31
Mejores días para el amor: 2, 3, 7, 11, 12, 14, 15, 17, 23, 24, 26
Mejores días para el dinero: 4, 5, 6, 13, 16, 23, 24, 26, 27, 28
Mejores días para la profesión: 2, 3, 14, 15, 18, 19, 23, 24

No hace falta dar una charla a un Leo sobre la importancia de disfrutar de la vida; son nuestros maestros en este tema. Hasta el 21 estás en una cima de placer personal anual. ¡Venga la diversión! Si estás soltero o soltera y sin compromiso este mes va más de aventura amorosa que de romance serio. De todos modos del 20 al 21 hay una oportunidad de romance serio; tu planeta del amor continúa en movimiento retrógrado, así que no tienes ninguna necesidad de precipitarte a nada.

El 6 retoma el movimiento directo tu planeta del dinero, Mercurio, y entonces se esclarece mucho el juicio financiero; hasta el 13 está en tu cuarta casa, y esto indica buen apoyo familiar y que gastas en la casa y la familia; las conexiones familiares son importantes en tu vida financiera. El 13 Mercurio entra nuevamente en tu quinta casa, con lo que se repite lo del mes pasado, pero mejor, pues entonces estaba en movimiento retrógrado y ahora está en movimiento directo. Como el mes pasado, indica dinero feliz, dinero que ganas de modos felices y gastas en cosas placenteras; las especulaciones son favorables a partir del 13, y en especial del 20 al 22. Estos días son un periodo especialmente bueno en las finanzas, y ganarás de uno u otro modo (el Cosmos recurre a muchas maneras para hacerte prosperar). El principal peligro de tener a tu planeta del dinero en Sagitario, tu quinta casa, es que gastes en exceso; tu confianza y seguridad podría no ser realista, así que contrólate en esto.

La salud y la energía son súper en este periodo. Cuando Júpiter salió de Escorpio el mes pasado salió también de su aspecto desfavorable para ti. Ahora sólo Venus te forma aspecto desfavorable (y este es moderado). Tienes energía de sobra; si había algún problema de salud, este desaparece. El 21 el Sol entra en tu sexta casa, en la que continuará hasta el 18 del mes que viene; estás atento a la salud, tal vez demasiado; pero esto es bueno para establecer un programa de salud de largo plazo. El poder que hay en tu sexta casa a partir del 21 es fabuloso para hacer esas tareas aburridas, detallistas, que es necesario hacer pero que siempre vas dejando para después. Ahora tienes la energía y la paciencia para hacerlas.

A los hijos y figuras filiales de tu vida les espera un año fabuloso; Júpiter les va a dar un elevado estilo de vida: viajes, buena comida, buena ropa, etcétera; si están en edad de concebir, van a ser más fértiles. El 21 entran en una cima financiera anual; el reto para ellos es administrar bien su dinero.

Virgo

♍

La Virgen

Nacidos entre el 22 de agosto y el 22 de septiembre

Rasgos generales

VIRGO DE UN VISTAZO

Elemento: Tierra

Planeta regente: Mercurio
Planeta de la profesión: Mercurio
Planeta de la salud: Urano
Planeta del dinero: Venus
Planeta del hogar y la vida familiar: Júpiter
Planeta del amor: Neptuno
Planeta de la sexualidad: Marte

Colores: Tonos ocres, naranja, amarillo
Color que favorece el amor, el romance y la armonía social: Azul
Colores que favorecen la capacidad de ganar dinero: Jade, verde

Piedras: Ágata, jacinto

Metal: Mercurio

Aromas: Lavanda, lila, lirio de los valles, benjuí

Modo: Mutable (= flexibilidad)

Cualidad más necesaria para el equilibrio: Ver el cuadro completo

Virtudes más fuertes: Agilidad mental, habilidad analítica, capacidad para prestar atención a los detalles, poderes curativos

Necesidad más profunda: Ser útil y productivo

Lo que hay que evitar: Crítica destructiva

Signos globalmente más compatibles: Tauro, Capricornio

Signos globalmente más incompatibles: Géminis, Sagitario, Piscis

Signo que ofrece más apoyo laboral: Géminis

Signo que ofrece más apoyo emocional: Sagitario

Signo que ofrece más apoyo económico: Libra

Mejor signo para el matrimonio y/o las asociaciones: Piscis

Signo que más apoya en proyectos creativos: Capricornio

Mejor signo para pasárselo bien: Capricornio

Signos que más apoyan espiritualmente: Tauro, Leo

Mejor día de la semana: Miércoles

La personalidad Virgo

La virgen es un símbolo particularmente adecuado para los nativos de este signo. Si meditamos en la imagen de la virgen podemos comprender bastante bien la esencia de la persona Virgo. La virgen, lógicamente, es un símbolo de la pureza y la inocencia, no ingenua sino pura. Un objeto virgen es fiel a sí mismo; es como siempre ha sido. Lo mismo vale para una selva virgen: es prístina, inalterada.

Aplica la idea de pureza a los procesos de pensamiento, la vida emocional, el cuerpo físico y las actividades y proyectos del mundo cotidiano, y verás cómo es la actitud de los Virgo ante la vida. Desean la expresión pura del ideal en su mente, su cuerpo y sus asuntos. Si encuentran impurezas tratarán de eliminarlas.

Las impurezas son el comienzo del desorden, la infelicidad y la inquietud. El trabajo de los Virgo es eliminar todas las impurezas y mantener solamente lo que el cuerpo y la mente pueden aprovechar y asimilar.

Aquí se revelan los secretos de la buena salud: un 90 por ciento del arte del bienestar es mantener puros la mente, el cuerpo y las emociones. Cuando introducimos más impurezas de las que el cuerpo y la mente pueden tratar, tenemos lo que se conoce por malestar o enfermedad. No es de extrañar que los Virgo sean excelentes médicos, enfermeros, sanadores y especialistas en nutrición. Tienen un entendimiento innato de la buena salud y saben que no sólo tiene aspectos físicos. En todos los ámbitos de la vida, si queremos que un proyecto tenga éxito, es necesario mantenerlo lo más puro posible. Hay que protegerlo de los elementos adversos que tratarán de socavarlo. Este es el secreto subyacente en la asombrosa pericia técnica de los Virgo.

Podríamos hablar de las capacidades analíticas de los nativos de Virgo, que son enormes. Podríamos hablar de su perfeccionismo y su atención casi sobrehumana a los detalles. Pero eso sería desviarnos de lo esencial. Todas esas virtudes son manifestaciones de su deseo de pureza y perfección; un mundo sin nativos de Virgo se habría echado a perder hace mucho tiempo.

Un vicio no es otra cosa que una virtud vuelta del revés, una virtud mal aplicada o usada en un contexto equivocado. Los aparentes vicios de Virgo proceden de sus virtudes innatas. Su capacidad analítica, que debería usarse para curar, ayudar o perfeccionar un proyecto, a veces se aplica mal y se vuelve contra la gente. Sus facultades críticas, que deberían utilizarse constructivamente para perfeccionar una estrategia o propuesta, pueden a veces usarse destructivamente para dañar o herir. Sus ansias de perfección pueden convertirse en preocupación y falta de confianza; su humildad natural puede convertirse en autonegación y rebajamiento de sí mismo. Cuando los Virgo se vuelven negativos tienden a dirigir en su contra sus devastadoras críticas, sembrando así las semillas de su propia destrucción.

Situación económica

Los nativos de Virgo tienen todas las actitudes que crean riqueza: son muy trabajadores, diligentes, eficientes, organizados, ahorradores, productivos y deseosos de servir. Un Virgo evolucionado es el sueño de todo empresario. Pero mientras no dominen algunos de los dones sociales de Libra no van ni a acercarse siquiera a hacer realidad su potencial en materia económica. El purismo y el perfeccionismo pueden ser muy molestos para los demás si no se los maneja con corrección y elegancia. Los roces en las relaciones humanas pueden ser devastadores, no sólo para nuestros más queridos proyectos, sino también, e indirectamente, para nuestro bolsillo.

A los Virgo les interesa bastante su seguridad económica. Dado que son tan trabajadores, conocen el verdadero valor del dinero. No les gusta arriesgarse en este tema, prefieren ahorrar para su jubilación o para los tiempos de escasez. Generalmente hacen inversiones prudentes y calculadas que suponen un mínimo riesgo. Estas inversiones y sus ahorros normalmente producen buenos dividendos, lo cual los ayuda a conseguir la seguridad económica que desean. A los Virgo ricos, e incluso a los que no lo son tanto, también les gusta ayudar a sus amigos necesitados.

Profesión e imagen pública

Los nativos de Virgo realizan todo su potencial cuando pueden comunicar sus conocimientos de manera que los demás los entiendan. Para transmitir mejor sus ideas, necesitan desarrollar mejores habilidades verbales y maneras no críticas de expresarse. Admiran a los profesores y comunicadores; les gusta que sus jefes se expresen bien. Probablemente no respetarán a un superior que no sea su igual intelectualmente, por mucho dinero o poder que tenga. A los Virgo les gusta que los demás los consideren personas educadas e intelectuales.

La humildad natural de los Virgo suele inhibirlos de hacer realidad sus grandes ambiciones, de adquirir prestigio y fama. Deberán consentirse un poco más de autopromoción si quieren conseguir sus objetivos profesionales. Es necesario que se impulsen con el mismo fervor que emplearían para favorecer a otras personas.

En el trabajo les gusta mantenerse activos. Están dispuestos a aprender a realizar cualquier tipo de tarea si les sirve para lograr su objetivo último de seguridad económica. Es posible que tengan varias ocupaciones durante su vida, hasta encontrar la que realmente les gusta. Trabajan bien con otras personas, no les asusta el trabajo pesado y siempre cumplen con sus responsabilidades.

Amor y relaciones

Cuando uno es crítico o analítico, por necesidad tiene que reducir su campo de aplicación. Tiene que centrarse en una parte y no en el todo, y esto puede crear una estrechez de miras temporal. A los

Virgo no les gusta este tipo de persona. Desean que su pareja tenga un criterio amplio y una visión profunda de las cosas, y lo desean porque a veces a ellos les falta.

En el amor, los Virgo son perfeccionistas, al igual que en otros aspectos de la vida. Necesitan una pareja tolerante, de mentalidad abierta y de manga ancha. Si estás enamorado o enamorada de una persona Virgo, no pierdas el tiempo con actitudes románticas nada prácticas. Haz cosas prácticas y útiles por tu amor Virgo; eso será lo que va a apreciar y lo que hará por ti.

Los nativos de Virgo expresan su amor con gestos prácticos y útiles, de modo que no te desanimes si no te dice «Te amo» cada dos días. No son ese tipo de persona. Cuando aman lo demuestran de modos prácticos. Siempre estarán presentes; se interesarán por tu salud y tu economía; te arreglarán el fregadero o la radio. Ellos valoran más estas cosas que enviar flores, bombones o tarjetas de san Valentín.

En los asuntos amorosos, los Virgo no son especialmente apasionados ni espontáneos. Si estás enamorado o enamorada de una persona Virgo, no interpretes esto como una ofensa. No quiere decir que no te encuentre una persona atractiva, que no te ame o que no le gustes. Simplemente es su manera de ser. Lo que les falta de pasión lo compensan con dedicación y lealtad.

Hogar y vida familiar

No hace falta decir que la casa de un Virgo va a estar inmaculada, limpia y ordenada. Todo estará en su lugar correcto, ¡y que nadie se atreva a cambiar algo de sitio! Sin embargo, para que los Virgo encuentren la felicidad hogareña, es necesario que aflojen un poco en casa, que den más libertad a su pareja y a sus hijos y que sean más generosos y de mentalidad más abierta. Los miembros de la familia no están para ser analizados bajo un microscopio; son personas que tienen que expresar sus propias cualidades.

Una vez resueltas estas pequeñas dificultades, a los Virgo les gusta estar en casa y recibir a sus amigos. Son buenos anfitriones y les encanta hacer felices a amigos y familiares y atenderlos en reuniones de familia y sociales. Aman a sus hijos, pero a veces son muy estrictos con ellos, ya que quieren hacer lo posible para que adquieran un sentido de la familia y los valores correctos.

Horóscopo para el año 2018*

Principales tendencias

La salida de Saturno de Sagitario a fines del año pasado es algo muy bueno para ti; te sientes como si te hubieran quitado un enorme peso de los hombros. Tienes más energía y optimismo, y la salud mejorará, sin duda. Volveremos a este tema.

Júpiter pasa la mayor parte del año en tu tercera casa, la de la comunicación y los intereses intelectuales. Este es, pues, un año fabuloso para ampliar tus conocimientos, para hacer cursos en temas que te interesan y para leer más. Si eres estudiante aun no universitario tendrás éxito en el colegio; la mente está aguda y asimila rápidamente la información. También es una señal maravillosa si eres escritor, profesor, periodista o escribes en blogs. Te comunicas bien y con facilidad. También te irá bien si trabajas en ventas, mercadotecnia, relaciones públicas o publicidad. Mejoran tus habilidades y capacidades.

El 8 de noviembre Júpiter entrará en su signo y casa, donde puede actuar con más fuerza. Esto indica mudanza (afortunada) u obras de renovación en la casa. Se expande el círculo familiar. Hablaremos más sobre esto.

El 21 de diciembre del año pasado Saturno hizo un tránsito muy importante: salió de tu cuarta casa y entró en la quinta, en la que estará el resto del año y el próximo. Vas a tener que ser más selectivo en tus actividades de ocio; es posible que las reduzcas. Si estás en el mundo de las artes creativas tendrás que ser más disciplinado en tu creatividad. Este aspecto también afecta a la relación con los hijos y figuras filiales; me parece que tendrás más dificultades para manejarlos.

Plutón está en tu quinta casa desde hace muchos años, desde 2008, de modo que las facetas de esta casa han pasado por cambios radicales. Es posible que algún hijo o figura filial haya pasado por una intervención quirúrgica o una experiencia de casi muerte.

---

* Las previsiones de este libro se basan en el Horóscopo Solar y todos los signos que derivan de él; tu Signo Solar se convierte en el Ascendente, y las casas se numeran a partir de él. Tu horóscopo personal, el trazado concretamente para ti (según la fecha, hora y lugar exactos de tu nacimiento) podrían modificar lo que decimos aquí. Joseph Polansky

Por otro lado, los hijos y figuras filiales se ven concentrados en sus estudios y es probable que les vaya bien en el colegio.

El titular más notable este año es la importantísima salida de Urano de Aries para entrar en Tauro; este es un fenómeno que ocurre cada siete años. Dado que Urano es tu planeta de la salud y el trabajo, esto señala cambios laborales y cambios en tus necesidades y programa de salud. Volveremos a este tema.

Neptuno lleva ya varios años en tu séptima casa, la del amor. Hemos tratado esto en años anteriores, y (para evitar la repetición) las tendencias continúan muy en vigor. Sigue habiendo mucho idealismo en el amor, con todos los puntos buenos y malos que esto supone. Se está espiritualizando toda la vida amorosa, tu actitud hacia el amor. Hablaremos más de esto.

Las facetas de interés más importantes para ti este año son: la comunicación y las actividades intelectuales (hasta el 8 de noviembre); el hogar y la familia (a partir del 8 de noviembre); los hijos, la diversión y la creatividad personal; el amor y el romance; la sexualidad, los estudios ocultos, la transformación personal (del 1 de enero al 16 de mayo y del 6 de noviembre en adelante); viajes al extranjero, la religión y la educación superior (del 16 de mayo al 6 de noviembre).

Los caminos de mayor realización o satisfacción para ti este año son: la comunicación y los intereses intelectuales (hasta el 8 de noviembre); el hogar y la familia (a partir del 8 de noviembre); la espiritualidad (hasta el 17 de noviembre); las amistades, los grupos y las actividades de grupo (a partir del 17 de noviembre).

Salud

(Ten en cuenta que esta es una perspectiva astrológica de la salud, no una médica. Antaño no había ninguna diferencia, ambas eran idénticas, pero en esta época podrían diferir muchísimo. Para una perspectiva médica, por favor, consulta a tu médico o a otro profesional de la salud.)

La salud es siempre importante para Virgo y este año vemos muchos, muchos cambios en esta faceta. Y esto aun cuando la salud es excepcionalmente buena; sólo hay un planeta lento en alineación desfavorable contigo; los demás o te forman aspectos armoniosos o te dejan en paz. La entrada de Saturno en Capricornio a fines del año pasado y la entrada de Urano en Tauro este año también son aspectos muy positivos para la salud. Sólo hacia finales del año, el 8 de noviembre, otro planeta lento comienza a formarte aspectos desfavorables; este será Júpiter, y normalmente sus efectos son moderados.

La salud es buena pero de todos modos haces cambios importantes; lo que ocurre es que este año hay dos eclipses en tu sexta casa, uno solar el 15 de febrero y uno lunar el 27 de julio; los eclipses siempre producen cambios. A veces producen un susto respecto a la salud. Pero puesto que tu energía está muy bien, es probable que sólo sea eso, un susto.

Tu planeta de la salud, Urano, hace este año una corta incursión en Tauro, tu novena casa. Esto también trae mucho cambio. Durante su tránsito por Tauro, disminuye la importancia de la cabeza, el cuero cabelludo y la cara, que han sido importantes los siete años pasados; el ejercicio físico, aunque bueno, puede pasar a un segundo plano también. Estos cambios los sentirás con más intensidad el próximo año, cuando Urano entra en Tauro para quedarse unos siete años.

Por buena que sea la salud, siempre puedes mejorarla. ¿Y qué desea Virgo más que la salud? Da más atención a las siguientes zonas, que son las más vulnerables en tu carta. Con esta atención previenes problemas, y aun en el caso de que surgiera alguno (debido a fuertes impulsos kármicos) será mucho menos grave, más una molestia que una enfermedad.

El intestino delgado. Este es siempre importante para Virgo. Te irán bien sesiones de reflexología para trabajar sus puntos reflejos.

Los tobillos y las pantorrillas. También estas zonas son siempre importantes para Virgo; el planeta que las rige, Urano, es tu planeta de la salud. Masajes periódicos en los tobillos y las pantorrillas (como también los huesos que forman las espinillas) deberían formar parte de tu programa de salud. Protege bien los tobillos cuando hagas ejercicio.

La cabeza, el cuero cabelludo y la cara. Estas zonas sólo han sido importantes los siete años pasados; así pues, continúa dando masajes en estas zonas periódicamente, en especial hasta el 16 de mayo y a partir del 6 de noviembre. La terapia sacro-craneal también es buena para la cabeza.

La musculatura. También los músculos han sido importantes sólo los siete años pasados, y este año siguen siendo importantes, en especial hasta el 16 de mayo y a partir del 6 de noviembre. Sigue siendo importante mantener el buen tono muscular; un músculo débil o flojo podría desalinear la columna y el esqueleto, y esto generaría todo tipo de otros problemas. Así pues, es importante el ejercicio vigoroso, de acuerdo a tu edad y fase en la vida.

Las suprarrenales. También estas glándulas sólo han sido importantes los siete años pasados. Te irán bien sesiones de reflexología. Es importante evitar la rabia y el miedo, las dos emociones que sobrecargan de trabajo a las suprarrenales.

El cuello y la garganta. Esta zona comienza a ser importante desde el 16 de mayo al 6 de noviembre, y será importante el próximo año y los siete años siguientes. Será bueno el masaje en el cuello; en la nuca tiende a acumularse tensión y es necesario aflojarla. La terapia sacro-craneal también es buena para el cuello.

Siendo Urano tu planeta de la salud, tiendes a ser experimental en los asuntos de salud. Te gusta adoptar «lo último», lo más de vanguardia, tanto en terapias como en la dieta. Este año, y en los futuros, te volverás algo más conservador en estos asuntos, menos propenso a adoptar lo nuevo sólo porque es nuevo. Serás más lento para hacer cambios.

Hogar y vida familiar

La mayor parte del año tu cuarta casa no está poderosa, pero esto cambia el 8 de noviembre, día en que, como hemos dicho, Júpiter entra en esta casa. Hasta entonces tienes un periodo familiar y doméstico más o menos sin novedades ni cambios.

Cuando Júpiter está en la tercera casa se puede considerar que está en la espiritual casa doce de la familia (imagínate que tu cuarta casa, la de la familia, es la primera casa, y cuenta hasta llegar a la doce). Así pues, los familiares, y en especial uno de los progenitores o figuras parentales de tu vida, están en un periodo muy espiritual; hay mucho crecimiento interior entre bastidores, que se hará visible después del 8 de noviembre hasta bien entrado el año que viene.

Este progenitor o figura parental parece estar con dificultades económicas; va a reorganizar sus finanzas; no son más ingresos los que necesita sino mejor administración, un mejor uso de sus recursos. Normalmente la causa de esto es haber asumido más responsabilidades financieras; nota carencia aun cuando objetivamente prospere; tiene esa sensación, impresión. A partir del 8 de noviembre cambia para mejor el cuadro financiero de esta persona.

La entrada de Júpiter en la cuarta casa trae felicidad doméstica y con los familiares. Si ha habido algún problema, hay un gran alivio; incluso buena suerte. La familia en su conjunto es más próspera. Tu casa y tal vez tu mobiliario, aumentan de valor. El apoyo familiar será mejor y las conexiones familiares también tienden a ser útiles.

Como hemos dicho, este aspecto suele traer mudanza y la compra o venta afortunada de una casa. Pero esto no hay que interpretarlo literalmente; muchas veces se hacen renovaciones en la casa ya existente; tal vez se añade una habitación o un ala; esto también encajaría en el simbolismo. Muchas veces se compran artículos caros para la casa, u otra casa (o descubres que tienes acceso a una segunda casa). El efecto es «como si» te hubieras mudado, «como si» hubieras agrandado la casa, «como si» estuvieras en una situación doméstica nueva y mejor.

Si estás en edad de concebir serás más fértil después del 8 de noviembre, y esto continuará los dos próximos años.

Júpiter en la cuarta casa indica ampliación del círculo familiar; generalmente esto ocurre por nacimientos o bodas. Pero también es posible que ocurra porque conoces a personas que son como familiares para ti; tienes esa sensación hacia ellos y esto es recíproco.

Las obras de renovación o reparación de la casa irán mejor del 26 de enero al 17 de marzo y a partir del 8 de noviembre. Si deseas embellecer la casa, por ejemplo darle otra mano de pintura o redecorarla, es bueno el periodo del 22 de noviembre al 21 de diciembre.

Este año no se ven probabilidades de mudanza para los progenitores o figuras parentales. Uno de ellos tiene un año muy fuerte en el amor y lo social; si está soltero o soltera hay romance.

Los hermanos y figuras fraternas prosperan este año; hay ciertos trastornos en la casa, tal vez obras de reparación, pero de mudanza hay más probabilidades el próximo año.

Entre los hijos y figuras filiales de tu vida ha habido muchas mudanzas en los últimos años, y podría haber más este año, aunque parecen más dispuestos a ser más estables, a establecerse.

Los nietos (si los tienes) se ven muy inestables, inquietos; puede que no haya mudanza, pero van a vivir en diferentes partes durante largos periodos.

Profesión y situación económica

Los dos últimos años han sido fabulosos para ti en las finanzas; es posible que hayas conseguido la mayoría de tus objetivos financieros, al menos los de corto plazo. No estás muy concentrado ni preocupado por el dinero; sí, tu segunda casa está vacía, lo que indica mucha libertad en esta faceta, pero falta la atención, el interés. Con este aspecto las cosas tienden a continuar como están.

Esta falta de atención es tal vez la principal debilidad en las finanzas en este periodo, pero claro, si nada va mal, ¿para qué poner atención?

Como hemos dicho, Júpiter pasa la mayor parte del año en tu tercera casa; esto indicaría un coche nuevo (uno bueno) y nuevo equipo de comunicación (también de buena calidad). También indica la prosperidad de hermanos y figuras fraternas. Podrías ganar dinero con tus habilidades intelectuales y dotes de comunicación. Como hemos dicho, Júpiter en la tercera casa favorece las ventas, la mercadotecnia, la escritura, la enseñanza, la publicidad y las relaciones públicas. También favorece la compraventa.

Venus es tu planeta del dinero; es excelente tenerlo, pues es su dominio natural y es fuerte en su papel. Pero es planeta de movimiento rápido; en un año transita por todos los signos y casas del horóscopo, aunque este año sólo transitará por once, debido a que hace movimiento retrógrado. Por lo tanto, hay muchas tendencias financieras de corto plazo que dependen de dónde está Venus y de los aspectos que recibe. Estas tendencias es mejor tratarlas en las previsiones mes a mes.

Debido a su movimiento retrógrado Venus va a pasar una extraordinaria cantidad de tiempo en tu casa del dinero: del 7 de agosto al 9 de septiembre, y del 11 de noviembre al 2 de diciembre. Esto es señal de prosperidad, pero tal vez no tanta como la que has tenido los dos años pasados.

Venus hace movimiento retrógrado (que sólo hace cada dos años) del 5 de octubre al 16 de noviembre. Este será un periodo para hacer revisión de tus finanzas; un periodo para adquirir claridad respecto a tus objetivos financieros y las mejoras que deseas hacer. No es especialmente bueno para hacer gestiones financieras importantes.

Este año no es particularmente fuerte en la profesión. La mayoría de los planetas lentos están bajo el horizonte de tu carta. Tu décima casa, la de la profesión, no es casa de poder, está prácticamente vacía, sólo transitan por ella los planetas rápidos. Este año va más de adquirir armonía interior, de sentirse bien más que de hacerlo bien; el hacerlo bien vendrá más adelante.

Dado que el raudo Mercurio es tu planeta de la profesión, hay muchas tendencias de corto plazo en ella, que dependen de dónde está Mercurio y de los aspectos que recibe. Estas también es mejor tratarlas en las previsiones mes a mes.

Amor y vida social

Neptuno, como hemos dicho, lleva varios años en tu séptima casa, y continuará en ella varios años más; esta es una tendencia de largo plazo. Neptuno, el más espiritual e idealista de los planetas, es tu planeta del amor, y, además, está en su signo y casa, y en ella es aún más espiritual, más idealista. Por lo tanto, buscas el amor ideal, el amor perfecto. En esto pones el listón muy, muy arriba, demasiado, y es dudoso que algún ser humano mortal puede estar a esa altura. Existen muchas personas amorosas, pero al ser humanas, en cuerpo mortal, pone sus limitaciones a la perfección. Así pues, estas imperfecciones podrían generar una sutil sensación de insatisfacción.

Cuando Neptuno está involucrado en el amor está la tendencia a idealizar a la pareja, a proyectar sobre ella una perfección que en realidad no existe. Esto es el intento de la psique de crear el amor ideal, como Pigmalión. Pero, claro, de tanto en tanto asoma la realidad y llega la desilusión.

De todos modos, es placentero mientras dura la ilusión. Todo el mundo sabe que el romance es más o menos el 90 por ciento magia y el 10 por ciento lógica. Por lo tanto, mientras logres mantener viva la magia hay felicidad.

Dicho eso, este año va a ser feliz en el amor y en lo social. Estás en modalidad romance. Júpiter le forma aspectos hermosos a tu planeta del amor casi todo el año, hasta el 8 de noviembre. Así pues, si estás soltero o soltera y sin compromiso, es casi seguro que conoces a esa persona especial: el Cosmos te presentará la oportunidad. Sales más en citas y asistes a más fiestas. Si estás casado o casada debería haber más armonía y romance en la relación conyugal, vais a tener más actividad social y a hacer nuevas e importantes amistades.

Los familiares y las conexiones familiares también tienen un papel importante en la vida amorosa, tal vez hacen de casamenteros.

Estando Neptuno tan involucrado en el amor, son imporantísimas la conexión y la compatibilidad espirituales. Cuando hay compatibilidad espiritual se pueden resolver casi todos los problemas; cuando no la hay incluso cosas insignificantes son insuperables. Así pues, te atraen personas de tipo espiritual, músicos, poetas, videntes, canalizadores espirituales. Las oportunidades románticas se presentan en ambientes espirituales, la reunión para hacer oración, el taller o seminario de meditación, la función benéfica o el fin de semana de yoga. Si acudes a bares o clubes en busca de amor perderás el tiempo. En estos lugares puedes encontrar diversión, pero no amor.

Si estás en el segundo matrimonio este año pasa por pruebas la relación. Si estás con miras a un tercer matrimonio, es mejor que no te cases. La vida amorosa será emocionante, pero no hay ninguna necesidad de compromiso. Si estás en el tercer matrimonio tendrás un año sin novedades ni cambios; las cosas continuarán como están; lo mismo vale si estás soltero o soltera después del segundo matrimonio.

Progreso personal

Este año habrá muchos cambios drásticos en tu vida espiritual. Cambiarás de opinión y de actitud. Harás cambios en tu práctica, enseñanza y tal vez de maestro o profesor. Este año tenemos tres eclipses solares (normalmente sólo hay dos), y el Sol es tu planeta de la espiritualidad. Además, hay dos eclipses en tu casa doce, la de la espiritualidad, uno lunar y uno solar. Es decir, cuatro de los cinco eclipses afectan a tu vida espiritual. Comprende que estas cosas, estos trastornos y cambios, son para tu bien; te harán progresar en tu camino. Muchas veces lo que nos refrena son conceptos erróneos de lo que es la espiritualidad. Es necesario eliminar estas cosas para que pueda entrar lo auténtico.

Siendo el Sol tu planeta de la espiritualidad te inclinas hacia los caminos de orientación solar: el lado esotérico del cristianismo sería agradable, cómodo; también lo sería el camino de la belleza y la creatividad. Las leyes que intervienen para crear un cuadro, una escultura o cualquier otra obra de arte son las mismas que aplicó la Divinidad para crear el Universo. Al ser minicreadores aprendemos acerca del Creador.

Siendo Neptuno tu planeta del amor y estando en tu séptima casa, el camino del amor es potente para ti. Te sientes cerca de lo Divino cuando estás enamorado. Es un camino difícil pero potente.

Neptuno en tu séptima casa no sólo te hace idealista en el romance sino que además ejecuta un programa superior; esto es un proceso de larga duración. Paso a paso, mediante exaltaciones y decepciones, te lleva al amor espiritual. Este está por encima del amor «romántico». Cuando conectas con él, este amor te ama siempre a la perfección y siempre provee a todas tus necesidades en el amor; y cada necesidad significa exactamente eso, sea lo que sea. Siempre te sentirás como si estuvieras en tu luna de miel, estés o no en una relación. Todo es igual; cada uno tiene diferentes alegrías.

Si se complica mucho tu vida amorosa o te sientes abrumado o incapaz, tu horóscopo te aconseja que te rindas y «entregues» la vida amorosa a lo Divino; haz la rendición total, sin equívocos. Si haces esto verás cómo se arregla mágicamente tu situación amorosa.

Si vas bien espiritualmente siempre tendrás amor.

Este año Urano hace una importante incursión en tu novena casa; la corta visita de este año es un anticipo, un anuncio de cosas por venir. El próximo año entrará en tu novena casa para quedarse un largo tiempo. De modo que, junto con todos los cambios espirituales habrá cambios filosóficos, cambios (drásticos) en tu religión y tu filosofía de la vida. Esto tiene relación con tu espiritualidad pero no es lo mismo. Tus creencias van a pasar por pruebas y muchas serán eliminadas. Algunas deben ser eliminadas; muchas veces lo que se entiende por religión no es otra cosa que superstición.

Dado que Urano es tu planeta de la salud, cambiarán muchas de tus creencias filosóficas acerca de la salud. Esto también es para tu bien. Si sobre esto tienes una perspectiva en tres dimensiones (que es la dominante) estás sujeto a todo tipo de enfermedades innecesarias. Pero si comprendes la filosofía espiritual de la salud y la enfermedad, te haces más inmune, y tienes más instrumentos a tu disposición para cuando surjan problemas.

Previsiones mes a mes

Enero

Mejores días en general: 5, 6, 15, 16, 25, 26
Días menos favorables en general: 12, 13, 14, 20, 21, 27, 28
Mejores días para el amor: 1, 2, 5, 6, 10, 11, 15, 16, 20, 21, 27, 28, 29, 30
Mejores días para el dinero: 1, 2, 3, 4, 8, 9, 10, 11, 15, 16, 20, 21, 25, 26, 29, 30
Mejores días para la profesión: 3, 4, 15, 16, 25, 26, 27, 28

Normalmente la primavera se considera la mejor energía de arranque del año, pero tal como están las cosas, este mes podría ser mejor aún; todos los planetas están en movimiento directo (lo que es muy excepcional); tu ciclo solar personal está en su fase creciente, la que continúa dos meses más; el ciclo solar universal entró en su fase creciente el mes pasado. Personalmente tienes aspectos fabulosos; cualquier día del 17 al 30 (en que la Luna también está en fase creciente) es el periodo óptimo para iniciar nuevos proyectos o empresas. Tu trabajo y esfuerzo cuenta con un fuerte respaldo cósmico.

Este es un mes feliz, Virgo. Hasta el 20 continúas en una cima de placer personal (tendrás otra alrededor de tu cumpleaños). Han terminado las vacaciones de Navidad, pero tú continúas en modalidad fiesta.

Las finanzas también se ven fuertes. Hasta el 18 tienes a tu planeta del dinero en el conservador signo Capricornio, así que tu juicio financiero es sensato, práctico. Su presencia en tu quinta casa indica dinero feliz, dinero que ganas de modos felices y gastas en cosas felices. La actitud es que «el dinero está para disfrutarlo». Normalmente esto indicaría la tendencia a correr riesgos, pero la influencia de Capricornio la atenúa.

El 31 hay un eclipse lunar que es moderado en ti; pero de todos modos no te hará ningún daño tomarte las cosas con calma durante este periodo: los efectos del eclipse podrían no ser agradables para las personas que te rodean. Este eclipse ocurre en tu casa doce, la de la espiritualidad, lo que indica cambios drásticos en tu vida espiritual, cambio de enseñanza, de actitud y de práctica; muchas veces estos cambios se deben a una revelación interior (que es la manera correcta de hacerlos). Es posible que haya trastornos y problemas en una organización espiritual o benéfica a la que perteneces; hay dramas en la vida del gurú o figura de gurú. Todos los eclipses lunares afectan a las amistades (no a las relaciones románticas) y este no es diferente; las amistades pasan por pruebas; a veces la relación es defectuosa y el eclipse lo revela; otras veces no es problema de la relación de amistad sino que ocurren dramas en la vida de personas amigas. Tu equipo de alta tecnología podría volverse temperamental en el periodo del eclipse; a veces es necesario repararlo o reemplazarlo. Por lo tanto, comprueba que tienes copias de seguridad de los documentos importantes y que están actualizados tus programas antivirus y antipiratería.

Febrero

Mejores días en general: 2, 3, 11, 12, 21, 22
Días menos favorables en general: 9, 10, 16, 17, 23, 24
Mejores días para el amor: 4, 5, 6, 7, 16, 17, 25, 26
Mejores días para el dinero: 4, 5, 6, 7, 16, 17, 25, 26
Mejores días para la profesión: 4, 5, 14, 15, 23, 24, 25, 26

Como el mes pasado, este es muy buen periodo para iniciar nuevos proyectos o lanzar nuevos productos al mercado; todos los sistemas están encendidos; todos los planetas están en movimiento directo y los ciclos solares personal y cósmico están en fase creciente; evita el día 15, en que hay un eclipse solar; después, todo el resto del mes es buen periodo. Verás un progreso más rápido hacia tus objetivos.

Este mes el poder planetario está en su totalidad en el sector occidental o social de tu carta (lo que es muy excepcional); sólo la Luna animará el sector oriental, durante la mitad del mes. Te encuentras, pues, en un fuerte periodo social; es el periodo para dejar que se impongan los demás, mientras esto no sea destructivo; olvida tu voluntad y centra más la atención en los demás; esta generosidad podría parecer virtuosa (y aumenta tu popularidad) pero en realidad es simplemente el ciclo en que estás. Mantén la simpatía y tu bien te llegará de modo normal y natural. Muchas enfermedades psíquicas tienen su origen en un excesivo egocentrismo. De vez en cuando es saludable tomarte unas vacaciones de ti mismo.

El eclipse solar del 15 es fuerte en ti (más fuerte que el del mes pasado); ocurre en tu sexta casa y esto indica que habrá cambios laborales y disturbios en el lugar de trabajo; el cambio laboral podría ser otro puesto en la empresa en que trabajas o cambio a otra empresa. Si eres empleador hay cambios en el personal y drama en la vida de empleados. Los hijos y figuras filiales se ven obligados a hacer cambios financieros drásticos. Tu salud es buena, pero tal vez pasas un susto o descubres algo en tu salud que te lleva a hacer cambios importantes en tu programa de salud. Este eclipse también afecta a tu vida espiritual, como el del mes pasado; sin duda vas a hacer cambios importantes en tu práctica, actitud y enseñanza; nuevamente hay drama en la vida del gurú o figura de gurú, y trastornos o reestructuración en una organización espiritual o benéfica a la que perteneces o con la que tienes relación. Este eclipse hace impacto en Mercurio y Júpiter. Por lo tanto, afecta a la familia (la rige Júpiter), en especial a los padres o figuras parentales; podría ser necesario hacer reparaciones en la casa; es probable que los familiares estén más temperamentales en este periodo, así que ten más paciencia. Dado que Mercurio es el señor de tu horóscopo, podrías experimentar una desintoxicación física y verte en la necesidad de redefinirte, de redefinir tu imagen y el concepto de ti mismo; esto es un proceso de unos seis meses. Si no te defines tú, lo harán otras personas (y ya lo están haciendo) y esto no será muy agradable.

Además del eclipse, el amor es el principal titular de este mes. El 18 el Sol entra en tu séptima casa, la del amor, y entonces comienzas una cima amorosa y social anual; el mes que viene será mejor aún.

Marzo

Mejores días en general: 1, 2, 10, 11, 12, 20, 21, 29, 30
Días menos favorables en general: 8, 9, 15, 16, 17, 22, 23
Mejores días para el amor: 6, 7, 8, 15, 16, 17, 18, 19, 24, 25, 26, 27
Mejores días para el dinero: 3, 4, 6, 7, 8, 15, 16, 17, 18, 19, 24, 25, 26, 27, 31
Mejores días para la profesión: 8, 18, 19, 22, 23, 26, 27

Hasta el 20 continúas en una cima amorosa y social anual. El amor es el principal titular del mes y se ve bien. Si estás soltero o soltera y sin compromiso, entre el 24 y el 26 del mes pasado hubo oportunidades románticas muy felices (e idealistas); si estás en una relación en estos días hubo más romance con el ser amado; también hubo felices experiencias sociales. En este periodo te atraen personas de tipo espiritual, creativas, artísticas. Del 3 al 5 el Sol viaja con Neptuno y esto trae un encuentro con un gurú o una persona amada de tipo espiritual (o las dos cosas).

Ahora el poder planetario está en la mitad superior de tu carta, por lo tanto la atención está más en la profesión y los objetivos externos que en el hogar y la familia. De todos modos, dado que Marte está en tu cuarta casa hasta el 17, es buen periodo para hacer obras importantes de reparación en la casa. Además, con este aspecto algún familiar podría pasar por intervención quirúrgica o una experiencia de casi muerte.

Este mes hay prosperidad. Los días 1 y 2 son especialmente buenos; el señor de tu horóscopo, Mercurio, viaja con tu planeta del dinero, Venus; estos dos planetas forman aspectos hermosos a Júpiter; tendría que haber un bonito día de paga. El 6 tu planeta del dinero entra en tu octava casa; posees el ingenio para hacer ricos a otros; según la ley kármica, esto te enriquece a ti también, a su debido tiempo. El planeta del dinero en la octava casa es bueno para planificar el pago de impuestos; si estás en edad, es bueno también para hacer planes testamentarios. Los impuestos y los asuntos de impuestos influyen en tu toma de decisiones más que de costumbre. Este es un buen periodo para pagar deudas, y también para contraerlas o para refinanciarlo si ya tienes un préstamo, todo depende de tu necesidad. Si tienes buenas ideas, este es un buen periodo para atraer inversores a tus proyectos. Venus en Aries desde el 6 indica el atractivo del dinero rápido, pero su cuadratura con Saturno del 13 al 15 recomienda más prudencia; evita la especulación estos días.

Hasta el 20 la salud necesita atención (y siendo Virgo, sin duda estás atento). Lo más importante es descansar lo suficiente. Fortalece la salud de las maneras indicadas en las previsiones para el año.

Abril

Mejores días en general: 7, 8, 16, 17, 25, 26
Días menos favorables en general: 4, 5, 6, 12, 13, 18, 19
Mejores días para el amor: 2, 3, 7, 8, 12, 13, 16, 17, 21, 22, 27, 29, 30

Mejores días para el dinero: 1, 2, 3, 7, 8, 12, 13, 16, 17, 21, 22, 27, 28, 29, 30
Mejores días para la profesión: 4, 5, 6, 14, 15, 18, 19, 23, 24

La vida amorosa continúa excelente este mes, aunque mucho menos activa que el mes pasado. Los familiares y las conexiones familiares tienen un importante papel en esto. Si estás soltero o soltera es posible que te reencuentres con un viejo amor, o que conozcas a una persona que te recuerda ese viejo amor. El problema es que podrías desear una repetición de la felicidad pasada y no mires hacia el futuro.

Hasta el 24 todos los planetas están en el sector occidental o social de tu carta, sólo la Luna transita por el sector oriental la mitad del mes; por lo tanto, los demás siguen siendo importantísimos en tu vida. Tus dotes sociales, tu capacidad para conseguir la colaboración de los demás, te trae el éxito. Olvida los deseos personales por un tiempo. Si las condiciones te fastidian, toma nota y adáptate a ellas lo mejor que puedas. Pronto llegará el periodo en que puedas hacer fácilmente los cambios.

El poder de tu octava casa (que comenzó el 20 del mes pasado) continúa hasta el 20. Este aspecto favorece los regímenes de desintoxicación, si lo necesitaras; estos tienden a ir bien. Aumenta la actividad sexual; sea cual sea tu edad o fase en la vida, la libido será más fuerte que de costumbre. De vez en cuando es saludable librarse de aquellas cosas que ya no usas ni te son útiles; la acumulación de desechos es impresionante a la larga. Así pues, elimina del cuerpo aquello que no tiene por qué estar en él; desintoxícate de posesiones también; esto no sólo tiene efectos físicos, también despeja, libera, la mente; si hay algo que ya no usas y sólo ocupa espacio, véndelo o dónalo a una institución benéfica. Estas cosas han obstaculizado el paso del poder a tu vida. «No hay lugar en la posada para que nazca el Mesías.» Hay un algo muy bello y espiritual en la simplicidad. El próximo mes tienes la oportunidad de aprender esto.

La salud y la energía son buenas este mes. Si te sientes indispuesto, las técnicas de curación espiritual son muy eficaces hasta el 21. Puedes recurrir a un terapeuta espiritual o aplicar tú las técnicas.

Venus, tu planeta del dinero, pasa la mayor parte del mes en Tauro, tu novena casa; esto es bueno. La novena casa es la de la suerte; indica mayores ingresos y optimismo financiero. El 24

Venus cruza tu medio cielo y entra en tu décima casa, la de la profesión; esto trae el favor financiero de jefes, mayores, padres y figuras parentales.

Mayo

Mejores días en general: 4, 5, 14, 15, 22, 23, 31
Días menos favorables en general: 2, 3, 9, 10, 16, 17, 29, 30
Mejores días para el amor: 7, 8, 9, 10, 17, 18, 19, 26, 27
Mejores días para el dinero: 7, 8, 9, 10, 17, 18, 19, 24, 25, 26, 27
Mejores días para la profesión: 2, 3, 13, 14, 16, 17, 22, 23, 31

Este es un mes muy activo, con muchos cambios, pero de todas formas exitoso, Virgo; no hay ni un solo momento aburrido.

El 16 tu planeta de la salud hace un importante tránsito: sale de Aries, tu octava casa, y entra en Tauro, tu novena casa. En lo que a salud se refiere, los próximos meses serán importantes el cuello y la garganta; respondes mejor a terapias con «tierra»: compresas de barro, baños de barro, aplicación de cristales. Si te sientes indispuesto pasa más tiempo en la montaña o en bosques viejos, lugares en que es fuerte la energía de la tierra. Te sentirás mucho mejor.

El mismo día en que Urano entra en Tauro Marte entra en tu sexta casa. Se hacen importantes entonces la cabeza, la cara y el cuello cabelludo; son buenos los regímenes de desintoxicación; es importante el buen tono muscular. Podrían recomendarte intervención quirúrgica, aunque normalmente es mejor explorar primero la desintoxicación.

Estas cosas son importantes porque después del 21 la salud es más delicada. Claro que, como siempre, procura descansar lo suficiente.

Después del 16 se hace más ajetreado el ritmo del trabajo. Es posible que haya dramas en el lugar de trabajo. También podría haber un viaje relacionado con el trabajo, y oportunidades de trabajo en otro país.

El 21, cuando el Sol entra en tu décima casa, la de la profesión, entras en una cima profesional anual. Hay mucho éxito. Los planetas que están en tu décima casa son benéficos, amistosos, así que hay buena suerte. El 30 entra también Mercurio, el señor de tu horóscopo, en tu décima casa: más buena suerte. Lo importante es no trabajar en exceso.

El Sol en tu décima casa indica que participar en causas benéficas y altruistas favorece la profesión. Es posible que recibas más reconocimiento por este tipo de actividades que por tus habilidades profesionales. Pero cuando Mercurio entre en tu décima casa habrá más reconocimiento personal. La apariencia y la actitud en general tienen un importante papel en la profesión. Es importante que representes bien el papel de aquello a que aspiras.

Las finanzas van bien todo el mes (con unas pocas dificultades de corta duración). Hasta el 19 Venus está en tu décima casa, lo que indica el favor de los superiores de tu vida respecto a tus finanzas. A veces este aspecto indica aumento de sueldo (oficial o no oficial). Tu buena fama profesional lleva a más ingresos. El 31 es un bonito día de paga.

Junio

Mejores días en general: 1, 2, 10, 11, 18, 19, 28, 29
Días menos favorables en general: 5, 6, 7, 12, 13, 25, 26
Mejores días para el amor: 5, 6, 7, 14, 15, 16, 23, 24
Mejores días para el dinero: 1, 2, 5, 6, 7, 10, 11, 14, 15, 16, 19, 23, 24, 28, 29
Mejores días para la profesión: 3, 4, 12, 13, 14, 23, 24

Hasta el 22 continúa atento a la salud. Repasa lo que dijimos el mes pasado. Después del 22 la salud y la energía mejoran espectacularmente.

Hasta el 21 continúas en una cima profesional anual, así que puedes pasar a un segundo plano los asuntos familiares y domésticos. Este es un periodo para lanzarte osadamente a conseguir tus objetivos externos. Mercurio continúa en tu décima casa hasta el 12, y esto significa éxito y elevación personal; los demás te consideran persona de éxito; te respetan y admiran, y aspiran a ser como tú.

Las finanzas van bien. Tu planeta del dinero, Venus, forma parte de un gran trígono en agua hasta el 14. El 1 y el 2 forma aspectos hermosos a Júpiter y a Neptuno; esto significa un bonito día de paga y buena colaboración financiera con el cónyuge, pareja o ser amado actual. El 19 y el 20 Mercurio forma aspectos hermosos a Júpiter: otro bonito día de paga y un impulso a la profesión además. El 14 Venus entra en tu casa doce, la de la espiritualidad; es el periodo para prestar atención a la intuición, a la que Einstein llamaba «el más fabuloso regalo de los dioses». Como saben nuestros lectores, la intuición es el atajo hacia la riqueza; un instante de verdadera intuición vale por muchos, muchos años de trabajo arduo.

A comienzos del mes, del 1 al 7, Venus estará «fuera de límites»; por lo tanto, ganas el dinero de formas que se salen de tu norma; otra interpretación posible es que los objetivos financieros te hacen salir de tu zona de agrado normal. De todos modos, esto se ve lucrativo.

La vida amorosa resplandece también, en especial después del 12; a partir de entonces, Mercurio, el señor de tu horóscopo, está en aspecto hermoso con tu planeta del amor. Los días 20 y 21 son especialmente buenos para el amor. Si estás soltero o soltera y sin compromiso tienes una oportunidad o un encuentro romántico uno de estos días. Pero también hay romance después; el único problema para el romance es que Neptuno inicia movimiento retrógrado el 18; esto va a enlentecer un poco las cosas, pero no las impedirá. Y probablemente esto es bueno; un poco de cautela en el amor no hace ningún daño.

El 21 del mes pasado cambió de lugar el poder planetario; sigue dominante el sector occidental o social de tu carta, pero menos que en meses pasados; tienes más independencia de la que has tenido en lo que va de año. Tu reto ahora es equilibrar tus intereses con los de los demás; no es nada fácil.

Julio

Mejores días en general: 7, 8, 16, 17, 25, 26
Días menos favorables en general: 3, 4, 10, 11, 22, 23, 24, 30, 31
Mejores días para el amor: 3, 4, 5, 6, 12, 13, 16, 20, 21, 25, 26, 30, 31
Mejores días para el dinero: 1, 5, 6, 12, 13, 16, 18, 19, 20, 21, 25, 26, 27, 28, 29
Mejores días para la profesión: 5, 6, 10, 11, 14, 15, 22, 23, 24

Dos eclipses estremecen el mundo este mes. Pero tú quedas relativamente intacto. La finalidad cósmica de un eclipse es eliminar las cosas que obstaculizan el progreso, obstaculizan el plan Divino para tu vida. En este sentido los eclipses son buenos, aunque no agradables.

El eclipse solar del 13 ocurre en tu casa once y afecta más a tus amistades y a la relación de amistad que a ti personalmente; las amistades pasan por pruebas; el Cosmos desea sólo lo mejor para ti, y cualquier cosa inferior se va por la borda; si la relación de amistad es buena sobrevive a esto, pero si es defectuosa está en peligro. Un progenitor o figura parental tiene una crisis financiera y se ve obligado a hacer cambios drásticos. Hay caos y confusión en una organización benéfica o espiritual a la que perteneces o con la que te relacionas. Nuevamente hay cambios en tu vida espiritual: enseñanza, práctica y actitud; esto es una medida correctiva periódica, fundamentalmente saludable. Vuelven a pasar por pruebas el ordenador, los programas informáticos y los aparatos de alta tecnología; podrían estar más temperamentales en este periodo; a veces es necesario repararlos o reemplazarlos. También pasan por pruebas los coches y el equipo de comunicación: el eclipse hace impacto en Plutón, el señor de tu tercera casa. También te conviene conducir con más prudencia; lo mejor sería que no condujeras, pero si debes, sé más consciente y conduce a la defensiva.

El eclipse lunar del 27 ocurre en tu sexta casa, lo que significa que nuevamente hay cambio de trabajo (ya sea de puesto en la misma empresa o un cambio a otra) y cambios en las condiciones laborales. También anuncia cambios en tu programa de salud; a veces esto se debe a un susto por la salud, pero tu salud es buena así que podría haber otras causas. Este eclipse hace impacto en Marte, así que puede haber sueños con la muerte o una experiencia en que te salvas por un pelo, o alguna persona cercana a ti tiene esta experiencia; el Cosmos te obliga a enfrentar la muerte (normalmente esto lo hace en el plano psíquico) para que la comprendas mejor; el miedo a la muerte refrena a muchas personas; es necesario hacerle frente. El cónyuge, pareja o ser amado actual tiene que tomar importantes medidas correctivas en sus finanzas; su criterio no ha sido realista. Hay drama en la vida de amistades, y nuevamente las amistades pasan por pruebas. También pasa por pruebas el equipo de alta tecnología.

Agosto

Mejores días en general: 4, 5, 12, 13, 21, 22, 31
Días menos favorables en general: 6, 7, 19, 20, 26, 27
Mejores días para el amor: 5, 8, 9, 14, 15, 16, 17, 24, 25, 26, 27
Mejores días para el dinero: 5, 8, 9, 14, 15, 16, 17, 24, 25, 26, 27
Mejores días para la profesión: 1, 2, 3, 6, 7, 10, 11, 19, 20, 29, 30

A pesar de los eclipses, el mes pasado tiene que haber sido próspero; Venus entró en tu signo el 10 y continuará en él hasta el 7 de este mes; esto ha traído y trae beneficios inesperados y felices oportunidades financieras. Te ves y te sientes próspero; te llegan artículos personales caros, ropa o accesorios. El 7 Venus entra en tu casa del dinero y continúa en ella el resto del mes; ahí está en su signo y casa, se siente a gusto en su casa y es más fuerte por tu bien; deberían aumentar los ingresos.

El Sol entra en tu signo el 22 y entonces comienzas una cima de placer personal anual; es un periodo maravilloso para mimarte y complacerte, para gozar de los placeres del cuerpo. También es buen periodo para poner en forma el cuerpo y la imagen, tal como los deseas.

Y aún no hemos acabado con los eclipses. El 11 hay un eclipse solar que ocurre en tu casa doce, la de la espiritualidad; y como si esto fuera poco, ocurre que el planeta eclipsado, el Sol, es el señor de tu casa doce. Esto es, pues, otra sacudida a tu vida espiritual, que ya ha tenido varias en lo que va de año; hay mucha agitación en esta faceta; es necesario tomar más medidas correctivas. Nuevamente hay trastornos e inestabilidad en una organización espiritual o benéfica con la que tienes relación; nuevamente experimenta dramas el gurú o figura de gurú de tu vida. Personas amigas podrían pasar por una crisis financiera y verse obligadas a hacer cambios importantes en sus finanzas. Pasan por pruebas los matrimonios de tías o tíos (o de las personas que hacen ese papel en tu vida). Los padres o figuras parentales deben conducir con más prudencia durante el periodo del eclipse.

Afortunadamente, la salud es buena, y mejora más aún después del 22. Ahora entras en tu periodo de máxima independencia y deberías hacer esos cambios que es necesario hacer. Tal vez no puedas hacer tu voluntad en todo, pero puedes más que en cualquier otro periodo del año.

La entrada del Sol en tu signo el 22 eleva tu espiritualidad; esto te da un atractivo «de otro mundo». Tu cuerpo físico es más dócil a tu voluntad. Vas a aprender técnicas para modelar el cuerpo. Recibes la llamada o visita de un gurú espiritual que te aprecia.

Septiembre

Mejores días en general: 1, 9, 17, 18, 19, 27, 28
Días menos favorables en general: 2, 3, 15, 16, 22, 23, 24, 29, 30

Mejores días para el amor: 2, 3, 4, 5, 13, 14, 22, 23, 24
Mejores días para el dinero: 2, 3, 4, 5, 11, 12, 13, 14, 22, 23, 24
Mejores días para la profesión: 2, 3, 9, 18, 19, 29, 30

Continúas en un periodo de placer personal, así que disfruta de la vida y mímate un poco; sé amable con tu cuerpo. Tu primera casa está fuerte hasta el 22.

La vida amorosa se ve más difícil este mes. Hay una especie de separación entre tú y tu pareja, en especial del 6 al 22; cada uno sólo atiende a sus propios intereses; veis las cosas desde perspectivas totalmente opuestas; esto no hace a una persona santa y a la otra demonio; simplemente son perspectivas opuestas respecto a las cosas. Ahora la finalidad es zanjar vuestras diferencias, cada uno respetar la perspectiva del otro, considerarlas «complementarias»; por ahí tiene que haber un punto en común, un terreno intermedio. En astrología, las personas opuestas siempre forman la pareja natural (si antes no se matan); se consideran las relaciones de pareja más fuertes. Cada uno tiene algo que al otro le falta; se llenan mutuamente los resquicios (por citar a Rocky Balboa). Dicho esto, hay que añadir que no es fácil hacerlo; requiere esfuerzo y trabajo.

El 6 Mercurio cruza tu ascendente y entra en tu primera casa, con lo que pasa a la mitad inferior de tu carta, el lado noche, y entonces comienza a dominar esta mitad inferior. La profesión y las actividades externas disminuyen en importancia, y comienzan a ser más importantes el hogar, la familia y el bienestar emocional. Es el periodo para pasar la atención al hogar y la familia.

Mercurio realiza dos funciones en tu carta; es el señor de tu horóscopo y también tu planeta de la profesión. Su entrada en tu primera casa te trae oportunidades profesionales y no es mucho lo que necesitas hacer; estas oportunidades te buscan. Además, indica que los demás te consideran persona de éxito, y así te ves, tienes la imagen. Es posible que te vistas también de acuerdo a ese papel.

Este es un mes próspero, tal vez el más próspero del año. El 22 el Sol y Mercurio entran en tu casa del dinero y tú entras en una cima financiera anual; te concentras en las finanzas, tomas los asuntos en tus manos; estás menos propenso a delegar los asuntos financieros, y aun en el caso de hacerlo, controlas todo minuciosamente. El Sol en tu casa del dinero trae una maravillosa intuición financiera; Mercurio en esta casa trae el favor financiero de jefes, mayores, padres y figuras parentales, los superiores de tu vida.

El señor de tu horóscopo, Mercurio, hace una pausa en su recorrido del 22 al 25; se detiene en su movimiento latitudinal y luego cambia de dirección. Es muy probable que esto te ocurra a ti también.

Octubre

Mejores días en general: 6, 7, 15, 16, 25, 26
Días menos favorables en general: 1, 12, 13, 14, 20, 21, 27, 28
Mejores días para el amor: 2, 3, 10, 11, 20, 21, 29, 30
Mejores días para el dinero: 2, 3, 8, 9, 10, 11, 20, 21, 29, 30
Mejores días para la profesión: 1, 9, 10, 20, 21, 27, 28, 29, 30

Este es un mes feliz y próspero, Virgo, que lo disfrutes. La salud y la energía son excelentes ahora; sólo hay un planeta lento en alineación desfavorable, y son muchos los que están en alineación armoniosa. Con esta mayor energía estás de mejor ánimo y puedes realizar más (siempre que no la malgastes en cosas frívolas). Cosas que hace unos meses parecían imposibles, y que tal vez descartaste, ahora son eminentemente posibles, muy factibles. Marte continúa en tu sexta casa, la de la salud, por lo tanto siguen siendo buenos los masajes en el cuero cabelludo y la cara; es importante el ejercicio vigoroso, de acuerdo a tu edad y fase en la vida. Continúa la tendencia a la intervención quirúrgica, pero, como hemos dicho, un régimen de desintoxicación será muy eficaz.

Hasta el 23 continúas en tu cima financiera anual. Te es muy útil la buena y fiable intuición financiera. Puede que en el momento la intuición parezca irracional, pero mirada en retrospectiva siempre es racional; sencillamente es una forma superior de racionalidad. Mercurio sigue en tu casa del dinero hasta el 10; este aspecto siempre es positivo para las finanzas; indica atención; indica que adoptas la imagen de la riqueza y que los demás te ven así; no proyectas «necesidad». A fin de mes, del 28 al 30, Mercurio viaja con Júpiter, lo que trae un bonito día de paga y oportunidades felices; la única complicación para las finanzas es que tu planeta del dinero, Venus, inicia movimiento retrógrado el 5. Esto no impide los ingresos pero enlentece un poco las cosas. Cuando el planeta del dinero está retrógrado, como saben nuestros lectores, hay que evitar hacer compras o inversiones importantes (lógicamente compras los alimentos y otras cosas necesarias). Pero esto también sugiere la necesidad de ser más perfecto en las gestiones financieras; tienen importancia las cosas aparentemente pequeñas; comprueba que has puesto bien la fecha en el talón y lo has firmado; comprueba que la dirección en el sobre está correcta; no hay ninguna necesidad de empeorar las cosas. También te conviene hacer revisión de tus finanzas y ver qué mejoras puedes hacer. Cuando Venus retome el movimiento directo el próximo mes puedes actuar de acuerdo a tus planes.

El 23 ya habrás conseguido los objetivos financieros de corto plazo y puedes pasar la atención a los intereses intelectuales y la comunicación. Si trabajas en ventas, mercadotecnia, docencia o redacción o escritura deberías tener un buen mes; hay mucho poder en tu tercera casa a partir del 23. Si eres estudiante aun no universitario te concentras en tus estudios y tienes éxito. Este es un excelente periodo para ver la posibilidad de comprar un coche o un equipo de comunicación (explora, haz el estudio, infórmate, pero no compres). Tienes buen criterio para estas cosas en este periodo.

Noviembre

Mejores días en general: 2, 3, 11, 12, 21, 22, 29, 30
Días menos favorables en general: 9, 10, 16, 17, 23, 24
Mejores días para el amor: 4, 5, 6, 7, 8, 14, 15, 16, 17, 23, 24, 25, 26
Mejores días para el dinero: 4, 5, 8, 14, 15, 19, 23, 24, 27
Mejores días para la profesión: 1, 9, 10, 19, 20, 23, 24, 27, 28

Este es un mes novedoso, Virgo. Ocurren muchos cambios, pero principalmente en el plano interior; los efectos externos los verás más adelante.

Este mes está muy poderoso el lado noche (la mitad inferior) de tu carta; el poder planetario está agrupado en el nadir (el punto más bajo). A esto se suma que Mercurio, tu planeta de la profesión, pasa el mes en tu cuarta casa, muy lejos de su casa. El 8 Júpiter entra en tu cuarta casa (tránsito muy, muy importante). Esto indica, como hemos dicho en las previsiones para el año, la expansión del círculo familiar, una mudanza u obras de renovación en la casa y experiencias felices en el hogar y la familia. El 22 entra también el Sol en tu cuarta casa. Por lo tanto, es en ella donde está la acción este mes. Puedes tranquilamente dejar estar los asuntos profesionales (o ponerlos en un segundo plano). Tu misión en este periodo está en el hogar y la familia.

Los hermanos y figuras fraternas han tenido un año próspero y la prosperidad aumentará en los doce próximos meses (pero en especial a partir del 22 de este mes). Me parece que te involucras en sus asuntos.

Los hijos y las figuras filiales comienzan un año muy espiritual; han tenido las cosas difíciles este año y necesitan «ayuda de arriba»; afortunadamente esta está muy disponible ahora.

El amor se va enderezando, poco a poco. El mes pasado los dos planetas relacionados con el amor estaban en movimiento retrógrado; este mes retoman el movimiento directo: el 16 lo retoma Venus (el planeta del amor genérico), y el 25 lo retoma Neptuno, tu planeta del amor. Así pues, hay claridad, lo más importante; con claridad tomamos las decisiones correctas. Marte entra en tu séptima casa el 16 y continúa en ella el resto del mes; esto complica la vida amorosa; si logras evitar los escollos (ira, lucha de poder, querer dominar) las cosas se pueden solucionar; si no, la relación está con problemas.

Urano, tu planeta de la salud, vuelve a Aries el 16, en movimiento retrógrado. Durante este periodo evita tomar decisiones importantes en la salud y en el trabajo; analiza más las cosas. Con tu planeta de la salud nuevamente en Aries, fortalece la salud de las maneras indicadas en las previsiones para el año. Después del 22 la salud necesita más atención.

Diciembre

Mejores días en general: 9, 10, 18, 19, 27, 28
Días menos favorables en general: 6, 7, 14, 15, 21, 22
Mejores días para el amor: 2, 3, 4, 5, 14, 15, 23, 24, 31
Mejores días para el dinero: 2, 3, 6, 14, 15, 16, 23, 24, 26, 29, 30
Mejores días para la profesión: 4, 5, 14, 21, 22, 23, 24

Este mes sigue muy poderosa tu cuarta casa, la del hogar y la familia. Presta más atención a los asuntos familiares y domésticos; este es un periodo familiar, puedes dejar estar los asuntos profesionales por un tiempo.

La cuarta casa es el punto más bajo de tu carta; simboliza la medianoche, la parte más profunda de la noche; el cuerpo está pasivo pero en el interior hay mucha actividad; el cuerpo se está preparando para las actividades del día siguiente. Este es, pues, un periodo para trabajar en los objetivos mediante métodos interiores: meditación, visualización y sueños. Imagínate que estás en la situación en que deseas estar en la profesión, en el amor, y en la vida financiera. Imagínate tu cuerpo tal como lo deseas; no hagas caso del espejo ni de tus circunstancias actuales. Retén tu imagen. Entra, lo mejor que puedas, en el sentimiento de ser lo que representa esa imagen y mantenlo todo el tiempo posible. Repite esto cada noche, o cuando tengas momentos libres. Cuando te venga el sentimiento, puedes dar por conseguidos los objetivos. Esto debe ocurrir, por la ley espiritual. El cómo ocurre no es asunto tuyo, es asunto de un Poder Superior.

Este es un mes para hacer progreso psíquico; la psique está muy activa en este periodo, y muy asequible para ti. Surgen recuerdos que a la conciencia podrían parecerle al azar pero que dan mensajes profundos acerca de tu situación actual. Observa esos recuerdos; escríbelos; míralos desde tu perspectiva actual. Muchos van a perder su poder sobre ti cuando los veas en lo que son. Cuando reinterpretamos cosas del pasado, las ponemos en la perspectiva correcta, cambian el pasado, por así decirlo. Lo que sea que ocurrió, ocurrió, pero lo vemos bajo una luz diferente. Esto es una terapia fabulosa.

Las finanzas se ven bien este mes. Venus retomó el movimiento directo el 16 del mes pasado, así que el juicio financiero es bueno, realista. El 2 Venus entra en Escorpio, tu tercera casa; esto señala la importancia de las ventas, la mercadotecnia, las relaciones públicas y la publicidad, sea cual sea tu trabajo. Indica oportunidades financieras en el barrio, cerca de casa. Los vecinos, hermanos o figuras fraternas tienen un papel importante en tu vida financiera. Hay oportunidades de hacer beneficios de la compraventa.

Marte sigue en tu séptima casa, todo el mes. Evita las luchas de poder innecesarias con el ser amado.

Libra

♎

La Balanza

Nacidos entre el 23 de septiembre y el 22 de octubre

Rasgos generales

LIBRA DE UN VISTAZO

Elemento: Aire

Planeta regente: Venus
Planeta de la profesión: la Luna
Planeta de la salud: Neptuno
Planeta del amor: Marte
Planeta del dinero: Plutón
Planeta del hogar y la vida familiar: Saturno
Planeta de la suerte: Mercurio

Colores: Azul, verde jade
Colores que favorecen el amor, el romance y la armonía social: Carmín, rojo, escarlata
Colores que favorecen la capacidad de ganar dinero: Borgoña, rojo violáceo, violeta

Piedras: Cornalina, crisolita, coral, esmeralda, jade, ópalo, cuarzo, mármol blanco

Metal: Cobre

Aromas: Almendra, rosa, vainilla, violeta

Modo: Cardinal (= actividad)

Cualidades más necesarias para el equilibrio: Sentido del yo, confianza en uno mismo, independencia

Virtudes más fuertes: Buena disposición social, encanto, tacto, diplomacia

Necesidades más profundas: Amor, romance, armonía social

Lo que hay que evitar: Hacer cosas incorrectas para ser aceptado socialmente

Signos globalmente más compatibles: Géminis, Acuario

Signos globalmente más incompatibles: Aries, Cáncer, Capricornio

Signo que ofrece más apoyo laboral: Cáncer

Signo que ofrece más apoyo emocional: Capricornio

Signo que ofrece más apoyo económico: Escorpio

Mejor signo para el matrimonio y/o las asociaciones: Aries

Signo que más apoya en proyectos creativos: Acuario

Mejor signo para pasárselo bien: Acuario

Signos que más apoyan espiritualmente: Géminis, Virgo

Mejor día de la semana: Viernes

La personalidad Libra

En el signo de Libra la mente universal (el alma) expresa el don de la relación, es decir, el poder para armonizar diversos elementos de modo unificado y orgánico. Libra es el poder del alma para expresar la belleza en todas sus formas. Y ¿dónde está la belleza si no es dentro de las relaciones? La belleza no existe aislada; surge de la comparación, de la correcta relación de partes diferentes. Sin una relación justa y armoniosa no hay belleza, ya se trate de arte, modales, ideas o asuntos sociales o políticos.

Los seres humanos tenemos dos facultades que nos elevan por encima del reino animal. La primera es la facultad racional, como se expresa en los signos de Géminis y Acuario. La segunda es la facultad estética, representada por Libra. Sin sentido estético seríamos poco más que bárbaros inteligentes. Libra es el instinto o impulso civilizador del alma.

La belleza es la esencia de lo que son los nativos de Libra. Están aquí para embellecer el mundo. Podríamos hablar de la buena disposición social de este signo, de su sentido del equilibrio y del juego limpio, de su capacidad de ver y amar el punto de vista de los demás, pero eso sería desviarnos de su bien principal: su deseo de belleza.

Nadie existe aisladamente, no importa lo solo o sola que parezca estar. El Universo es una vasta colaboración de seres. Los nativos de Libra, más que la mayoría, lo comprenden y comprenden las leyes espirituales que hacen soportables y placenteras las relaciones.

Un nativo de Libra es un civilizador, armonizador y artista inconsciente, y en algunos casos consciente. Este es el deseo más profundo de los Libra y su mayor don. Por instinto les gusta unir a las personas, y están especialmente cualificados para hacerlo. Tienen el don de ver lo que puede unir a la gente, las cosas que hacen que las personas se atraigan en lugar de separarse.

Situación económica

En materia económica, muchas personas consideran a los nativos de Libra frívolos e ilógicos, porque parecen estar más interesados en ganar dinero para otros que para ellos mismos. Pero esta actitud tiene una lógica. Los Libra saben que todas las cosas y personas están relacionadas, y que es imposible ayudar a alguien a prosperar sin prosperar también uno mismo. Dado que colaborar para aumentar los ingresos y mejorar la posición de sus socios o su pareja va a fortalecer su relación, Libra decide hacerlo. ¿Qué puede ser más agradable que estrechar una relación? Rara vez nos encontraremos con un Libra que se enriquezca a expensas de otra persona.

Escorpio es el signo que ocupa la segunda casa solar de Libra, la del dinero, lo cual da a este signo una perspicacia no habitual en asuntos económicos y el poder de centrarse en ellos de un modo aparentemente indiferente. De hecho, muchos otros signos acuden a Libra para pedirle consejo y orientación en esta materia.

Dadas sus dotes sociales, los nativos de Libra suelen gastar grandes sumas de dinero invitando a los demás y organizando acontecimientos sociales. También les gusta pedir ayuda a otros cuando la necesitan. Harán lo imposible por ayudar a un amigo en desgracia, aunque tengan que pedir un préstamo para ello. Sin embargo, también tienen mucho cuidado en pagar todas sus deudas y procuran que jamás haya necesidad de recordárselo.

Profesión e imagen pública

En público a los Libra les gusta parecer paternales. Sus amigos y conocidos son su familia, y ejercen el poder político de manera paternal. También les gustan los jefes que son así.

Cáncer está en la cúspide de su casa diez, la de la profesión, por lo tanto, la Luna es su planeta de la profesión. La Luna es con mucho el planeta más rápido y variable del horóscopo; es el único entre todos los planetas que recorre entero el zodiaco, los 12 signos, cada mes. Nos da una clave importante de la manera como los Libra enfocan su profesión y también de algunas de las cosas que necesitan hacer para sacar el máximo rendimiento de su potencial profesional. La Luna es el planeta de los estados de ánimo y los sentimientos, y los Libra necesitan una profesión en la cual tengan libertad para expresar sus emociones. Por eso muchos se dedican a las artes creativas. Su ambición crece y mengua como la Luna. Tienden a ejercer el poder según su estado de ánimo.

La Luna «rige» las masas, y por eso el mayor objetivo de los Libra es obtener una especie de aplauso masivo y popularidad. Los que alcanzan la fama cultivan el amor del público como otras personas cultivan el cariño de un amante o amigo. En su profesión y sus ambiciones, los Libra suelen ser muy flexibles, y muchas veces volubles. Por otro lado, son capaces de conseguir sus objetivos de muchas y diversas maneras. No se quedan estancados en una sola actitud ni en una sola manera de hacer las cosas.

Amor y relaciones

Los nativos de Libra expresan su verdadero genio en el amor. No podríamos encontrar una pareja más romántica, seductora y justa que una persona Libra. Si hay algo que con seguridad puede destruir una relación, impedir el flujo de la energía amorosa, es la injusticia o el desequilibrio entre amante y amado. Si uno de los dos miembros de la pareja da o recibe demasiado, seguro que en uno u otro momento surgirá el resentimiento. Los Libra tienen mucho cuidado con esto. Si acaso, podrían pecar por el lado de dar más, jamás por el de dar menos.

Si estás enamorado o enamorada de una persona Libra, procura mantener vivo el romance. Preocúpate de las pequeñas atenciones y los detalles: cenas iluminadas con velas, viajes a lugares exóticos, flores y obsequios. Regálale cosas hermosas, aunque no necesariamente tienen que ser caras; envíale tarjetas; llámala por teléfono con regularidad aunque no tengas nada especial que decirle. Los detalles son muy importantes. Vuestra relación es una obra de arte: hazla hermosa y tu amor Libra lo apreciará. Si además muestras tu creatividad, lo apreciará aún más, porque así es como tu Libra se va a comportar contigo.

A los nativos de Libra les gusta que su pareja sea dinámica e incluso voluntariosa. Saben que esas son cualidades de las que a veces ellos carecen y por eso les gusta que su pareja las tenga. Sin embargo, en sus relaciones sí que pueden ser muy dinámicos, aunque siempre de manera sutil y encantadora. La «encantadora ofensiva» y apertura de Gorbachov a fines de la década de 1980, que revolucionó a la entonces Unión Soviética, es típica de un Libra.

Los nativos de este signo están resueltos a hechizar al objeto de su deseo, y esta determinación puede ser muy agradable si uno está en el puesto del receptor.

Hogar y vida familiar

Dado que los Libra son muy sociales, no les gustan particularmente las tareas domésticas cotidianas. Les encanta que su casa esté bien organizada, limpia y ordenada, que no falte nada de lo necesario, pero los quehaceres domésticos les resultan una carga, una de las cosas desagradables de la vida, que han de hacerse cuanto más rápido mejor. Si tienen dinero suficiente, y a veces aunque no lo tengan, prefieren pagar a alguien para que les haga las tareas domésticas. Pero sí les gusta ocuparse del jardín y tener flores y plantas en casa.

Su casa será moderna y estará amueblada con excelente gusto. Habrá en ella muchas pinturas y esculturas. Dado que les gusta estar con amigos y familiares, disfrutan recibiéndolos en su hogar y son muy buenos anfitriones.

Capricornio está en la cúspide de su cuarta casa solar, la del hogar y la familia. Sus asuntos domésticos los rige pues Saturno, el planeta de la ley, el orden, los límites y la disciplina. Si los Libra desean tener una vida hogareña feliz, deberán desarrollar algunas de las cualidades de Saturno: orden, organización y disciplina. Al ser tan creativos y necesitar tan intensamente la armonía, pueden tender a ser demasiado indisciplinados en su casa y demasiado permisivos con sus hijos. Un exceso de permisividad no es bueno: los niños necesitan libertad, pero también límites.

Horóscopo para el año 2018*

Principales tendencias

Este año hay bueno y malo. En primer lugar lo bueno: Urano sale de su alineación desfavorable contigo, que ha durado siete años; este año estará en alineación desfavorable sólo la mitad del tiempo más o menos. Si naciste en la primera parte del signo, del 23 de septiembre al 2 de octubre, no notarás esta influencia. Este cambio no sólo es positivo para la salud sino que también comenzará a estabilizar la vida amorosa y social. Volveremos a este tema.

Júpiter pasa la mayor parte del año en tu casa del dinero, por lo tanto este año va a ser muy próspero. Hablaremos más de esto.

El 8 de noviembre Júpiter entra en tu tercera casa, la de la comunicación y los intereses intelectuales. Este tránsito es excelente si eres estudiante no universitario, si eres profesor, escritor, orador, periodista, trabajas en ventas y mercadotecnia; mejora la capacidad y la habilidad. Si eres estudiante tienes éxito en tus estudios.

Neptuno lleva varios años en tu sexta casa, la de la salud, y continuará en ella varios años más. Esto indica la importancia de los pies, y la importancia de las técnicas de curación espiritual. Volveremos a este tema.

Ahora bien, lo malo (no malo, en realidad, sino difícil): desde fines de diciembre del año pasado Saturno está en alineación des-

---

* Las previsiones de este libro se basan en el Horóscopo Solar y todos los signos que derivan de él; tu Signo Solar se convierte en el Ascendente, y las casas se numeran a partir de él. Tu horóscopo personal, el trazado concretamente para ti (según la fecha, hora y lugar exactos de tu nacimiento) podrían modificar lo que decimos aquí. Joseph Polansky

favorable contigo; Urano sale de este aspecto desfavorable, pero lo reemplaza Saturno. Por lo tanto, este año sigue siendo necesaria la atención a la salud. Hablaremos más de esto.

La entrada de Saturno en tu cuarta casa afecta a la familia. Es muy probable que tengas que contender con responsabilidades familiares extras. En cuanto a lo emocional, sientes temor de expresar lo que sientes; esto podría llevar a represión y tal vez a depresión. Son muchas las cosas que puedes hacer al respecto. Hablaremos de esto más adelante.

Este año tenemos tres eclipses solares —normalmente son dos—. Dado que el Sol rige tu casa once, la de las amistades, esto indica turbulencia (dramas de aquellos que cambian la vida) en la vida de personas amigas. También podría ser necesario reemplazar ordenadores y aparatos de alta tecnología. Esto lo trataremos con más detalles en las previsiones mes a mes.

Las facetas de mayor interés para ti este año son: las finanzas (hasta el 8 de noviembre); la comunicación y las actividades intelectuales (a partir del 8 de noviembre); el hogar y la familia; la salud y el trabajo; el amor y el romance (hasta el 16 de mayo y luego a partir del 6 de noviembre); la sexualidad, los estudios ocultos, la transformación personal (del 16 de mayo al 6 de noviembre).

Los caminos hacia tu mayor realización o satisfacción este año son: las finanzas (hasta el 8 de noviembre); la comunicación y los intereses intelectuales (a partir del 8 de noviembre); las amistades, los grupos y las actividades de grupo (hasta el 17 de noviembre); la profesión (a partir del 17 de noviembre).

Salud

(Ten en cuenta que esta es una perspectiva astrológica de la salud, no una médica. Antaño no había ninguna diferencia, ambas eran idénticas, pero en esta época podrían diferir muchísimo. Para una perspectiva médica, por favor, consulta a tu médico o a otro profesional de la salud.)

Como hemos dicho, este año sigue siendo necesario estar atento a la salud; Urano sale de su aspecto desfavorable por un tiempo, pero lo reemplaza Saturno. Hay periodos (del 1 de enero al 16 de mayo y a partir del 6 de noviembre) en que estos dos planetas están en aspecto desfavorable. Plutón está en aspecto desfavorable contigo desde 2008, y esta situación continúa este año. Por lo tanto tienes a dos planetas (y a veces tres) en alineación desfavorable contigo. La energía general no está lo mejor que podría estar; tendrás que esforzarte en mantenerla elevada; esta es la primera línea defensiva contra la enfermedad; en muchos casos una buena noche de sueño o una siesta por la tarde, hará más por tu salud que una visita a un profesional.

Lo bueno es que este año está fuerte tu sexta casa, la de la salud. Esto indica atención, significa que estás al tanto; no vas a permitir que problemas pequeños se conviertan en grandes. El peligro sería que no prestaras atención.

Además, como saben nuestros lectores, es mucho lo que se puede hacer para fortalecer la salud y prevenir problemas. Da más atención a las siguientes zonas, que son las vulnerables en tu carta.

El corazón. Este órgano ha sido importante desde 2008, y más aún desde 2011. Te irán bien sesiones de reflexología para trabajar los puntos reflejos. Aprende a reemplazar por fe la preocupación y la ansiedad.

Los riñones y las caderas. Estas zonas son siempre importantes para Libra. Irá bien trabajar los puntos reflejos. Masajes periódicos en las caderas y nalgas deberían formar parte de tu programa de salud; no sólo fortalecen los riñones sino también la parte inferior de la espalda. De vez en cuando, sobre todo si te sientes indispuesto, te conviene hacer una limpieza de los riñones con infusión de hierbas.

Los pies. Estos también son siempre importantes para Libra, ya que el planeta que rige los pies, Neptuno, es tu planeta de la salud. Han sido más importantes desde 2012, cuando Neptuno entró en su signo, tu sexta casa. Masajes periódicos en los pies deberían formar parte de tu programa de salud. Usa zapatos que te calcen bien y no te hagan perder el equilibrio; la comodidad es preferible a la moda; si puedes tener ambas cosas, tanto mejor. Actualmente existen muchos tipos de aparatos para dar masaje a los pies; los hay incluso que dan baño de pies haciendo girar el agua, como en un jacuzzi; esto sería una buena inversión.

Neptuno es el más espiritual de los planetas, y cuando está en Piscis, como ahora, lo es más aún. Por lo tanto, respondes bien a terapias de tipo espiritual: la meditación, la oración, la imposición de manos, el reiki y la manipulación de las energías sutiles. Si te sientes indispuesto, consulta a un terapeuta de orientación espiritual.

Neptuno rige los océanos, y en este periodo transita por un signo de agua. Por lo tanto, tienes una conexión especial con el poder curativo del elemento agua. Desde la perspectiva salud te irá muy bien pasar un tiempo junto al agua: mar, río, lago. Los deportes acuáticos, como la natación, el remo, el esquí acuático y otros son ejercicios saludables. Si te sientes indispuesto, toma un baño de una hora más o menos en una bañera y te sentirás mucho mejor.

Hogar y vida familiar

Esta faceta ha sido importante durante muchos años, desde que Plutón entró en tu cuarta casa en 2008; este año es más importante aún: Plutón continúa en ella y se le ha reunido Saturno. En general, tu cuarta casa es con mucho la más fuerte del horóscopo, y también la que ofrece más retos.

Con la presencia de Plutón en tu cuarta casa tantos años, ha habido muertes en la familia; algunas han sido, sin duda, muertes en sentido figurado, como la ruptura o cambio del círculo familiar, y alguna literal, la muerte de un familiar; o tal vez algún familiar ha pasado por una intervención quirúrgica o una experiencia de casi muerte. Se ha estado produciendo una desintoxicación de la vida familiar y doméstica, y estas cosas son algunos de los «efectos secundarios». Lo creas o no, estás dando a luz a tu vida familiar ideal, a la idea Divina de cómo debe ser la familia y el hogar. El proceso del parto rara vez es fácil, por lo general hay mucha sangre, pero el resultado final es bueno.

Plutón en tu cuarta casa también ha traído obras importantes de reparación o renovación en la casa, y este año podría haber más.

Saturno, ahora en tu cuarta casa, indica reorganización de la vida familiar y doméstica, un proceso de reestructuración para hacerla más sana. Este aspecto no favorece una mudanza, sino que indica la necesidad de aprovechar mejor el espacio que tienes. Si consideras que tienes poco espacio en la casa, lo que es muy posible, la solución es distribuir las cosas de otra manera; haciendo esto verás que tienes todo el espacio que necesitas. El próximo año hay más probabilidades de mudanza, aunque no parece ser algo fácil.

Saturno en tu cuarta casa indica que asumes más responsabilidad en la casa y con los familiares. Esto vale también para un progenitor o figura parental; esta persona se ve exageradamente pesimista, todo lo ve negro, y esto afecta a la familia.

Habrá una tendencia a llevar el hogar y la familia de modo empresarial, como si fuera una empresa. Si bien con esto se consigue eficiencia y orden (un poco de esto es bueno) produce una sensación de frialdad en los familiares, un desagrado que quita el entusiasmo en la vida familiar. La familia va de amor y apoyo incondicionales; la relación familiar trasciende la relación de empresa.

Plutón es tu planeta del dinero; su posición en tu cuarta casa indica que gastas más en la casa y la familia, inviertes en esto. Indicaría también ingreso de dinero procedente de familiares y conexiones familiares, y buen apoyo familiar.

La presencia del planeta del dinero en la cuarta casa favorece el hacer dinero desde la casa, desde una oficina en casa o una empresa o negocio con sede en la casa; tu casa es al mismo tiempo hogar y oficina. Este año tal vez compres un equipo de oficina o trabajo para la casa.

Las obras de reparación o renovación pueden ocurrir en cualquier momento del año (en especial deberías comprobar el estado en que se encuentran las tuberías), pero si tienes libertad para hacerlas el mejor periodo es del 17 de marzo al 16 de mayo. Si deseas redecorar o embellecer la casa, es bueno el periodo del 1 al 20 de enero.

Es posible que este año se mude algún hermano o figura fraterna: la oportunidad está.

Un progenitor o figura parental podría haberse mudado muchas veces estos últimos años, y podría volver a hacerlo este año. Pero esta persona ya se está disponiendo a una mayor estabilidad; ha acabado la inquietud por residir en uno y otro lugar.

Profesión y situación económica

El año pasado, cuando tenías a Júpiter en tu signo, fue un año financiero fuerte; este año es mejor aún. Como hemos dicho, Júpiter pasa la mayor parte del año en tu casa del dinero; esto es una señal astrológica clásica de prosperidad y buena suerte. Indica más ingresos; indica que los bienes que posees aumentan de valor. Si tienes cartera de acciones, descubrirás que aumentan de valor. Dado que Júpiter rige tu tercera casa, la de la comunicación y los intereses intelectuales, vale más tu propiedad intelectual (ideas, escritos, charlas, discursos, etcétera).

Júpiter no sólo aumenta los ingresos sino que también trae felices oportunidades financieras.

Si eres inversor, esta posición favorece los sectores telecomunicación, transportes y medios; también favorece los establecimientos educacionales de pago. Y también la compra y venta al por menor.

Y aunque no seas inversor también son buenos la venta, la compra, el comercio en general y la venta al detalle.

Júpiter también aporta otras cosas. Hay enormes fe y optimismo financieros. Hace muchos años apareció el libro *Your faith es your fortune*, de Neville Goddard,* Eso es lo que te ocurre a ti este año. Tendrás ideas inspiradas y una maravillosa intuición financiera (Neptuno le forma aspectos hermosos a Júpiter la mayor parte del año). Muchas veces no es dinero lo que necesitamos sino una idea, una solución. Y esto lo tendrás en abundancia.

Plutón, tu planeta del dinero, lleva muchos años en tu cuarta casa; de esto ya hemos dicho algo. Tienes, pues, buen sentido para las empresas inmobiliarias y alimentarias, hoteles, restaurantes y las industrias que proveen al hogar.

Favorece la empresa de tipo familiar; esto podría ser una empresa de la familia o una que se lleva en un ambiente de tipo familiar. Indica, como hemos dicho, ingresos desde la casa, de una oficina en casa o una empresa con sede en la casa. También gastas más en la casa y la familia.

Este es un año fuerte en las finanzas, pero no especialmente fuerte en la profesión. La profesión simplemente no es muy importante; la riqueza es más importante que la posición, prestigio o reconocimiento profesional. Algunos años son así. El Cosmos siempre apunta a un desarrollo equilibrado, por lo que a lo largo de la vida se da más importancia a diferentes facetas.

Este año hay dos eclipses lunares (el número normal) y estos siempre producen cambios y «medidas correctivas» en la profesión. También hay un eclipse solar en tu décima casa, el 13 de julio, el que produce más de lo mismo. Esto lo trataremos en las previsiones mes a mes.

Tu planeta de la profesión es la Luna, el planeta de movimiento más rápido. Mientras los demás planetas rápidos (el Sol, Venus y Mercurio) necesitan un año para transitar por todos los signos

---

* Hay versión en castellano: *La fe es tu fortuna*, Obelisco, Barcelona, 2008.

y casas, la Luna transita por todos cada mes. Hay, por lo tanto, muchas tendencias de corto plazo en la profesión que dependen de dónde está la Luna y de los aspectos que recibe. Estas tendencias es mejor tratarlas en las previsiones mes a mes.

Amor y vida social

Urano, el planeta de los cambios repentinos, de los cambios revolucionarios, ya lleva siete años en tu séptima casa. Es posible que hayas pasado por un divorcio, separación o ruptura de relaciones amorosas. Si estás soltero o soltera, este aspecto no ha sido favorable para el matrimonio. Afortunadamente, esto cambia este año. Urano estará fuera de tu séptima casa del 16 de mayo al 6 de noviembre.

Urano continúa siendo un factor importante más o menos la mitad del año, pero ya casi ha terminado su trabajo y comienza a estabilizarse la vida amorosa y social. Las relaciones serias, comprometidas, tienen más posibilidades de sobrevivir.

No creo que te cases este año (el próximo será mucho mejor para eso), pero habrá más estabilidad en el amor.

Los siete años pasados te han atraído personas «no serias», personas rebeldes. Sin duda eran genios, pero no personas interesadas en comprometerse; me parece que todas deseaban libertad personal.

Ahora ya te sientes más o menos cómodo con los cambios sociales repentinos y con la inseguridad que producen; esta ha sido la finalidad de Urano.

El amor no va a ser tan emocionante como lo ha sido estos siete años, pero será más estable.

Si estás soltero o soltera, este año no se ven probabilidades de boda, como hemos dicho, pero saldrás en citas y lo pasarás bien, te divertirás; Marte, tu planeta del amor, pasa un periodo extraordinariamente largo en Acuario, tu quinta casa. Contando sus entradas y salidas, estará casi cinco meses en esta casa. Esto indica una aventura amorosa, no matrimonio, y muy complicada.

Si estás en el segundo matrimonio o con miras a casarte por segunda vez, tienes un año sin novedades ni cambios en tu situación. Si estás en el tercer matrimonio o con miras a uno, tu relación pasará por pruebas; tres eclipses solares se encargarán de eso; si el matrimonio o la relación es bueno, sobrevivirá. Si estás con miras a un cuarto matrimonio, no deberías casarte todavía.

Marte, tu planeta del amor, hace movimiento retrógrado este año (lo hace cada dos años) del 26 de junio al 27 de agosto; este no es un periodo para tomar decisiones importantes en el amor, ni en uno ni otro sentido; es un periodo para adquirir claridad.

Veo muchos trastornos y turbulencias en las amistades también; cuatro de los cinco eclipses afectan a la amistad. Esto indica que personas amigas pasan por experiencias de aquellas que cambian la vida, y esto podría afectar a tu relación con ellas.

Progreso personal

Con la entrada de Urano en tu octava casa inicias un periodo de experimentación sexual. Esto no es bueno ni malo, todo depende de cómo lo lleves. Por un lado, salen por la ventana todos los viejos libros de reglas (los síes y los noes) y te enteras de lo que te va bien mediante ensayo y error, experimentando. Y en realidad, dado que cada persona está «diseñada» de una manera única, no se pueden hacer reglas universales acerca de esto; cada persona va viendo qué funciona, qué le da resultados. Por otro lado, a veces se puede exagerar en la experimentación, y entonces esta es destructiva; esto hay que evitarlo.

Es posible que estés trabajando en la transformación personal; es una tendencia en este periodo. En esto eres aún más experimental.

Saturno estará en tu cuarta casa todo el año. Ya hemos hablado de los efectos físicos que tendrá esto. Pero esta posición tiene un efecto enorme en tu vida emocional, en tu estado de ánimo y sentimientos de cada día. Tu cuarta casa no tiene que ver solamente con dónde vives físicamentre sino con dónde vives emocionalmente. Ocurre, pues, una reorganización de la vida emocional. Vas a aprender a controlar tus estados de ánimo tal como controlas tus circunstancias físicas. Nunca ha sido la intención que las personas sean «víctimas» de sus estados de ánimo o de sus emociones. Los estados anímicos y las emociones están para servirnos.

En este proceso de controlar las emociones, y el Cosmos organizará las cosas para que este sea necesario, suelen cometerse errores. Para muchas personas, controlar significa reprimir, ahogar los verdaderos sentimientos. (Como hemos dicho, muchas veces esto se debe a que nos sentimos inseguros, tenemos miedo de expresarlas.) Esto no puede durar mucho tiempo; es como intentar detener los movimientos del vientre; se puede hacer durante un tiempo, pero tarde o temprano viene el movimiento, que será mucho más fuerte de lo que habría sido. Y no sólo eso, reprimirse de expresar los sentimientos puede causar muchos otros problemas, depresión e incluso una enfermedad física.

Lo que se necesita es una manera sana, sin riesgos, de expresar los sentimientos. Una opción podría ser consultar con un psicoterapeuta entrenado; o recurrir a medicamentos, que no curan nada sino que son simplemente una forma científica de represión; otra podría ser hablar con un buen amigo.

En ausencia de estas cosas, están los instrumentos espirituales. Puedes escribir en un papel los sentimientos negativos o hablarlos grabándolos en una grabadora. Lo dices todo, no te guardas nada. Pasada una media hora más o menos, la energía del sentimiento se ha agotado; entonces rompes el papel o borras lo que has grabado. No leas lo que escribiste ni escuches lo que grabaste; considéralo «fuera del organismo», como si hubiera sido un movimiento de vientre psíquico. En mi libro *A technique for meditation* ofrecemos otras formas de librarse de sentimientos indeseados (capítulos 2 y 3).

La curación espiritual ha estado fuerte en tu carta desde hace varios años. Ha sido de gran interés. Vas profundizando en ella más y más. Ya entiendes mucho, pero siempre hay más por aprender.

Lo importante en la curación espiritual es reconocer que no hay otra fuerza curativa aparte de lo Divino. Esto no significa que un médico o terapeuta no pueda servir de ayuda; sólo significa que en primer lugar buscas la curación en lo Divino. La Divinidad cura directamente o a través de terapeutas o médicos. Lo importante es estar receptivo a la intuición momento a momento.

Previsiones mes a mes

Enero

Mejores días en general: 8, 9, 17, 18, 19, 27, 28
Días menos favorables en general: 1, 2, 15, 16, 22, 23, 29, 30
Mejores días para el amor: 1, 2, 5, 6, 10, 11, 15, 16, 20, 21, 22, 23, 27, 28
Mejores días para el dinero: 1, 2, 5, 6, 10, 11, 15, 16, 20, 21, 25, 26, 29, 30
Mejores días para la profesión: 1, 2, 5, 6, 15, 16, 27, 28, 29, 30

Comienzas el año con el sector occidental o social de tu carta dominante; este es tu sector favorito. Mientras a otras personas no les resulta agradable centrar la atención en las relaciones y los intereses de los demás, tú sobresales en esto. No hace falta darte charlas sobre el consenso y sobre conseguir los fines mediante la colaboración; lo sabes todo sobre esto y podrías darnos clases.

Aunque tu cima financiera anual llegará más avanzado el año, este mes van bien las finanzas. Júpiter estará en tu casa del dinero hasta el 8 de noviembre. Marte, tu planeta del amor, está en tu casa del dinero hasta el 27. Tienes, pues, muy centrada la atención en esto, y eso es el 90 por ciento del éxito. Marte en la casa del dinero indica que en tu vida financiera cuentas con la colaboración de amistades y contactos sociales. También indica el apoyo del cónyuge, pareja o ser amado actual. Con este tipo de aspecto a veces se presentan oportunidades para formar una sociedad de negocios o una empresa conjunta.

Este mes tienes la carta de la persona a la que le gusta hacer negocio con personas amigas, con las que hace vida social; también te gusta relacionarte de manera amigable con las personas con las que haces negocio. Gran parte de la actividad social de este mes está relacionada con negocios o trabajo.

Si estás soltero o soltera y sin compromiso este aspecto indica que te atrae la riqueza. La riqueza, los regalos materiales y el apoyo económico son estimulantes románticos en este periodo. Las oportunidades románticas se presentan cuando estás atendiendo a tus objetivos financieros o con personas relacionadas con tus finanzas. Del 8 al 10 Venus viaja con tu planeta del dinero; esto indica que llega un bonito día de paga y oportunidades financieras. También el Sol viaja con Plutón esos días, lo que refuerza lo dicho.

Este mes es necesaria más atención a la salud, en especial hasta el 20; fortalece la salud de las maneras explicadas en las previsiones para el año.

El 31 hay un eclipse lunar que ocurre en tu casa once, la de las amistades, y pone a prueba estas relaciones. A veces causa dramas en la vida de personas amigas, los que complican la relación. También pasan por pruebas los aparatos de alta tecnología; no te asustes si tu ordenador o teléfono inteligente comienza a actuar de forma errática. También podría haber cambios en la profesión. Un progenitor o figura parental tiene que hacer cambios importantes en sus finanzas.

Febrero

Mejores días en general: 4, 5, 14, 15, 23, 24
Días menos favorables en general: 11, 12, 19, 25, 26
Mejores días para el amor: 4, 5, 9, 10, 16, 19, 20, 25, 26, 27, 28
Mejores días para el dinero: 2, 3, 6, 7, 11, 12, 16, 17, 21, 22, 25, 26
Mejores días para la profesión: 4, 5, 14, 15, 25, 26

Cuando el 20 del mes pasado entró el Sol en tu quinta casa (Venus entró el 18) comenzaste una de tus cimas de placer personal. Este es un mes de diversión. El 15 hay un eclipse solar que también ocurre en tu quinta casa, así que diviértete, pero sin correr riesgos. Cuando programan actividades de ocio las personas tienden a viajar. Pero este eclipse hace impacto en los dos planetas que rigen los viajes: Mercurio y Júpiter. Procura, entonces, no viajar durante el periodo de este eclipse. También te conviene no conducir, a no ser que sea necesario; si lo es, conduce con más prudencia.

El eclipse solar del 15 afecta a los hijos y figuras filiales de tu vida; deberán reducir sus actividades durante este periodo; no tienen ninguna necesidad de actividades estresantes o temerarias. Un progenitor o figura parental se ve obligado a hacer cambios financieros importantes. Los hermanos y figuras fraternas también deben conducir con más prudencia. Los hijos y figuras filiales se ven obligados a redefinirse, obligados a crearse una imagen mejor; este será un proceso de unos seis meses; cambiarán la manera de vestirse, el corte de pelo y, en general, presentarán una nueva apariencia ante el mundo; si no han tenido cuidado en los asuntos dietéticos podrían experimentar una desintoxicación física. También pasan por pruebas las amistades (el planeta eclipsado, el Sol, rige tu casa once, la de las amistades). También pasa por pruebas el equipo de alta tecnología, y a veces es necesario repararlo o reemplazarlo.

Pero, en esencia, este eclipse es benigno contigo (sobre todo si lo comparas con otros del pasado); sólo es molesto.

La salud y la energía son buenas. Teniendo a tres planetas lentos en aspecto desfavorable todo el año, siempre necesitas estar atento, pero este es uno de tus mejores periodos. Si te sientes indispuesto, fortalece la salud de las maneras explicadas en las previsiones para el año.

Tu planeta del amor, Marte, pasa el mes en tu tercera casa. Si estás soltero o soltera y sin compromiso, el amor está cerca de casa, en el barrio; tu barrio, tal como es, tiene más atractivo y romance que el mejor balneario del mundo; las oportunidades amorosas se presentan en funciones educacionales, en el colegio o en funciones del colegio, en charlas y seminarios, tal vez en la biblioteca o la librería. En este periodo te atrae el don de labia; la compatibilidad intelectual, el buen intercambio de ideas son excitantes románticos.

Marzo

Mejores días en general: 3, 4, 13, 14, 22, 23, 31
Días menos favorables en general: 10, 11, 12, 18, 19, 24, 25
Mejores días para el amor: 8, 9, 18, 19, 20, 26, 27, 29, 30
Mejores días para el dinero: 1, 2, 6, 7, 10, 11, 12, 15, 16, 17, 20, 21, 24, 25, 29, 30
Mejores días para la profesión: 6, 7, 16, 17, 24, 25, 26

La entrada de Marte en tu cuarta casa el 17 tiene muchos significados para ti. Afecta desfavorablemente a la salud. Después del 20 hay muchos planetas en alineación desfavorable contigo (el 70 por ciento) así que a partir de esta fecha tómate las cosas con calma; lo importante, como siempre, es descansar lo suficiente; la falta de energía es la enfermedad primordial; te deja vulnerable a todo tipo de cosas. Deja estar las trivialidades y centra la atención en lo esencial; haz lo mejor que puedas cada día y niégate a preocuparte; puede que la preocupación no te lleve al infierno propiamente tal pero sí te llevará a sus puertas. Fortalece la salud de las maneras indicadas en las previsiones para el año. Te irá bien programar más masajes o pasar un tiempo en un balneario de salud.

Marte en tu cuarta casa es un aspecto excelente para hacer obras de reparación o renovación en la casa y para proyectos de embellecimiento de la casa; indica más reuniones o fiestas en casa y más vida social con los familiares cercanos y lejanos. También indica un cambio en la actitud en el amor. Hasta el 17 el amor está en el barrio y tal vez con vecinos. Después del 17, el hogar y la familia son el centro para el amor; las oportunidades románticas las presentan familiares o conexiones familiares. El don de labia es menos importante y ahora anhelas intimidad emocional; te gusta la persona con la que puedes hablar de los sentimientos. También hay una tendencia a la nostalgia en el amor, la tendencia a desear revivir el pasado, revivir experiencias agradables. Lógicamente esto es imposible. Podrías perderte los esplendores del presente y de las nuevas y mejores experiencias que te esperan. Con este aspecto muchas veces la persona se encuentra con un viejo amor (o con una persona que le recuerda a un viejo amor, que tiene modales o gestos similares). Normalmente esto no lleva a nada serio pero tiene valor terapéutico. Se resuelven viejos problemas.

El 20, cuando el Sol entra en tu séptima casa, comienzas una cima amorosa y social anual. Entonces la vida social se vuelve hiperactiva. Si estás soltero o soltera tienes oportunidades en este periodo; pero ten presente que Urano en tu séptima casa no es un fabuloso partidario del matrimonio. El 28 y el 29 Venus viaja con Urano, y aumenta tu necesidad de libertad. Si estás en una relación, el ser amado podría considerar esto un exceso de rebeldía.

Las finanzas van mejor antes del 20 que después. Después del 20 tienes que trabajar más por tus ingresos, esforzarte más que de costumbre.

Abril

Mejores días en general: 1, 9, 10, 11, 18, 19, 27, 28
Días menos favorables en general: 7, 8, 14, 15, 21, 22
Mejores días para el amor: 7, 8, 14, 15, 16, 17, 25, 26, 27
Mejores días para el dinero: 2, 3, 7, 8, 12, 13, 16, 17, 21, 22, 25, 26, 29, 30
Mejores días para la profesión: 4, 5, 14, 15, 16, 21, 22, 25

La salud mejora pero sigue necesitando atención. Repasa lo que dijimos el mes pasado. Continúa fortaleciendo la salud de las maneras explicadas en las previsiones para el año. Un buen rato sumergido en la bañera cuando te sientas estresado te relajará el cuerpo y te rejuvenecerá también. Son buenas las hidroterapias.

Después del 20 mejora más la salud. Lo peor ya habrá pasado.

Marte, tu planeta del amor, pasa el mes en tu cuarta casa; repasa lo que hablamos el mes pasado.

Hasta el 20 continúas en una cima amorosa y social anual. Hay, pues, más salidas, más fiestas, más citas. Teniendo a Urano en tu séptima casa todo esto se ve inestable; agradable, placentero, pero sin probabilidades de que llegue a ser algo serio.

Sigues en un año muy próspero pero ahora las finanzas van algo más lentas. Tu planeta del dinero, Plutón, inicia movimiento retrógrado el 22. Júpiter, el ocupante de tu casa del dinero, inició movimiento retrógrado el 9 del mes pasado. Esto no es el fin del mundo, sólo señala la necesidad de más cautela y de hacer una revisión de las finanzas. Las decisiones financieras importantes es mejor tomarlas antes del 22 que después. Dado que estos planetas hacen movimiento retrógrado durante meses, pon más cuidado en los detallitos de las gestiones financieras. Lee la letra pequeña de los contratos, las ofertas de las tarjetas de crédito y las pólizas de seguro; comprueba que has puesto bien la fecha y firmado los talones; comprueba que has escrito bien la dirección en los sobres; si tienes que enviar por correo un documento importante, te conviene enviarlo certificado. De lo que se trata es de no hacer más lentas las cosas de lo que tienen que ser. Guarda todos los recibos; sé todo lo perfecto posible en tus gestiones; de todos modos habrá retrasos y contratiempos, pero no tantos como podría haber.

Lo más importante en los próximos meses es conseguir claridad respecto a tu cuadro y estrategia financieros. Este es un periodo para estudiar las cosas y ser diligente.

Tu octava casa está poderosa todo el mes, pero en especial después del 20. Venus está en tu octava casa hasta el 24; hay, por lo tanto, más atractivo sexual en tu imagen; sencillamente «rezumas» atractivo sexual. En general, la libido está más fuerte también. Este es un periodo muy bueno para hacer regímenes de adelgazamiento y de desintoxicación.

Mayo

Mejores días en general: 7, 8, 16, 17, 24, 25
Días menos favorables en general: 4, 5, 11, 12, 13, 18, 19, 31
Mejores días para el amor: 4, 5, 7, 8, 11, 12, 13, 15, 16, 17, 24, 26
Mejores días para el dinero: 4, 5, 9, 10, 14, 15, 18, 19, 22, 23, 26, 27, 28
Mejores días para la profesión: 4, 5, 14, 15, 18, 19, 24

Si has salido de los dos meses pasados con la salud y la cordura intactas, sin duda has hecho un trabajo fabuloso, ¡felicitaciones! Este mes es infinitamente más fácil que los dos pasados. El 16 Marte y Urano salen de su aspecto desfavorable contigo. Aumenta prodigiosamente la vitalidad (sobre todo si la comparas con la de los meses pasados).

Ahora el poder planetario está en el lado día (la mitad superior) de tu carta. Esto comenzó el 20 de marzo y ahora está en su apogeo. El hogar y la familia siguen siendo muy importantes, pero puedes pasar buena parte de la atención a la profesión y a tus objetivos externos. Para servir verdaderamente a tu familia necesitas tener éxito en tu profesión. Puedes faltar a una obra de teatro o partido de fútbol del colegio, pero no puedes perderte una reunión para un trato o negocio importante. Te veo exitoso este mes, y aún no has llegado a tu cima. Venus, el señor de tu horóscopo, cruza tu medio cielo y entra en tu décima casa el 19 (la Luna también estará en tu décima casa el 19). Esto indica éxito y reconocimiento; indica elevación. Se te respeta y admira; estás por encima de todas las personas de tu mundo. La apariencia y el talante general tienen un papel importante en tu profesión. Necesitas gastar en tu imagen, pero no en exceso. El 31 hay un éxito especial.

Estando fuerte tu octava casa hasta el 21, es buen periodo para actividades de «resurrección». Hay cosas en tu vida, tal vez un negocio, un proyecto, una amistad, que parecen muertas. Ahora es el periodo para devolverles la vida. La resurrección parece algo milagroso, pero es de naturaleza muy normal. Ahora puedes aprovechar más fácilmente su poder.

Este aspecto también es bueno para regímenes de adelgazamiento y de desintoxicación. Libera a tu cuerpo y a tu vida emocional de lo que no le corresponde estar ahí; te sentirás mucho mejor.

La entrada de Urano en tu octava casa el 16 indica una actitud experimental hacia la sexualidad y la expresión sexual. Pareces dispuesto a probarlo todo, a tirar a la basura los síes y noes. Esto va muy bien mientras los experimentos no sean destructivos. También indica que el cónyuge, pareja o ser amado actual entra en un periodo de experimentación en sus finanzas; esta persona arroja por la ventana todos los libros de reglas y aprende lo que le da resultados en las finanzas mediante experimentación, ensayo y error. Muchos conocimientos se obtienen de esta manera.

Junio

Mejores días en general: 3, 4, 12, 13, 20, 21, 22, 30
Días menos favorables en general: 1, 2, 8, 9, 14, 15, 28, 29
Mejores días para el amor: 3, 4, 6, 7, 8, 9, 12, 13, 16, 20, 21, 22, 23, 24, 30
Mejores días para el dinero: 1, 2, 5, 6, 7, 10, 11, 14, 15, 18, 19, 23, 24, 28, 29
Mejores días para la profesión: 3, 4, 12, 13, 14, 15, 23

Este es un mes muy ajetreado, frenético, pero exitoso. A partir del 21 es necesario estar atento a la salud; lo bueno es que la situación no será tan difícil como lo fue en marzo y abril; si pasaste por esos meses, pasarás por este también. De todos modos, procura descansar lo suficiente; tómate ratos de descanso en el trabajo para recargar las pilas. No te permitas cansarte demasiado. Fortalece la salud de las maneras indicadas en las previsiones para el año. Las hidroterapias siguen siendo potentes.

Tu planeta del amor está en tu quinta casa desde el 16 del mes pasado y continúa en ella todo el mes; esto indica otro cambio en el amor y en la actitud hacia el amor; el amor tiene que ser placentero y te atrae la persona con la que puedes pasarlo bien; la persona que te hace pasar un buen rato; la que se ríe y tiene una actitud libre, despreocupada. Esto está muy bien, pero no favorece el romance serio (aunque ahora, teniendo a Urano fuera de tu séptima casa, podría haber un romance serio). El planeta del amor en la quinta casa indica que deseas que el amor sea una constante luna de miel; no estás preparado para los tiempos difíciles que llegan incluso en las mejores relaciones. Pero esto es lo que sientes en este periodo y estas son las personas que atraes.

Venus ha sido el «lucero del alba» en tu profesión; el 19 del mes pasado anunciaba el Sol naciente en tu profesión; el 21 aparece el Sol y entras en una cima profesional anual. Cuentas con mucha ayuda por parte de tus amistades; la red de contactos es útil; tus conocimientos tecnológicos son importantes; también es importante tu disposición a viajar.

Aunque la profesión va muy bien, las finanzas son más inestables a partir del 21; tu planeta del dinero, Plutón, no sólo está en movimiento retrógrado sino que además recibe aspectos desfavorables, por lo que tienes que trabajar más para lograr tus objetivos. Esto indica también que el éxito profesional que deseas requiere cierto sacrificio financiero; tienes que estar dispuesto a hacerlo (pero este sacrificio se ve de corta duración).

Tu reto este mes, y no será fácil, es combinar una profesión exitosa con una vida familiar y doméstica exitosa; las exigencias de estas dos facetas son muy fuertes; es difícil complacer a todos; pero, como sea, te las arreglarás.

Julio

Mejores días en general: 1, 10, 11, 18, 19, 27, 28, 29
Días menos favorables en general: 5, 6, 12, 13, 25, 26
Mejores días para el amor: 1, 5, 6, 10, 11, 16, 18, 19, 25, 26, 27, 28, 29
Mejores días para el dinero: 1, 7, 8, 12, 13, 16, 17, 20, 21, 25, 26, 27, 28, 29
Mejores días para la profesión: 3, 4, 12, 13, 21, 22

Este mes es fundamentalmente feliz pero dos eclipses van a estremecer al mundo que te rodea, y a ti te van a tener alerta también. No te dejes adormecer por la aparente armonía; sé feliz pero vigilante.

El eclipse solar del 13 ocurre en tu décima casa, por lo que produce cambios en la profesión; hay trastorno o reorganización en la empresa o industria en que trabajas; hay dramas en la vida de jefes, padres o figuras parentales; cambian las reglas del juego y te ves obligado a tomar medidas correctivas en tu profesión. Todos los eclipses solares ponen a prueba las amistades; a veces el problema está en la relación: si hay defectos, te enteras por lo que ocurre a causa del eclipse; otras veces no hay problema en la relación sino dramas en la vida de personas amigas, tal vez dramas de aquellos que cambian la vida. Todos los eclipses solares ponen también a prueba el equipo de alta tecnología; los ordenadores tienden a volverse temperamentales, y a veces es necesario repararlos o reemplazarlos. Los padres o figuras parentales pasan por crisis personales, y también financieras; tendrán que hacer cambios importantes. El eclipse también afecta a tus finanzas pues hace impacto en Plutón, tu planeta del dinero. Mi impresión es que te has infravalorado; tus perspectivas financieras son mejores de lo que pensabas al hacer tus planes y ahora tienes que modificar tu planteamiento.

El eclipse lunar del 27 ocurre en tu quinta casa, la de los hijos, y les afecta; nuevamente tienen que redefinirse y crearse una nueva imagen para presentar al mundo; también podrían experimentar cambios laborales. Este eclipse también afecta a tu profesión: hay más trastornos en la empresa o industria en que trabajas; también afecta a jefes, padres o figuras parentales; estas personas tendrán que reimaginarse: esto es un proceso que durará los seis próximos meses. Nuevamente un progenitor o figura parental se ve obligado a hacer cambios importantes en sus finanzas; no ha sido realista en sus planes o criterios. Este eclipse es más fuerte de lo que aparece superficialmente; hace impacto en otros dos planetas, Marte y Urano; por lo tanto, la relación amorosa pasa por pruebas, salen a la luz viejos agravios reprimidos para que se resuelvan. El impacto en Urano indica que nuevamente pasan por prueba los aparatos de alta tecnología. Toma todas las medidas de seguridad para tus documentos y fotos.

Agosto

Mejores días en general: 6, 7, 14, 15, 24, 25
Días menos favorables en general: 1, 2, 3, 8, 9, 21, 22, 29, 30
Mejores días para el amor: 1, 2, 3, 5, 6, 13, 14, 15, 22, 24, 25, 29, 30
Mejores días para el dinero: 4, 5, 8, 9, 12, 13, 16, 17, 21, 22, 26, 27, 31
Mejores días para la profesión: 2, 3, 8, 9, 10, 11, 20, 31

El 11 hay otro eclipse solar (el tercero del año) que nuevamente pone a prueba las amistades y tus aparatos de alta tecnología; si el mes pasado tuviste que comprar uno nuevo, este podría ahora actuar de modo errático. Las amistades que logren soportar todos estos eclipses son realmente buenas. También pasan por pruebas las amistades de hijos y figuras filiales; si alguno está casado o en una relación amorosa, también pasa por pruebas su relación. Nuevamente los padres y figuras parentales tienen que hacer modificaciones financieras; podría ser que no bastaran los cambios hechos el mes pasado. Un familiar podría pasar por una intervención quirúrgica o por una experiencia de casi muerte (no necesariamente muerte física sino un encuentro con la muerte en el plano psíquico).

Lo bueno es que este mes tienes muy centrada la atención en las amistades y es muy probable que superes los desafíos. Además, teniendo al Sol en tu casa once sientes afición a la alta tecnología y las dificultades te sirven para adquirir más conocimientos; y si necesitas comprar un nuevo equipo, la compra será buena.

Plutón, tu planeta del dinero, sigue en movimiento retrógrado este mes, pero Júpiter ya está en movimiento directo en tu casa del dinero. Después del 23, cuando el Sol entra en Virgo, Plutón recibe aspectos hermosos. Hay prosperidad, sin duda, pero a un ritmo más lento. El 27 y el 28 del mes pasado deberían haber sido buenos días para las finanzas pues Venus formaba aspectos hermosos con Plutón.

El amor es muy complicado este mes. Para empezar, tu planeta del amor pasa todo el mes «fuera de límites»; esto significa que en el caso de que busques amor sales de tu esfera social en su búsqueda; conoces a personas ajenas a tu ambiente; por lo tanto, hay más inseguridad. A esto se suma que Marte, además de estar «fuera de límites», está en movimiento retrógrado hasta casi fin de mes; esto aumenta la inseguridad. En este periodo no te conviene tomar decisiones en el amor, ni en uno ni en otro sentido. Lo bueno es que Marte está en tu quinta casa, por lo que el amor no es muy serio este mes; va más de diversión que de compromiso. El 13 Marte vuelve a entrar en tu cuarta casa, retrógrado. Nuevamente podrías tener un encuentro con un viejo amor (o con una persona que te recuerda a un viejo amor). Y a partir del 13 son importantes los valores familiares, no sólo la diversión. Aunque podrías buscar el amor muy lejos (fuera de tu esfera), está cerca de casa.

Septiembre

Mejores días en general: 2, 3, 11, 12, 20, 21, 29, 30
Días menos favorables en general: 4, 5, 17, 18, 19, 25, 26

Mejores días para el amor: 1, 2, 3, 10, 11, 13, 20, 21, 22, 23, 25, 26, 29, 30
Mejores días para el dinero: 1, 4, 5, 9, 10, 13, 14, 18, 19, 22, 23, 24, 27, 28
Mejores días para la profesión: 1, 4, 5, 9, 18, 19, 29

Aunque sigue dominante el sector occidental o social de tu carta, los planetas rápidos están llegando a su posición oriental máxima; no puedes desentenderte de los demás ni imponer del todo tu voluntad, pero tienes más independencia de la que has tenido en lo que va de año. Así pues, este es el periodo para hacer los cambios que es necesario hacer; este es el periodo para responsabilizarte más de tu felicidad. Si esperas demasiado tiempo estas cosas serán más difíciles.

Lo bueno es que te sientes muy a gusto con menos independencia; disfrutas ejerciendo tu genio social; no te importa tener que hacer las cosas por consenso y negociación. La acción independiente arbitraria no es tu estilo.

Este mes es espiritual, un periodo para crecimiento interior; pero, por la ley espiritual, este crecimiento interior se va a traducir en crecimiento exterior. Aprécialo, es el preludio necesario. Así pues, este es un mes para hacer estudios espirituales, para el estudio de la literatura sagrada, para asistir a seminarios y charlas espirituales y para participar más en actividades benéficas y altruistas. Estando el señor de tu casa once en tu casa de la espiritualidad, vas a explorar el mundo espiritual de un modo más científico y racional; vas a profundizar en el lado científico de la vida espiritual; Mercurio en tu casa doce del 6 al 22 también favorece un método más racional. La espiritualidad no es una postura supersticiosa o esotérica sino una ciencia por derecho propio.

El 22 el Sol y Mercurio cruzan tu ascendente y entran en tu primera casa. Comienzas entonces un periodo de placer personal; un periodo para mimar el cuerpo y recompensarlo por su hidalgo servicio todos estos años. El cuerpo es del reino animal y de vez en cuando necesita recompensa. Si somos amables con los animales, debemos ser amables con nuestros cuerpos.

Este mes se ve próspero también. Venus, el señor de tu horóscopo, entra en tu casa del dinero el 9 y Júpiter ha estado en ella todo lo que va de año; por lo tanto, la casa del dinero es casa de poder en este periodo. Adoptas un papel más activo en tu vida financiera; gastas en ti y en tu imagen. Proyectas una imagen de riqueza.

Octubre

Mejores días en general: 1, 8, 9, 17, 18, 19, 27, 28
Días menos favorables en general: 2, 3, 15, 16, 22, 23, 29, 30
Mejores días para el amor: 1, 2, 3, 8, 9, 10, 11, 17, 18, 19, 20, 21, 22, 23, 27, 28, 29, 30
Mejores días para el dinero: 2, 3, 6, 7, 10, 11, 15, 16, 20, 21, 25, 26, 29, 30
Mejores días para la profesión: 1, 2, 3, 8, 9, 18, 19, 29, 30

El mes pasado comenzó a mejorar la vida amorosa; tu planeta del amor, Marte, retomó el movimiento directo a fines de agosto, y pasará todo el mes en tu quinta casa, la de la diversión y el entretenimiento. Además, ahora está «dentro de límites». Vuelves a tu esfera habitual, normal. El planeta del amor en la quinta casa no es conducente a relaciones serias, comprometidas; va más de diversión, de pasarlo bien. En realidad no buscas una relación seria, y atraes a personas de tendencias similares. El amor es sencillamente otra forma de entretenimiento, como ir al cine o al teatro. El 5 Venus inicia movimiento retrógrado, así que es posible que des marcha atrás en una relación.

Hasta el 23 continúas en una cima de placer personal anual; disfrútala. El poder que hay en tu primera casa es bueno no sólo para complacer al cuerpo sino también para darle la forma que deseas.

El 23 el Sol entra en tu casa del dinero y comienzas una cima financiera anual. Te espera un mes muy próspero; a partir del 23 tu casa del dinero está llena de planetas benéficos y amistosos. A esto sumamos que Plutón retoma el movimiento directo el 2, y tienes otra señal más de prosperidad; vuelve la confianza financiera; tienes claridad respecto a tus finanzas, sabes qué hacer y cómo hacerlo.

Después del 23, e incluso antes, los planetas rápidos forman buenos aspectos a tu planeta del trabajo, Neptuno; esto es buena señal en el caso de que busques trabajo; y si no te es necesario buscar trabajo tienes oportunidades de hacer horas o trabajos extras. Si hay ofertas de trabajo es necesario estudiarlas más a fondo pues Neptuno sigue en movimiento retrógrado.

La salud está mucho mejor que el mes pasado; la entrada de Marte en Acuario el mes pasado fue positiva para la salud; todavía tienes dos planetas lentos en alineación desfavorable pero la mayoría de los planetas o son amables contigo o te dejan en paz. La salud mejorará más aún después del 23, ya que tu planeta de la salud comienza a recibir estimulación positiva. Si te sientes indispuesto, fortalece la salud de las maneras indicadas en las previsiones para el año.

Noviembre

Mejores días en general: 4, 5, 14, 15, 23, 24
Días menos favorables en general: 11, 12, 19, 20, 25, 26
Mejores días para el amor: 4, 5, 14, 15, 16, 19, 20, 23, 24, 25, 26
Mejores días para el dinero: 2, 3, 6, 7, 8, 11, 12, 19, 21, 22, 27, 29, 30
Mejores días para la profesión: 6, 7, 8, 16, 17, 25, 26, 27

Este mes ocurren muchos cambios pues dos importantes planetas lentos cambian de signo. El 6 Urano vuelve, retrógrado, a Aries, tu séptima casa, la del amor. El 8 Júpiter sale de tu casa del dinero y entra en tu tercera casa. Además, del 4 al 20 Mercurio está «fuera de límites»; esto quiere decir que en tu vida religiosa y espiritual sales de tu esfera normal; exploras otras enseñanzas, tal vez exóticas, de otro lugar del mundo; al parecer no encuentras las respuestas que deseas en tu camino actual. Esto está bien, ocurre muy a menudo.

Hasta el 22 continúas en una cima financiera anual, así que este mes es próspero. Pero va disminuyendo el interés en las finanzas. Como hemos dicho, Júpiter sale de tu casa del dinero el 8; el Sol sale de esta casa el 22. Esto lo considero bueno; ya has conseguido los objetivos financieros de corto plazo y no necesitas prestar especial atención a tus finanzas. Puedes pasar la atención a otras cosas.

La entrada de Júpiter en tu tercera casa trae coche y equipo de comunicación nuevos el próximo año, y de muy buena calidad. Este aspecto es excelente si eres estudiante aun no universitario; tienes éxito en tus estudios el año que viene; es especialmente bueno si tienes planes de entrar en una universidad; el éxito en tus estudios en enseñanza media mejora tus perspectivas. También es un aspecto fabuloso si trabajas en ventas, en mercadotecnia, comercio, o si eres profesor o escritor; tienes éxito en tu trabajo.

La vida amorosa vuelve a ser inestable a partir del 6; pero claro, después de siete años de esto, ya sabes de qué va, te sientes cómodo, sabes sobrellevarlo. Tal vez disfrutes de los cambios repentinos y drásticos que ocurren en tu vida social; la inestabilidad es interesante también. El 16 tu planeta del amor, Marte, sale de tu quinta casa y entra en la sexta. Esto nuevamente produce cambio en la actitud en el amor. El planeta del amor en Piscis te hace más idealista; te atraen personas espirituales, creativas, artísticas. El lugar de trabajo también lo es para el amor; hay oportunidades de romance con compañeros de trabajo, o a través de ellos. El planeta del amor en la sexta casa indica atracción por profesionales de la salud o personas relacionadas con tu salud; una visita al consultorio médico podría ser más de lo que parece.

Venus pasa la mayor parte del mes en tu signo; el 16 retoma el movimiento directo, y esto aumenta tu seguridad en ti mismo y tu autoestima. Tu apariencia es fabulosa en este periodo; Venus realza la belleza física, la elegancia y el encanto. Este mes atraes al sexo opuesto.

Diciembre

Mejores días en general: 2, 3, 11, 12, 21, 22, 29, 30
Días menos favorables en general: 9, 10, 16, 17, 23, 24
Mejores días para el amor: 2, 3, 4, 5, 14, 15, 16, 17, 23, 24, 31
Mejores días para el dinero: 4, 5, 6, 9, 10, 16, 18, 19, 26, 27, 28, 31
Mejores días para la profesión: 6, 7, 17, 23, 24, 27

Aunque ya pasó tu cima financiera anual, este mes tienes una minicima; en primer lugar, la Luna visita dos veces tu casa del dinero (normalmente la visita una vez). Además, Venus, el señor de tu horóscopo, planeta muy importante en tu carta, entra en tu casa del dinero el 2, y pasa el resto del mes en ella. Mercurio está en esta casa hasta el 13. Por lo tanto, está muy fuerte tu casa del dinero. En este periodo no delegas en nadie la administración de tus finanzas, te encargas tú personalmente. Y aun en el caso de que tengas un administrador o planificador financiero, supervisas todo más minuciosamente. Ante el mundo presentas una imagen de riqueza, te vistes para este papel y lo representas. Tu intuición financiera es excelente. Es difícil imaginarte carente de algo necesario.

Ahora estás en una cima intelectual anual; las facultades mentales van a mejorar en los doce próximos meses ya que Júpiter estará en tu tercera casa la mayor parte del próximo año. Pero este mes, en especial hasta el 21, estas facultades son excepcionalmente buenas. Comprendes y asimilas la información y el conocimiento con facilidad; lo inspiras. El aprendizaje es mucho más fácil. Si eres estudiante sobresales en tus estudios. Si eres profesor, escritor, trabajas en ventas o en mercadotecnia te comunicas mejor. Este es un periodo fabuloso para hacer cursos en temas que te interesan. Si eres experto en un tema este es un buen mes para enseñarlo, ya sea de palabra escrita u oral.

El problema de que haya tanto poder en la tercera casa es el exceso de algo bueno; la mente podría estar demasiado estimulada; si no lo controlas, el pensamiento podría descontrolarse; podrías tener problemas para dormir; está la tendencia a hablar demasiado; si no tienes cuidado podrían salirte muy caras las facturas del teléfono y de comunicación.

Los hermanos y figuras fraternas han tenido un año difícil en las finanzas; pero el mes pasado comenzó a bajar esta marea; asumen más responsabilidades financieras pero tendrán los recursos para sobrellevarlas. El 21 entran en una cima financiera anual.

Después del 21 es necesario estar más atento a la salud; como siempre, procura no cansarte demasiado; descansa lo suficiente. Fortalece la salud de las maneras explicadas en las previsiones para el año.

La vida amorosa se ve bien. Venus forma aspectos hermosos a tu planeta del dinero todo el mes. Pero la persona amada se ve estresada; después del 21 se sentirá mejor. Del 5 al 7 hay una feliz oportunidad social o amorosa; esto podría suponer una reunión relacionada con el trabajo, o tal vez tiene que ver con una persona compañera de trabajo o relacionada con tu salud.

Escorpio

♏

El Escorpión

Nacidos entre el 23 de octubre y el 22 de noviembre

Rasgos generales

ESCORPIO DE UN VISTAZO

Elemento: Agua

Planeta regente: Plutón
Planeta corregente: Marte
Planeta de la profesión: el Sol
Planeta de la salud: Marte
Planeta del amor: Venus
Planeta del dinero: Júpiter
Planeta del hogar y la vida familiar: Urano

Color: Rojo violáceo
Color que favorece el amor, el romance y la armonía social: Verde
Color que favorece la capacidad de ganar dinero: Azul

Piedras: Sanguinaria, malaquita, topacio

Metales: Hierro, radio, acero

Aromas: Flor del cerezo, coco, sándalo, sandía

Modo: Fijo (= estabilidad)

Cualidad más necesaria para el equilibrio: Visión más amplia de las cosas

Virtudes más fuertes: Lealtad, concentración, determinación, valor, profundidad

Necesidades más profundas: Penetración y transformación

Lo que hay que evitar: Celos, deseo de venganza, fanatismo

Signos globalmente más compatibles: Cáncer, Piscis

Signos globalmente más incompatibles: Tauro, Leo, Acuario

Signo que ofrece más apoyo laboral: Leo

Signo que ofrece más apoyo emocional: Acuario

Signo que ofrece más apoyo económico: Sagitario

Mejor signo para el matrimonio y/o las asociaciones: Tauro

Signo que más apoya en proyectos creativos: Piscis

Mejor signo para pasárselo bien: Piscis

Signos que más apoyan espiritualmente: Cáncer, Libra

Mejor día de la semana: Martes

La personalidad Escorpio

Un símbolo del signo de Escorpio es el ave fénix. Si meditamos sobre la leyenda del fénix podemos comenzar a comprender el carácter de Escorpio, sus poderes, capacidades, intereses y anhelos más profundos.

El fénix de la mitología era un ave capaz de recrearse y reproducirse a sí misma. Lo hacía de la manera más curiosa: buscaba un fuego, generalmente en un templo religioso, se introducía en él y se consumía en las llamas, y después renacía como un nuevo pájaro. Si eso no es la transformación más profunda y definitiva, ¿qué es entonces?

Transformación, eso es lo que los Escorpio son en todo, en su mente, su cuerpo, sus asuntos y sus relaciones (son también transformadores de la sociedad). Cambiar algo de forma natural, no artificial, supone una transformación interior. Este tipo de cambio es radical, en cuanto no es un simple cambio cosmético. Algunas personas creen que transformar sólo significa cambiar la apariencia, pero no es ese el tipo de cambio que interesa a los Escorpio. Ellos buscan el cambio profundo, fundamental. Dado que el verdadero cambio siempre procede del interior, les interesa mucho el aspecto interior, íntimo y filosófico de la vida, y suelen estar acostumbrados a él.

Los Escorpio suelen ser personas profundas e intelectuales. Si quieres ganar su interés habrás de presentarles algo más que una imagen superficial. Tú y tus intereses, proyectos o negocios habréis de tener verdadera sustancia para estimular a un Escorpio. Si no hay verdadera sustancia, lo descubrirá y ahí terminará la historia.

Si observamos la vida, los procesos de crecimiento y decadencia, vemos funcionar todo el tiempo los poderes transformadores de Escorpio. La oruga se convierte en mariposa, el bebé se convierte en niño y después en adulto. Para los Escorpio esta transformación clara y perpetua no es algo que se haya de temer. La consideran una parte normal de la vida. Esa aceptación de la transformación les da la clave para entender el verdadero sentido de la vida.

Su comprensión de la vida (incluidas las flaquezas) hace de los nativos de Escorpio poderosos guerreros, en todos los sentidos de la palabra. A esto añadamos su profundidad y penetración, su paciencia y aguante, y tendremos una poderosa personalidad. Los Escorpio tienen buena memoria y a veces pueden ser muy vengativos; son capaces de esperar años para conseguir su venganza. Sin embargo, como amigos, no los hay más leales y fieles. Poca gente está dispuesta a hacer los sacrificios que hará una persona Escorpio por un verdadero amigo.

Los resultados de una transformación son bastante evidentes, aunque el proceso es invisible y secreto. Por eso a los Escorpio se los considera personas de naturaleza reservada. Una semilla no se va a desarrollar bien si a cada momento se la saca de la tierra y se la expone a la luz del día. Debe permanecer enterrada, invisible, hasta que comience a crecer. Del mismo modo, los Escorpio temen revelar demasiado de sí mismos o de sus esperanzas a otras personas. En cambio, se van a sentir más que felices de mostrar el producto acabado, pero sólo cuando esté acabado. Por otro lado, les encanta conocer los secretos de los demás, tanto como les disgusta que alguien conozca los suyos.

Situación económica

El amor, el nacimiento, la vida y la muerte son las transformaciones más potentes de la Naturaleza, y a los Escorpio les interesan. En nuestra sociedad el dinero es también un poder transformador y por ese motivo los Escorpio se interesan por él. Para ellos el dinero es poder, produce cambios y gobierna. Es el poder del dinero lo que los fascina. Pero si no tienen cuidado, pueden ser demasiado materialistas y dejarse impresionar excesivamente por el poder del dinero, hasta el punto de llegar a creer que el dinero gobierna el mundo.

Incluso el término plutocracia viene de Plutón, que es el regente de Escorpio. De una u otra manera los nativos de este signo consiguen la posición económica por la que luchan. Cuando la alcanzan, son cautelosos para manejar su dinero. Parte de esta cautela es en realidad una especie de honradez, porque normalmente los Escorpio trabajan con el dinero de otras personas, en calidad de contables, abogados, agentes de Bolsa, asesores bursátiles o directivos de empresa, y cuando se maneja el dinero de otras personas hay que ser más prudente que al manejar el propio.

Para lograr sus objetivos económicos, los nativos de Escorpio han de aprender importantes lecciones. Es necesario que desarrollen cualidades que no tienen naturalmente, como la amplitud de visión, el optimismo, la fe, la confianza y, sobre todo, la generosidad. Necesitan ver la riqueza que hay en la Naturaleza y en la vida, además de las formas más obvias del dinero y el poder. Cuando desarrollan esta generosidad, su potencial financiero alcanza la cima, porque Júpiter, señor de la opulencia y de la buena suerte, es el planeta del dinero en su carta solar.

Profesión e imagen pública

La mayor aspiración de los nativos de Escorpio es ser considerados fuente de luz y vida por la sociedad. Desean ser dirigentes, estrellas. Pero siguen un camino diferente al de los nativos de Leo, las otras estrellas del zodiaco. Un Escorpio llega a su objetivo discretamente, sin alardes, sin ostentación; un Leo lo hace abierta y públicamente. Los Escorpio buscan el encanto y la diversión de los ricos y famosos de modo discreto, secreto, encubierto.

Por naturaleza, los Escorpio son introvertidos y tienden a evitar la luz de las candilejas. Pero si quieren conseguir sus más elevados objetivos profesionales, es necesario que se abran un poco y se expresen más. Deben dejar de esconder su luz bajo un perol y permitirle que ilumine. Por encima de todo, han de abandonar cualquier deseo de venganza y mezquindad. Todos sus dones y capacidades de percibir en profundidad las cosas se les concedieron por un importante motivo: servir a la vida y aumentar la alegría de vivir de los demás.

Amor y relaciones

Escorpio es otro signo del zodiaco al que le gustan las relaciones comprometidas, claramente definidas y estructuradas. Se lo piensan mucho antes de casarse, pero cuando se comprometen en una relación tienden a ser fieles, y ¡Dios ampare a la pareja sorprendida o incluso sospechosa de infidelidad! Los celos de los Escorpio son legendarios. Incluso pueden llegar al extremo de detectar la idea o intención de infidelidad, y esto puede provocar una tormenta tan grande como si de hecho su pareja hubiera sido infiel.

Los Escorpio tienden a casarse con personas más ricas que ellos. Suelen tener suficiente intensidad para los dos, de modo que buscan a personas agradables, muy trabajadoras, simpáticas, estables y transigentes. Desean a alguien en quien apoyarse, una persona leal que los respalde en sus batallas de la vida. Ya se trate de su pareja o de un amigo, para un Escorpio será un verdadero compañero o socio, no un adversario. Más que nada, lo que busca es un aliado, no un contrincante.

Si estás enamorado o enamorada de una persona Escorpio, vas a necesitar mucha paciencia. Lleva mucho tiempo conocer a los Escorpio, porque no se revelan fácilmente. Pero si perseveras y tus intenciones son sinceras, poco a poco se te permitirá la entrada en las cámaras interiores de su mente y su corazón.

Hogar y vida familiar

Urano rige la cuarta casa solar de Escorpio, la del hogar y los asuntos domésticos. Urano es el planeta de la ciencia, la tecnología, los cambios y la democracia. Esto nos dice mucho acerca del comportamiento de los Escorpio en su hogar y de lo que necesitan para llevar una vida familiar feliz y armoniosa.

Los nativos de Escorpio pueden a veces introducir pasión, intensidad y voluntariedad en su casa y su vida familiar, que no siempre son el lugar adecuado para estas cualidades. Estas virtudes son buenas para el guerrero y el transformador, pero no para la persona que cría y educa. Debido a esto (y también a su necesidad de cambio y transformación), los Escorpio pueden ser propensos a súbitos cambios de residencia. Si no se refrena, el a veces inflexible Escorpio puede producir alboroto y repentinos cataclismos en la familia.

Los Escorpio necesitan desarrollar algunas de las cualidades de Acuario para llevar mejor sus asuntos domésticos. Es necesario que fomenten un espíritu de equipo en casa, que traten las actividades familiares como verdaderas relaciones en grupo, porque todos han de tener voz y voto en lo que se hace y no se hace, y a veces los Escorpio son muy tiranos. Cuando se vuelven dictatoriales, son mucho peores que Leo o Capricornio (los otros dos signos de poder del zodiaco), porque Escorpio aplica la dictadura con más celo, pasión, intensidad y concentración que estos otros dos signos. Lógicamente, eso puede ser insoportable para sus familiares, sobre todo si son personas sensibles.

Para que un Escorpio consiga todos los beneficios del apoyo emocional que puede ofrecerle su familia, ha de liberarse de su conservadurismo y ser algo más experimental, explorar nuevas técnicas de crianza y educación de los hijos, ser más democrático con los miembros de la familia y tratar de arreglar más cosas por consenso que por edictos autocráticos.

Horóscopo para el año 2018*

Principales tendencias

La entrada de Júpiter en tu signo el 11 de octubre del año pasado inició un ciclo de prosperidad de varios años; Júpiter estará en tu signo la mayor parte de este año, hasta el 8 de noviembre. Así pues, el dinero entra a raudales. Júpiter en el propio signo es señal de prosperidad, pero para ti lo es más aún, pues Júpiter es tu planeta del dinero; su efecto en tus finanzas es mucho más fuerte. El 8 de noviembre Júpiter entra en tu casa del dinero, su signo y casa. Esto trae más prosperidad. Volveremos a este tema.

Plutón lleva muchos años en tu tercera casa, desde 2008. Esto significa que has estado muy interesado en comunicación y actividades intelectuales. Ha sido muy bueno si eres estudiante, pues indica éxito en los estudios, en especial si estás en enseñanza media. Ahora está Saturno en tu tercera casa (entró el 21 de diciembre pasado) de modo que tendrás que aplicarte más, ser más disciplinado; no puedes holgazanear pues se te exige más. También tendrás que esforzarte más si eres profesor, orador, escritor, periodista, si trabajas en ventas o mercadotecnia; serán mayores las exigencias.

Si bien vas a encontrar gratificantes tus actividades profesionales y tienes probabilidades de éxito, este año no es especialmente fuerte en la profesión; habrá muchos cambios también en esta faceta, medidas correctivas y cosas por el estilo. Este año tenemos tres eclipses solares (normalmente son dos) y dos de ellos ocurren en tu décima casa, la de la profesión. Puedes, pues, esperar cambios y trastornos en la profesión.

Este año Urano sale de Aries, tu sexta casa, y entra en la séptima, aunque sólo por unos meses; el próximo año volverá a entrar en Tauro para quedarse. En este periodo (del 16 de mayo al 6 de noviembre) experimentas un anuncio de cosas por venir; al entrar Urano en tu séptima casa comienza a poner a prueba tu matrimonio o relación amorosa. De todos modos, habrá más

* Las previsiones de este libro se basan en el Horóscopo Solar y todos los signos que derivan de él; tu Signo Solar se convierte en el Ascendente, y las casas se numeran a partir de él. Tu horóscopo personal, el trazado concretamente para ti (según la fecha, hora y lugar exactos de tu nacimiento) podrían modificar lo que decimos aquí. Joseph Polansky

estabilidad en el trabajo y en el personal, si eres empleador. Volveremos a este tema.

Neptuno está en tu quinta casa desde 2012, van a ser seis años, y continuará en ella varios años más. Esto indica que los hijos y figuras filiales de tu vida se están volviendo más espirituales. Si estás en el mundo de las artes creativas, encuentras más inspirado tu trabajo. Se refina y espiritualiza tu gusto por el entretenimiento y la diversión.

Los intereses más importantes para ti este año son: el cuerpo, la imagen y el placer personal (hasta el 8 de noviembre); las finanzas (a partir del 8 de noviembre); la comunicación y las actividades intelectuales; los hijos, la diversión y la creatividad; la salud y el trabajo (hasta el 16 de mayo y luego a partir del 6 de noviembre); el amor, el romance y las actividades sociales (del 16 de mayo al 6 de noviembre).

Los caminos hacia tu mayor realización o satisfacción este año son: el cuerpo, la imagen y el placer personal (hasta el 8 de noviembre); las finanzas (a partir del 8 de noviembre); la profesión (hasta el 17 de noviembre); la religión, la filosofía, la educación superior y viajes al extranjero (a partir del 17 de noviembre).

Salud

(Ten en cuenta que esta es una perspectiva astrológica de la salud, no una médica. Antaño no había ninguna diferencia, ambas eran idénticas, pero en esta época podrían diferir muchísimo. Para una perspectiva médica, por favor, consulta a tu médico o a otro profesional de la salud.)

La salud se ve excelente este año; al comienzo del año no hay ningún planeta lento en alineación desfavorable contigo, de hecho casi todos están en alineación armoniosa; sólo cuando Urano entre en Tauro el 16 de mayo tendrás un planeta lento en aspecto desfavorable; y será por unos meses, hasta el 6 de noviembre. Y si naciste ya avanzado el signo (del 30 de octubre al 22 de noviembre) no lo notarás mucho. Así pues, la salud y la energía serán buenas. Sin duda habrá periodos en que la salud y la energía no estén tan bien, y esto se deberá a los tránsitos de los planetas rápidos por cortos periodos. No son tendencias para el año.

Tu sexta casa está fuerte la mitad del año más o menos; Urano sale de ella y vuelve a entrar. Por lo tanto estás atento a la salud, pero la atención se va desvaneciendo (como debe ser).

Con más energía a tu disposición, si has tenido alguna enfermedad o molestia deberías sentirte mejor; cualquier enfermedad tiende a estar inactiva; el cuerpo tiene más energía para neutralizarla.

Por buena que sea tu salud, siempre puedes mejorarla. Da más atención a las siguientes zonas, que son las vulnerables en tu carta:

El colon, la vejiga y los órganos sexuales. Estos órganos son siempre importantes para Escorpio. Te irán bien sesiones de reflexología para trabajar estos puntos reflejos. Siempre es importante para ti la moderación sexual y el sexo seguro. De vez en cuando te convendría una limpieza del colon con infusión de hierbas, sobre todo si te sientes indispuesto.

La cabeza, la cara y el cuero cabelludo. También estas zonas son siempre importantes para ti ya que están regidas por Marte, que es tu planeta de la salud. Masajes periódicos en la cara y el cuero cabelludo deberían formar parte de tu programa de salud; también es eficaz la terapia sacrocraneal.

La musculatura. También la musculatura está regida por Marte, por lo que siempre es importante para ti. Un músculo débil o flojo puede desalinear la columna y el esqueleto, así que es importante tener buen tono muscular. Te irá bien el ejercicio físico vigoroso, siempre de acuerdo a tu edad y fase en la vida.

Las suprarrenales. También es Marte el regente de estas glándulas, así que son siempre importantes para ti, Escorpio. Te irán bien sesiones de reflexología. La rabia y el miedo, es decir, la reacción de estrés, sobrecarga de trabajo a estas glándulas, así que evita todo lo posible estas emociones. La meditación te será muy útil para esto. Se dice que el ginsén es bueno para las suprarrenales.

Los tobillos y las pantorrillas. Estas zonas sólo han sido importantes los siete años pasados, en los que su regente, Urano, ha estado en tu sexta casa. Por lo tanto debes continuar dando masajes regulares a estas zonas. Protege bien los tobillos cuando hagas ejercicio. Tu planeta de la salud va a pasar un periodo extraordinariamente largo, casi cinco meses, en Acuario, el signo que rige estas zonas, así que continúa prestándoles atención. El 7 de marzo del próximo año Urano saldrá de tu sexta casa y entrará en la séptima para quedarse; entonces estas zonas serán menos importantes.

Urano es tu planeta del hogar y la familia, por lo tanto para tu buena salud significa también buena salud doméstica, buenas relaciones familiares y buena salud emocional. Si surgiera algún problema, restablece la armonía en la casa y con los familiares lo más pronto posible. Es muy importante para ti mantener la armonía emocional; los estados anímicos deberían ser positivos y constructivos. La meditación te será de gran ayuda para esto.

Júpiter pasa la mayor parte del año en tu primera casa. Esto es bueno, pero desde el punto de vista de la salud puede llevar a problemas de peso. Goza de la buena vida, pero sin excederte.

Hogar y vida familiar

Esta ha sido una faceta tumultuosa y difícil desde hace varios años. Ha habido conflictos entre tú y la familia (y con uno de los progenitores o figuras parentales). Las emociones han estado exaltadas. Familiares, los padres o figuras parentales han pasado por intervenciones quirúrgicas y tal vez ha habido una experiencia de casi muerte. Ha sido necesario hacer reparaciones en la casa, tal vez varias veces. Lo bueno es que las cosas mejoran un poco. Urano ha salido de su cuadratura con Plutón (aspecto desfavorable); además va a cambiar de signo, pasando del militante Aries al más tranquilo Tauro. Las mejoras serán más fuertes el próximo año, a partir del 7 de marzo, cuando tu planeta de la familia entra en Tauro para transitar por él varios años.

Si bien las condiciones van mejorando, todavía vemos mucho cambio y drama en el hogar y la familia; este año hay dos eclipses en tu cuarta casa, uno solar el 15 de febrero, y uno lunar el 27 de julio. Con frecuencia esto trae reparaciones en la casa y dramas en la vida de familiares. Esto lo trataremos con más detalle en las previsiones mes a mes.

Marte pasa un periodo extraordinariamente largo en tu cuarta casa, casi cinco meses, saliendo y entrando (normalmente transita por cada signo durante un mes y medio más o menos). Esto indicaría conflicto con familiares, emociones exaltadas y tal vez problemas de salud en la familia. Muchas veces indica la necesidad de reparaciones importantes en la casa (es posible incluso que decidas construirte una casa durante este periodo).

Como hemos dicho, Urano estará en Tauro desde el 16 de mayo al 6 de noviembre. Un progenitor o figura parental se vuelve más «relajado», más despreocupado. Dado que Tauro rige tu séptima casa, la del amor, habrá deseo de más armonía y estabilidad.

Llevas varios años instalando equipo de salud y aparatos para la salud en la casa. Te has esforzado en hacer más sanas la casa y la familia. La casa ya debe de ser tanto un hogar como un balneario de salud. Pero pronto el enfoque va a pasar a embellecer la casa. La «apariencia» te importará más que de costumbre. Vas a redecorar y comprar objetos bellos. La casa será un lugar hermoso además de hogar. Es posible, incluso, que exageres y la casa parezca más una galería de arte o un museo que un hogar. Pero en el fondo el deseo es embellecerla.

Hay otro motivo para este embellecimiento: ofreces más reuniones y fiestas en casa; la casa será un importante centro social y deseas que se vea bien.

Este año pueden hacerse obras de reparación y renovación en cualquier momento. Pero si tienes libertad para elegir (lo que no ocurre siempre) del 16 de mayo al 13 de agosto, y del 11 de septiembre al 15 de noviembre son buenos periodos.

Lo más probable es que el embellecimiento de la casa se haga del 16 de mayo al 6 de noviembre, pero si necesitas hacerlo antes, del 18 de enero al 20 de marzo es buen periodo.

No hay probabilidades de mudanza este año, aunque no hay nada en contra.

Es posible que entre los hermanos y figuras fraternas haya habido mudanzas en serie los últimos años, pero las cosas comienzan a calmarse. Parecen dispuestos a establecerse.

Los hijos y las figuras filiales tienen un año intensamente espiritual, pero en su vida doméstica y familiar no hay novedades ni cambios, aunque parece que viajan.

Si estás en edad de concebir eres excepcionalmente fértil en este periodo; un embarazo no sería una sorpresa.

Profesión y situación económica

Este es un año muy próspero, Escorpio. Que lo disfrutes.

Como hemos dicho, la entrada de Júpiter en tu signo anunciaba un ciclo de prosperidad de varios años; Júpiter es tu planeta del dinero; su posición en tu primera casa la mayor parte del año indica la llegada de beneficios financieros inesperados. Las personas adineradas de tu vida te apoyan y aprueban; te respaldan.

También indica que llevas un elevado estilo de vida; una vida de alto estándar, más que de costumbre. Viajas, te vistes bien, con ropa cara, y gozas de los placeres del cuerpo.

Tal vez más importante que esto, te sientes próspero, te vistes y te ves así, los demás te consideran así. A los ojos de muchas personas de tu mundo, te has convertido en «persona adinerada».

Tu apariencia y talante general es un importante factor en los ingresos, y tal vez por eso gastas en ti y vistes ropa cara. Muchos modelos y deportistas tienen este tipo de aspecto. Ganan dinero debido a sus atributos físicos.

Lo hermoso de este tránsito es que no es mucho lo que necesitas hacer para atraerte riqueza u oportunidades financieras. Estas te encontrarán. Tú simplemente ocúpate de tus asuntos diarios y ocurrirá.

El maravilloso aspecto que Júpiter le forma a Neptuno la mayor parte del año indica una excelente intuición financiera (el atajo hacia la riqueza) y suerte en las especulaciones. Indica «dinero feliz», dinero que se gana de modos placenteros, tal vez cuando estás en una fiesta, en un partido de tenis o un lugar de diversión. También indica a la persona que disfruta de sus ingresos, que gasta en actividades de ocio y de diversión. Una cosa es prosperar y otra muy diferente disfrutar de los frutos de la prosperidad. Este año tienes ambas cosas.

El 8 de noviembre Júpiter entra en tu casa del dinero trayendo más prosperidad. Aumentan los ingresos. Aumentan de valor tus bienes, sea la casa, pertenencias o tu cartera de acciones.

Te veo exitoso en tu profesión y, al parecer, la disfrutas; el nodo norte de la Luna está casi todo el año en tu décima casa, la de la profesión. Este no es un año especialmente fuerte en la profesión. Pero hay muchos cambios y trastornos en ella; el Sol, tu planeta de la profesión, es eclipsado tres veces (normalmente sólo son dos los eclipses solares); y, además, dos eclipses, uno solar y uno lunar, ocurren en tu décima casa. Piensa en esto, este año hay cinco eclipses, y cuatro de ellos afectan a tu profesión, el 80 por ciento. Así pues, hay muchos cambios en la empresa o la industria en que trabajas y en las reglas y reglamentaciones que conciernen a tu profesión. Tendrás que tomar muchas «medidas correctivas» este año; tus planes no están escritos en piedra.

El Sol es tu planeta de la profesión y es de movimiento rápido; en un año transita por todos los signos y casas del horóscopo. Por lo tanto hay muchas tendencias de corto plazo que dependen de dónde está el Sol y de los aspectos que recibe; estas es mejor tratarlas en las previsiones mes a mes.

Amor y vida social

Este año comienza a complicarse la vida amorosa; sí, va a ser complicada, pero también muy interesante. Esta será la tendencia durante varios años una vez que Urano se establezca en tu séptima casa, la del amor.

Si estás en una relación, esta relación pasará por pruebas, y severas. He visto matrimonios que sobreviven a un tránsito de Urano, pero no son muchos. Estos sobrevivieron gracias a mucho esfuerzo y trabajo por parte de los dos miembros de la pareja. Si estás dispuesto a poner el esfuerzo, las cosas podrían solucionarse, pero si no está el esfuerzo, el asunto no se ve bien.

Ahora es muy importante dar al cónyuge, pareja o ser amado actual toda la libertad posible, mientras no sea destructiva. Procura hacer cosas no convencionales o tradicionales con tu pareja, cosas que se salen de la rutina; inyecta creatividad y emoción a la relación; con un poco de creatividad esto se puede hacer. Esto te dará posibilidades.

Si estás soltero o soltera la entrada de Urano en tu séptima casa no es indicadora de matrimonio; favorece aventuras amorosas en serie, pero no matrimonio; parte del motivo es que te atraes a personas no dispuestas a algo «serio». Sí, son personas interesantes, genios tal vez, pero no serias. Durante un tiempo no es aconsejable el matrimonio.

Lo bueno es que tienes más libertad en el amor. Vas a explorar tu libertad social. El amor y las oportunidades amorosas se pueden presentar en cualquier momento y cualquier lugar, tal vez cuando menos lo esperas y cuando las cosas te parecen más negras. El amor aparece como un relámpago en el cielo, pero claro, puede desaparecer con la misma rapidez.

Este año y los venideros la principal lección es aprender a arreglárselas con la inestabilidad social.

Los familiares, las conexiones familiares y un progenitor o figura parental tienen un importante papel en tu vida amorosa. Tal vez hacen de casamenteros; tal vez conoces a alguien en una reunión o fiesta familiar, o tal vez todo esto combinado.

Cuando Urano acabe su trabajo, dentro de los siete próximos años, estarás en circunstancias sociales totalmente distintas, relacionado con un nuevo círculo de amistades.

Venus es tu planeta del amor, y es de movimiento rápido; este año transita por once signos y casas del horóscopo (normalmente transita por todos). Hay, por lo tanto, muchas tendencias de corto plazo que dependen de dónde está Venus y de los aspectos que recibe. Estas tendencias es mejor tratarlas en las previsiones mes a mes.

Este año Venus hace movimiento retrógrado (el que hace cada dos años) del 5 de octubre al 16 de noviembre. Si tienes la impresión de que el amor retrocede en lugar de avanzar o te sientes muy confundido, no desesperes; esto es normal cuando Venus está en movimiento retrógrado. Este no es un periodo para tomar decisiones importantes en el amor, en ningún sentido; es un periodo para hacer revisión de la vida amorosa, estudiar la realidad, adquirir claridad mental al respecto, y ver qué mejoras se pueden hacer y, cuando Venus retome el movimiento directo, actuar en conformidad.

Progreso personal

Saturno está en tu tercera casa, como hemos dicho; este es un tránsito difícil si eres estudiante o tienes un trabajo intelectual. Conviene entender a qué se debe esto y el programa cósmico que lo produce. Saturno desea convertirte en pensador más profundo y concienzudo; hay una necesidad interior de «profundidad», de comprensión profunda de un tema; el proceso es, pues, lento, pero profundo. Saturno dice «es mejor hacerlo lento y bien que formular juicios rápidos, superficiales». Muchas escuelas favorecen el método superficial: «Tú simplemente memorizas los hechos y luego los escribes en el examen». Así pues, esto hace las cosas más difíciles si eres estudiante; no estarás satisfecho en este periodo. Dedicarás más tiempo a tus estudios (y a asimilar la información) pero lo que aprendas lo habrás comprendido en profundidad.

Disminuirá el hablar, aun cuando tengas el don de la palabra; se organizarán las circunstancias de forma que antes de hablar sepas bien lo que vas a decir. Tendrás que hacer tu trabajo. Hablarás menos pero cuando hables tendrás algo que decir, algo válido.

Los hijos y las figuras filiales de tu vida se van volviendo cada vez más espirituales; están bajo intensas influencias espirituales; sus cuerpos son más sensibles también. Tienen menos tolerancia al alcohol y las drogas y deberán evitar estas cosas. Los jóvenes en general tienden a ser idealistas, pero esto es diferente. Van a tener profundas experiencias espirituales; van a tener sueños proféticos y a experimentar todo tipo de fenómenos sobrenaturales. No menosprecies ni te burles de estas cosas. Si el niño te cuenta un sueño, escúchalo sin hacer juicios. Algunos de estos sueños podrían ser mensajes ocultos para ti y para tus circunstancias financieras. «Salido de la boca de niños» reza el dicho.

La entrada de Urano en tu séptima casa tiende a desestabilizar la vida amorosa y social, pero no es un castigo, aunque a veces pueda parecerlo. Hay actitudes (y tal vez personas) que necesitan una sacudida, un cambio. Tal vez te has sentido aprisionado por un cierto grupo de amistades o por tu relación actual, y tal vez no te sientes lo bastante fuerte para romper los lazos. Por lo tanto, el Cosmos, mediante Urano, el gran transformador, tiene que intervenir y hacerte el trabajo. Si quieres respuesta a tus oraciones debes permitir que ocurra la «sacudida».

Previsiones mes a mes

Enero

Mejores días en general: 1, 2, 10, 11, 20, 21, 29, 30
Días menos favorables en general: 3, 4, 17, 18, 25, 26, 31
Mejores días para el amor: 5, 6, 15, 16, 25, 26, 27, 28
Mejores días para el dinero: 1, 2, 10, 11, 12, 13, 14, 20, 21, 29, 30
Mejores días para la profesión: 3, 4, 5, 6, 15, 16, 27, 28, 31

Prepárate para un año muy próspero. Aunque ya tuviste tu cima financiera el mes pasado, este mes se ve muy próspero también. Mercurio está en tu casa del dinero hasta el 11, y esto favorece una mayor eficiencia en el pago de impuestos, el pago de deudas, la refinanciación de las ya existentes o el solicitar préstamo, si lo necesitas. Se ven buenas las inversiones en tecnología. El 27 Marte entra en tu casa del dinero; esto indica ingresos procedentes del trabajo; en general indica la posibilidad de hacer horas extras u otros trabajos secundarios; también indicaría que se presentan felices oportunidades laborales.

El 31 hay un eclipse lunar que ocurre en tu décima casa, la de la profesión; será, pues, necesario tomar medidas correctivas; estas podrían deberse a trastorno o reorganización en la empresa o la industria en que trabajas. Un progenitor o figura parental experimenta una crisis personal. Pasan por pruebas los matrimonios de los padres o figuras parentales y de los jefes. Hay trastorno y confusión en tu lugar de culto; las figuras religiosas de tu vida pasan por dramas. También se ponen a prueba tus creencias religiosas; esto es bueno: algunas tendrás que modificarlas, otras descartarlas. Estos cambios tienen un enorme efecto en la vida. Si es posible evita viajar al extranjero durante el periodo del eclipse.

Este mes es un periodo excelente para iniciar un nuevo proyecto o lanzar un nuevo producto al mercado. Todos los planetas están en movimiento directo. Tu ciclo solar personal está en fase creciente, y el ciclo solar universal comenzó su fase creciente el mes pasado. Esto dará mucho impulso a tu proyecto y tendrías que ver un rápido progreso. Si puedes elegir un día entre el 17 y el 30, cuando la Luna también está en fase creciente, tienes el momento óptimo para iniciar nuevas empresas.

Al comenzar el mes la mayoría de los planetas están en el independiente sector oriental de tu carta, el sector del yo (esto cambiará muy pronto). Si hay condiciones que te fastidian, todavía tienes tiempo para cambiarlas; si esperas demasiado será más difícil.

El amor está en el barrio, cerca de casa. Más avanzado el mes el amor está en la casa; las oportunidades amorosas llegan a través de familiares y conexiones familiares.

Febrero

Mejores días en general: 6, 7, 16, 17, 25, 26
Días menos favorables en general: 14, 15, 21, 22, 27, 28
Mejores días para el amor: 4, 5, 16, 21, 22, 25, 26
Mejores días para el dinero: 6, 7, 9, 10, 16, 17, 25, 26
Mejores días para la profesión: 4, 5, 14, 15, 25, 27, 28

El 20 del mes pasado el poder planetario pasó del sector oriental de tu carta al occidental, del sector del yo al de los demás. Ahora los planetas avanzan hacia los demás y sus intereses, y eso debes hacer tú. Es el periodo para ser más sociable y menos dado a hacerte valer o a imponerte. Si las condiciones te fastidian, adáptate lo mejor posible; será más fácil cambiarlas a tu gusto dentro de unos seis meses, cuando el poder planetario comience a avanzar hacia ti otra vez.

Este mes el principal centro de atención son el hogar y la familia; el poder está en tu cuarta casa. Este es un periodo para poner en orden esta faceta, de modo que estés preparado para tu siguiente empuje profesional dentro de unos meses; todos los planetas están bajo el horizonte de tu carta, en el lado noche, lo que es bastante excepcional. Te comportas como persona nocturna, no diurna; el lado noche de tu personalidad es más fuerte. Esto favorece encontrar tu armonía emocional y atender a tus objetivos con los métodos de la noche: meditación, visualización, entrar en el sentimiento de estar en el lugar o posición que deseas estar; estos son los métodos que resultan mejor en este periodo; va de cambiar tu condición interior para que, por la ley espiritual, cambie la condición exterior de modo natural.

La importancia de tu cuarta casa la aumenta aún más el eclipse solar del 15, que ocurre en ella y por lo tanto afecta al hogar y la familia; los familiares podrían tener dramas personales, y estar más temperamentales en este periodo (e incluso antes de que ocurra el eclipse); ten más paciencia con ellos; a veces es necesario hacer reparaciones en la casa; la vida onírica podría ser hiperactiva y tal vez perturbadora, pero no hagas caso de tus sueños; no son presagios para el futuro y tienen muy poca importancia personal; sólo es la psique que reacciona a los desechos emocionales agitados por el eclipse. Los hermanos y figuras fraternas se ven obligados a hacer cambios importantes en sus finanzas. Este eclipse afecta a los padres, o a las personas que tienen ese papel en tu vida. Es probable que haya cambios en la profesión, y esto tal vez lo verás más adelante. Nuevamente pasan por pruebas los matrimonios de los padres, figuras parentales y figuras de autoridad. Este eclipse hace impacto en Júpiter, tu planeta del dinero, así que vas a tener que tomar medidas correctivas en tus finanzas; tu criterio no ha sido realista. Este eclipse es fuerte en ti, así que tómate las cosas con calma y reduce tus actividades en este periodo; pasa más tiempo tranquilo en casa. De todos modos necesitas descansar más hasta el 18, pero en especial durante el periodo del eclipse.

Marzo

Mejores días en general: 6, 7, 15, 16, 17, 24, 25
Días menos favorables en general: 13, 14, 20, 21, 26, 27
Mejores días para el amor: 8, 18, 19, 20, 21, 26, 27

Mejores días para el dinero: 6, 7, 8, 9, 15, 16, 17, 24, 25
Mejores días para la profesión: 6, 7, 16, 17, 26, 27

Tu planeta del dinero, Júpiter, inicia movimiento retrógrado el 9, y estará algunos meses en este movimiento. No se detiene tu vida a causa de esto, compras lo que necesitas y haces todo lo que sea necesario; son las compras y las decisiones financieras importantes las que es mejor postergar. El movimiento retrógrado de Júpiter tampoco impide la llegada de ingresos, sólo enlentece un poco las cosas (y a veces esto es bueno). Lo importante en los próximos meses es conseguir claridad respecto a tus finanzas, a tu estrategia y criterio; con Júpiter retrógrado las cosas no son lo que parecen.

Hasta el 17 el dinero sigue proviniendo del trabajo. Si eres inversor se ve interesante el sector salud; sin cesar se te presentan oportunidades financieras, pero en este periodo es necesario analizarlas más detenidamente. Teniendo a Júpiter en tu signo recibes apoyo de las personas adineradas de tu vida; y es muy posible que tú seas la persona adinerada de tu vida. La gente te ve así.

El 18 del mes pasado se hizo fuerte tu quinta casa y continúa poderosa hasta el 20; el 50 por ciento de los planetas o están en ella o transitan por ella este mes. Esto es muchísimo poder. Es un mes fabuloso para los hijos y figuras filiales; tienen seguridad en sí mismos, autoestima y prosperidad, en especial después del 20. Este periodo de vacaciones cósmicas te traerá todo tipo de soluciones; muchas veces el exceso de atención a una cosa obnubila la mente; retirar esa atención para dedicarse a actividades creativas y de ocio permite que las soluciones lleguen de forma natural, con poco esfuerzo. Este periodo también te va a recargar las pilas y te dará más entusiasmo por el trabajo después del 20.

La salud es buena este mes. Si te apetece, hasta el 17 puedes fortalecerla más con masajes en los muslos y limpieza del hígado. Después del 17 fortalécela con masajes en la espalda y las rodillas; también se hace importante entonces la buena higiene dental.

El 20 el Sol entra en tu sexta casa, la de la salud y el trabajo. Dado que la salud es buena no es necesario darle demasiada atención; da la atención al trabajo; tu buena ética laboral impresiona a los superiores de tu vida.

Abril

Mejores días en general: 2, 3, 12, 13, 21, 22, 29
Días menos favorables en general: 9, 10, 11, 16, 17, 23, 24
Mejores días para el amor: 7, 8, 16, 17, 27
Mejores días para el dinero: 2, 3, 4, 5, 6, 12, 13, 21, 22, 29, 30
Mejores días para la profesión: 4, 5, 14, 15, 16, 23, 24, 25

Este es muy buen mes en el caso de que busques trabajo; hay por lo menos tres oportunidades; Marte en tu tercera casa sugiere que estas están en el barrio, cerca de casa. Si estás con empleo, tienes oportunidades para hacer horas extras o trabajos secundarios.

La salud y la energía continúan buenas, aunque después del 20 deberás estar más atento; este es un problema de corta duración. Fortalece la salud de las maneras explicadas en las previsiones para el año, y también da más atención a la columna, las rodillas, los huesos, la dentadura y la alineación esquelética general; irá bien el masaje en la espalda, en especial del 1 al 3.

El 22 inicia movimiento retrógrado Plutón, el señor de tu horóscopo (justo cuando acabas de entrar en una cima social). Este aspecto tiende a debilitar la seguridad en sí mismo y la autoestima. Tal vez esto sea bueno en tu caso: estando tan fuerte tu sector occidental o social, no te conviene una excesiva seguridad en ti mismo ni la voluntariedad. En caso de duda sométete y deja que los demás se impongan, mientras esto no sea destructivo. Dado que estás en un periodo en que has de cultivar las dotes sociales, importan menos tu voluntad y tus deseos.

Todo esto será positivo para la vida amorosa, que se hace fuerte a partir del 20. Estás en modalidad amor; Venus, tu planeta del amor, pasa la mayor parte del mes en tu séptima casa, y el 20 entra el Sol en esta casa. Si estás soltero o soltera, no hay probabilidades de boda, pero sí oportunidades y encuentros románticos felices (en especial el 17 y el 18). El tránsito de tu planeta de la profesión, el Sol, por tu séptima casa indica que en ese periodo alternas con personas elevadas, poderosas, personas superiores a ti en posición y poder. El poder y el prestigio te atraen románticamente; te atrae la persona que tiene el poder para ayudarte en la profesión. Gran parte de tu actividad social está relacionada con el trabajo o la profesión.

Sigues en un año de mucha prosperidad, pero este mes, en especial después del 20, las finanzas se vuelven difíciles por un tiempo; necesitas trabajar más por tus ingresos; la atención al amor y a la profesión podrían distraerte de las finanzas; además, Júpiter continúa en movimiento retrógrado.

Mayo

Mejores días en general: 9, 10, 18, 19, 26, 27, 28
Días menos favorables en general: 7, 8, 14, 15, 20, 21
Mejores días para el amor: 7, 8, 14, 15, 17, 26
Mejores días para el dinero: 2, 3, 9, 10, 18, 19, 26, 27, 29, 30
Mejores días para la profesión: 4, 5, 14, 15, 20, 21, 24

Hasta el 21 sigues en una cima amorosa y social anual, así que la vida social es activa y feliz. Pero en el amor surgen nuevas complicaciones. El 16 Urano entra en tu séptima casa, tránsito muy importante. Esto hace más interesante la vida amorosa, nunca sabes qué va a ocurrir o presentarse, pero también desestabiliza la vida social. Es posible que aún no lo notes, a no ser que hayas nacido entre los primeros días del signo (23-25 de octubre), porque entonces sí lo sentirás; si no, lo notarás en los próximos años. El 19 tu planeta del amor entra en Cáncer y queda en oposición con Saturno y Plutón; esto indica que tú y tu pareja veis las cosas desde perspectivas opuestas; estáis alejados, mental y emocionalmente si no físicamente; el reto es zanjar las diferencias. A veces este aspecto indica separación temporal, por ejemplo, uno de los dos viaja; el horóscopo indica mucha separación entre vosotros.

La salud sigue necesitando atención hasta el 21; no ocurre nada grave sino que sencillamente la energía no está a la altura habitual. Puedes fortalecer la salud de las maneras indicadas en las previsiones para el año. Hasta el 16 es útil el masaje en la espalda y las rodillas; después da más atención a los tobillos y pantorrillas; te irá bien darles masajes periódicos.

Urano es tu planeta de la familia; su tránsito por tu séptima casa indica más actividad social con los familiares y conexiones familiares; además indica que un progenitor o figura parental se interesa o interviene en tu vida amorosa; podría hacer de casamentero.

A partir del 16, cuando Marte entra en tu cuarta casa, es buen periodo para hacer obras de reparación o construcción en la casa.

El poder planetario se traslada drásticamente desde el lado noche de tu carta (mitad inferior) al lado día (mitad superior). Es el amanecer en tu año. Ahora actúa tu yo «diurno». Se hacen más importantes tu profesión y tus objetivos externos. Hasta el 21 te irá bien favorecer al avance de tus objetivos profesionales por medios sociales, asistiendo u ofreciendo reuniones y fiestas convenientes. Después del 21 adquiere mucha importancia tu don de la palabra, tus habilidades en venta y mercadotecnia. Te conviene purgar tus objetivos profesionales del bagaje innecesario: ideas y opiniones que no son útiles. Tal vez empleas métodos inútiles o mal enfocados; ahora es el periodo para desintoxicarte de esas cosas.

Junio

Mejores días en general: 5, 6, 7, 14, 15, 23, 24
Días menos favorables en general: 3, 4, 10, 11, 16, 17, 30
Mejores días para el amor: 6, 7, 10, 11, 16, 23, 24
Mejores días para el dinero: 5, 6, 7, 14, 15, 23, 24, 25, 26
Mejores días para la profesión: 3, 4, 12, 13, 16, 17, 23

Este es un mes feliz y próspero, Escorpio, que lo disfrutes.

El 1 o el 2 hay una feliz oportunidad romántica; del 1 al 7 Venus está «fuera de límites», así que esos dos días lo estará. Esto sugiere que esta oportunidad o encuentro es con una persona que no pertenece a tu esfera social; también podría sugerir la oportunidad de formar una sociedad de negocios o una empresa conjunta.

El 21 del mes pasado se hizo poderosa tu octava casa (tu favorita), y lo estará hasta el 21. Esta es una situación agradable, cómoda para ti porque, por naturaleza, tu personalidad es de tipo octava casa. La libido está más activa; van bien todo tipo de regímenes de desintoxicación. Tu interés en tus finanzas es más fuerte que de costumbre este año, pero en este periodo te conviene pensar también en los intereses financieros de otras personas. Es un buen mes para hacer planes relativos a impuestos y seguros, y si estás en edad, para hacer planes testamentarios. Es buen mes para librarte de posesiones innecesarias y de lo que haya de innecesario en tu vida.

Hay algunos baches en el camino profesional, pero son de corta duración, pasan rápido; del 26 al 28 hay problemas de retraso, breves contratiempos. Pero, en esencia, la profesión va bien. El 14 Venus cruza tu medio cielo y entra en tu décima casa; este aspecto favorece los medios sociales para progresar en la profesión: asistir y ofrecer reuniones o fiestas adecuadaas. Indica que en tu vida social te encuentras con personas que pueden serte útiles en la profesión; la simpatía, la capacidad de caer bien, es más importante que las capacidades profesionales. La entrada de Venus en tu décima casa es buena también para tu vida amorosa; hay buen enfoque, atención; el amor está en los primeros lugares de tu programa; tal vez es lo más importante. Si estás casado o casada o en una relación, tu pareja tiene éxito y te ayuda en tu profesión. En el plano romántico, si estás soltero o soltera, te atraen personas poderosas, personas de elevada posición; tienes oportunidades románticas con jefes o superiores. Estando Urano en tu séptima casa, es dudosa la estabilidad de estas relaciones.

El 29 Mercurio cruza tu medio cielo; este es también un tránsito positivo para tu profesión; refuerza la importancia de la simpatía en las relaciones sociales. También indica que tu pericia tecnológica y la actividad online son importantes en la profesión. El planeta de la profesión en tu novena casa a partir del 21 indica que es importante la buena disposición a viajar.

Julio

Mejores días en general: 3, 4, 12, 13, 20, 21, 30, 31
Días menos favorables en general: 1, 7, 8, 14, 15, 27, 28, 29
Mejores días para el amor: 5, 6, 7, 8, 16, 25, 26
Mejores días para el dinero: 1, 12, 13, 20, 21, 22, 23, 24, 27, 28, 29
Mejores días para la profesión: 3, 4, 12, 13, 14, 15, 21, 22

El 22 entras en el mejor periodo profesional del año. La profesión va a ser activa, ajetreada, frenética. El 13 hay un eclipse solar que afecta a la profesión.

El eclipse solar del 13 te abre puertas en la profesión; ocurre en tu novena casa. Pero el planeta eclipsado, el Sol, es tu planeta de la profesión; dado que el eclipse ocurre antes de que comiences tu cima profesional, parece ser una preparación para el éxito. Con el eclipse se derriban barreras, cambia la disposición de las piezas en el tablero; hay trastornos o reorganización en la empresa o la industria en que trabajas; hay drama en la vida de jefes. Cambian las reglas del juego y tienes que tomar medidas correctivas (el mes que viene volverá a ocurrirte esto). Hasta el 22 hay una tendencia a viaje relacionado con trabajo o negocio, pero procura evitarlo durante el periodo del eclipse; prográmalo para antes o para después. Jefes, padres y figuras parentales pasan por pruebas en sus matrimonios y por todo tipo de problemas personales. Hay trastorno o reorganización en tu lugar de culto, y hay drama en la vida de sus dirigentes. Se ponen a prueba tus creencias religiosas y filosóficas, lo que normalmente es bueno; modificarás algunas de esas creencias y otras las descartarás; sólo las creencias verdaderas soportan un «control de realidad». Si eres estudiante universitario te ves obligado a hacer cambios importantes en tu educación; tal vez cambies de facultad o de asignatura principal. Este eclipse hace impacto en Plutón, el señor de tu horóscopo, por lo tanto es fuerte en ti; pasa más tiempo tranquilo en casa. Podrías experimentar una desintoxicación del cuerpo, sobre todo si no has tenido cuidado en los asuntos dietéticos, pero esto no es una enfermedad, aun cuando los síntomas pueden ser similares. También pasarás por un periodo de redefinición, de revaluación de tu yo; los acontecimientos producidos por el eclipse te obligan a esto; dentro de los seis próximos meses adoptarás una nueva imagen, una nueva apariencia.

El eclipse lunar del 27 también es fuerte en ti. De todos modos a partir del 22 debes tomarte las cosas con calma, pero en especial durante el periodo del eclipse. Este eclipse ocurre en tu cuarta casa y hace impacto en Urano, el señor de tu cuarta casa, por lo tanto afecta al hogar y a la familia; podría haber dramas en el círculo familiar; podría ser necesario hacer reparaciones en la casa. También hace impacto en Marte, el señor de tu sexta casa, por lo tanto podría haber un susto por la salud, de la tuya o de un familiar; dentro de los seis próximos meses cambiará tu programa de salud. También es probable que haya un cambio de trabajo, ya sea cambio de puesto en la empresa en que trabajas o un cambio a otra empresa.

Agosto

Mejores días en general: 8, 9, 16, 17, 26, 27
Días menos favorables en general: 4, 5, 10, 11, 24, 25, 31
Mejores días para el dinero: 4, 5, 14, 15, 24, 25, 31
Mejores días para el dinero: 8, 9, 16, 17, 19, 20, 26, 27
Mejores días para la profesión: 2, 3, 10, 11, 20, 31

El 11 tenemos otro eclipse solar (el tercero del año); este ocurre en tu décima casa y nuevamente afecta a la profesión y causa dramas en la vida de personas relacionadas con tu profesión; será necesario tomar más medidas correctivas. Los cambios que hagas serán buenos pero normalmente no son agradables mientras ocurren. Los efectos de este eclipse los sentirás durante los seis próximos meses más o menos. El eclipse también afecta a los padres, figuras parentales y jefes, los que se ven obligados a redefinirse; a veces esto se debe a calumnias, competidores que los definen de modo negativo y entonces tienen que definirse; esto entraña hacer revisión y formarse un concepto claro del yo.

Este mes sigue siendo necesario estar atento a la salud, en especial hasta el 22. Sin duda estás muy ocupado en el mundo, trabajando mucho, pero procura descansar lo suficiente; si limitas tus actividades a las esenciales, deberías tener tiempo para el trabajo y el descanso; tu planeta de la salud, Marte, se comporta de modo inusual; para empezar, está «fuera de límites» todo el mes y, además, está en movimiento retrógrado (el que hace cada dos años). Esto sugiere que en los asuntos de salud sales del campo terapéutico al que recurres normalmente para explorar terapias distintas; y el movimiento retrógrado aconseja que evites hacer cambios drásticos en tu programa de salud a no ser que hayas estudiado las cosas con la debida diligencia. También tu trabajo podría llevarte fuera de tu esfera normal. Fortalece la salud de las maneras explicadas en las previsiones para el año; hasta el 13 te irán bien masajes en las pantorrillas y los tobillos; después del 13 (cuando Marte entra nuevamente en Capricornio, retrógrado) te irán bien masajes en la espalda y las rodillas.

Venus, tu planeta del amor, tiene su solsticio este mes; del 5 al 9 detiene su movimiento latitudinal y luego cambia de dirección (en latitud). Esto sugiere la necesidad de un respiro en tu vida amorosa y luego cambio de dirección.

Las finanzas van mucho mejor (han sido buenas todo lo que va de año); Júpiter retomó el movimiento directo el 10 del mes pasado, y continúa avanzando el resto del año. Hay seguridad y confianza financiera; las gestiones y proyectos detenidos comienzan a avanzar; hay claridad en los asuntos financieros. Después del 22 las cosas irán mejor aún.

Septiembre

Mejores días en general: 4, 5, 13, 14, 22, 23, 24
Días menos favorables en general: 1, 7, 20, 21, 27, 28
Mejores días para el amor: 1, 2, 3, 13, 22, 23, 27, 28
Mejores días para el dinero: 4, 5, 13, 14, 15, 16, 22, 23, 24
Mejores días para la profesión: 1, 7, 9, 18, 19, 29

El 22 de julio el poder planetario se trasladó de tu sector occidental, o de los demás, al sector oriental, el del yo; esta tendencia está en pleno apogeo. Tienes más independencia personal; es el periodo para pensar en ti y en tus intereses; los demás son siempre importantes, pero ahora es importante el número uno, tú. Tu felicidad está en tus manos; el poder planetario te respalda. Después de seis meses de transigencia, consenso y anteponer a los demás ya sabes qué condiciones es necesario cambiar. Este y los próximos meses son el periodo para hacer esos cambios; ocurrirán con mucha más facilidad; ahora comienzas a tener las cosas a tu manera. Tu felicidad es tan importante como la de los demás; este es el ciclo en que estás ahora.

Este es un mes muy social; más que de romance va de amistades, grupos y actividades de grupo. Pero también hay romance, y se ve feliz. El 9 tu planeta del amor cruza tu ascendente y entra en tu primera casa. Esto nos da muchos mensajes. El cónyuge, pareja o ser amado actual está consagrado a ti, antepone tus intereses a los suyos; te impones en el amor, haces tu voluntad, tienes el amor según tus condiciones. El amor te persigue, que no a la inversa. Si eres hombre indica que entran mujeres jóvenes en tu esfera personal; si eres mujer, indica más belleza y elegancia en la imagen, más hermosura física.

Claro que tienes las cosas a tu manera este mes, pero Plutón continúa en movimiento retrógrado así que no sabes muy bien cuál es tu manera; esta es la única dificultad.

La salud se ve mucho mejor que el mes pasado. Puedes fortalecerla más con masajes en la espalda hasta el 11 y después masajes en los tobillos y las pantorrillas. Ahora que Marte está en movimiento directo es menos arriesgado salir «fuera de límites» en tu programa de salud y tratamientos; al parecer no hay soluciones dentro de tu esfera normal.

El 22 el Sol entra en tu casa doce y tú entras en un periodo fuertemente espiritual. Tu comprensión y percepción espirituales (que son buenas naturalmente) también beneficiarán a tu profesión. Te conviene dar impulso a tu profesión participando en actividades benéficas o causas que consideras buenas.

Octubre

Mejores días en general: 2, 3, 10, 11, 20, 21, 29, 30
Días menos favorables en general: 4, 5, 17, 18, 19, 25, 26, 31
Mejores días para el amor: 2, 3, 10, 11, 20, 21, 25, 26, 29, 30
Mejores días para el dinero: 2, 3, 10, 11, 12, 13, 14, 20, 21, 29, 30
Mejores días para la profesión: 1, 4, 5, 8, 9, 18, 19, 29, 31

Este es un mes feliz y próspero, Escorpio, disfrútalo.

Este mes el poder planetario está en su posición oriental máxima. Ten presente lo que hablamos el mes pasado; es importante la iniciativa personal en este periodo. Si eres feliz el mundo es un lugar más feliz. La independencia personal fue fuerte el mes pasado y ahora lo es más. Plutón, el señor de tu horóscopo, retoma el movimiento directo el 2, por lo tanto tienes más claridad respecto a tus objetivos. El 23 el Sol entra en tu signo, tu primera casa, la que es con mucho la más fuerte del horóscopo este mes. Estás en una de tus cimas de placer personal anuales; es el periodo para recompensar a tu más fiel servidor, tu cuerpo, y mimarlo un poco; eso sí, no te excedas porque entonces te echarás muchos kilos encima.

La salud es excelente este mes; sólo dos planetas están en alineación desfavorable contigo. La abrumadora mayoría o te forman buenos aspectos o te dejan en paz. Si te sientes indispuesto, fortalece la salud con masajes en los tobillos y las pantorrillas. Tu planeta de la salud en Acuario indica una actitud experimental hacia la salud; te atraen terapias nuevas, no probadas, y podrían darte buen resultado.

La entrada del Sol en tu primera casa te trae felices oportunidades profesionales; no necesitas hacer nada, te encontrarán. Además, te ves exitoso; das esa imagen. La gente te ve así.

Venus está en tu signo, como el mes pasado; este es un aspecto maravilloso para el amor; como el mes pasado, el amor te persigue; sólo tienes que ser tú mismo y ocuparte de tus asuntos diarios. La única complicación es que Venus inicia movimiento retrógrado el 5; esto no impide el amor ni las actividades sociales, pero podría enlentecer las cosas.

Tu apariencia es excelente y el sexo opuesto lo nota. Venus en tu signo te da belleza y atractivo. El Sol en tu signo te da carisma, poder estelar y, en tu carta, seriedad: eres persona importante; además te da la imagen del éxito. Júpiter en tu signo te da la imagen de riqueza.

La prosperidad es fuerte este mes, y el mes que viene será más fuerte (y el próximo año será más fuerte aún).

Noviembre

Mejores días en general: 6, 7, 8, 16, 17, 25, 26
Días menos favorables en general: 1, 14, 15, 21, 22, 27, 28
Mejores días para el amor: 4, 5, 14, 15, 21, 22, 23, 24
Mejores días para el dinero: 8, 9, 10, 19, 27
Mejores días para la profesión: 1, 6, 7, 8, 16, 17, 27, 28

Este es un mes novedoso, feliz y próspero. El 6 Urano sale de tu séptima casa en movimiento retrógrado, y esto da más estabilidad a la vida amorosa y social (a veces lo aburrido es hermoso); las cosas son más previsibles, es mucho más fácil hacer planes sociales para periodos largos. Disfruta de esto mientras dura. El próximo año Urano entrará en tu séptima casa para continuar en ella muchos años. Mientras tanto, disfruta. El 16 tu planeta del amor, Venus, retoma el movimiento directo; esto también mejora la vida amorosa; una relación que estaba retrocediendo ahora avanza; tiene que avanzar su buen poco para llegar a como era antes, pero al menos las cosas se mueven en la dirección correcta.

Venus pasa la mayor parte del mes en tu casa doce, la de la espiritualidad; así pues, en este periodo las oportunidades amorosas se presentan en ambientes espirituales, no en clubes ni salas de fiesta nocturnos. Lo encuentras en la charla o seminario espiritual, la reunión de oración, la función benéfica, o cuando estás colaborando en una causa altruista. El amor es idealista; la compatibilidad espiritual es tan importante como la compatibilidad física.

Tal vez el principal titular de este mes es la entrada de Júpiter en tu casa del dinero: el 8: ahí está en su signo y casa; está a gusto, por así decirlo, cómodo, poderoso; el rey en su castillo. Aumentan enormemente el poder adquisitivo y la perspicacia financiera. Puedes esperar otros doce meses prósperos.

Hasta el 20 sigues en una cima de placer personal, así que ten presente lo que hablamos el mes pasado. Te llegan las oportunidades profesionales; simplemente sé quien eres y ocúpate de tus asuntos. Jefes, personas mayores, padres y figuras parentales te tienen afecto y te apoyan; cuentas con su favor.

La salud está mejor aún este mes; los dos planetas que te ponían dificultades salen de sus aspectos desfavorables; Urano sale de este aspecto el 6 y Marte el 16. Tienes muchísima energía para quemar. Tu reto es aprovecharla bien, para avanzar hacia tus objetivos.

El 22 el Sol entra en tu casa del dinero y entonces comienzas una cima financiera anual, un periodo muy próspero. Del 24 al 28, cuando el Sol viaja con Júpiter, se ve un periodo especialmente próspero. A partir del 22 cuentas con el favor de jefes, mayores, padres y figuras parentales en tus finanzas; están favorablemente dispuestos hacia tus objetivos financieros.

Diciembre

Mejores días en general: 4, 5, 14, 15, 23, 24, 31
Días menos favorables en general: 11, 12, 18, 19, 25, 26
Mejores días para el amor: 2, 3, 14, 15, 18, 19, 23, 24
Mejores días para el dinero: 6, 7, 16, 26
Mejores días para la profesión: 6, 7, 17, 25, 26, 27

Este es otro mes feliz y próspero, Escorpio, que lo disfrutes.

Hasta el 21 sigues en una cima financiera anual; después hay prosperidad también, pero es más fuerte hasta el 21. Siguen en vigor muchas de las tendencias de que hablamos el mes pasado. Sigues contando con el favor de jefes, mayores, padres y figuras parentales en las finanzas. Tu buena fama profesional es importante en las finanzas; si eres inversor te interesará explorar los sectores publicidad, editorial, agencias de viaje, aerolíneas y universidades de pago. En este periodo tiendes a gastar mucho y tal vez impulsivamente, pero al parecer no te importa. Los ingresos llegan fácilmente y se gastan con igual facilidad; vas a dar más y a recibir más en esta temporada de vacaciones.

Los asuntos amorosos mejoraron el mes pasado y este mes mejoran más aún. El 2 Venus nuevamente cruza tu ascendente y entra en tu primera casa; aporta magnetismo, atractivo y encanto a tu imagen. El amor te persigue otra vez, sin que tengas que hacer nada especial. El ser amado está muy dedicado a ti.

Estando Venus en tu signo el amor es apasionado, intenso y posesivo; esto tiene sus puntos positivos y sus puntos negativos;

las emociones son fuertes, pero si entran los celos en el cuadro, cuidado.

La salud es mejor aún que el mes pasado; no hay ningún planeta en alineación desfavorable contigo, ninguno; solamente la Luna te forma aspectos desfavorables de tanto en tanto, pero esto es de muy corta duración; además, sus aspectos desfavorables son superados por los aspectos buenos. Como el mes pasado, tu reto es hacer buen uso de toda esta energía extra. Aunque tu salud es buena, puedes fortalecerla de todos modos dando más atención a los pies. El masaje en los pies es especialmente potente este mes.

El poder planetario está ahora bajo el horizonte de tu carta; está en el lado noche, la mitad inferior de tu horóscopo. Estás, pues, en la noche de tu año. Puedes pasar a un segundo plano la profesión y los objetivos externos; es el periodo para centrar la atención en la familia y en tu bienestar emocional. Sentirte bien es más importante que hacerlo bien, sentimiento que te llevará a hacerlo bien más adelante. Es el periodo para reunir fuerzas y disponer el escenario para tu próximo empuje profesional dentro de seis meses más o menos.

Sagitario

El Arquero

Nacidos entre el 23 de noviembre y el 20 de diciembre

Rasgos generales

SAGITARIO DE UN VISTAZO

Elemento: Fuego

Planeta regente: Júpiter
Planeta de la profesión: Mercurio
Planeta del amor: Mercurio
Planeta de la riqueza y la buena suerte: Júpiter

Colores: Azul, azul oscuro
Colores que favorecen el amor, el romance y la armonía social: Amarillo, amarillo anaranjado
Colores que favorecen la capacidad de ganar dinero: Negro, azul índigo

Piedras: Rubí, turquesa

Metal: Estaño

Aromas: Clavel, jazmín, mirra

Modo: Mutable (= flexibilidad)

Cualidades más necesarias para el equilibrio: Atención a los detalles, administración y organización

Virtudes más fuertes: Generosidad, sinceridad, amplitud de criterio, una enorme clarividencia

Necesidad más profunda: Expansión mental

Lo que hay que evitar: Exceso de optimismo, exageración, ser demasiado generoso con el dinero ajeno

Signos globalmente más compatibles: Aries, Leo

Signos globalmente más incompatibles: Géminis, Virgo, Piscis

Signo que ofrece más apoyo laboral: Virgo

Signo que ofrece más apoyo emocional: Piscis

Signo que ofrece más apoyo económico: Capricornio

Mejor signo para el matrimonio y/o las asociaciones: Géminis

Signo que más apoya en proyectos creativos: Aries

Mejor signo para pasárselo bien: Aries

Signos que más apoyan espiritualmente: Leo, Escorpio

Mejor día de la semana: Jueves

La personalidad Sagitario

Si miramos el símbolo del Arquero conseguiremos una buena e intuitiva comprensión de las personas nacidas bajo este signo astrológico. El desarrollo de la arquería fue el primer refinamiento que hizo la Humanidad del poder de cazar y hacer la guerra. La habilidad de disparar una flecha más allá del alcance normal de una lanza amplió los horizontes, la riqueza, la voluntad personal y el poder de la Humanidad.

Actualmente, en lugar de usar el arco y las flechas proyectamos nuestro poder con combustibles y poderosos motores, pero el motivo esencial de usar estos nuevos poderes sigue siendo el mismo. Estos poderes representan la capacidad que tenemos de ampliar nuestra esfera de influencia personal, y eso es lo que hace Sagitario en todo. Los nativos de este signo siempre andan en busca de expandir sus horizontes, cubrir más territorio y aumentar su alcance y su campo de acción. Esto se aplica a todos los aspectos de su vida: económico, social e intelectual.

Los Sagitario destacan por el desarrollo de su mente, del intelecto superior, que comprende conceptos filosóficos, metafísicos y espirituales. Esta mente representa la parte superior de la naturaleza psíquica y está motivada no por consideraciones egoístas, sino por la luz y la gracia de un poder superior. Así pues, a los Sagitario les gusta la formación superior. Tal vez se aburran con los estudios formales, pero les encanta estudiar solos y a su manera. El gusto por los viajes al extranjero y el interés por lugares lejanos son también características dignas de mención.

Si pensamos en todos estos atributos de Sagitario, veremos que nacen de su deseo interior de desarrollarse y crecer. Viajar más es conocer más, conocer más es ser más, cultivar la mente superior es crecer y llegar más lejos. Todos estos rasgos tienden a ampliar sus horizontes intelectuales y, de forma indirecta, los económicos y materiales.

La generosidad de los Sagitario es legendaria. Hay muchas razones que la explican. Una es que al parecer tienen una conciencia innata de la riqueza. Se sienten ricos, afortunados, piensan que pueden lograr cualquier objetivo económico, y entonces creen que pueden permitirse ser generosos. Los Sagitario no llevan la carga de la carencia y la limitación, que impide a muchas personas ser generosas. Otro motivo de su generosidad es su idealismo religioso y filosófico, nacido de la mente superior, que es generosa por naturaleza, ya que las circunstancias materiales no la afectan. Otro motivo más es que el acto de dar parece ser enriquecedor, y esa recompensa es suficiente para ellos.

Situación económica

Generalmente los Sagitario atraen la riqueza. O la atraen o la generan. Tienen ideas, energía y talento para hacer realidad su visión del Paraíso en la Tierra. Sin embargo, la riqueza sola no es suficiente. Desean el lujo; una vida simplemente cómoda les parece algo pequeño e insignificante.

Para convertir en realidad su verdadero potencial de ganar dinero, deben desarrollar mejores técnicas administrativas y de organización. Deben aprender a fijar límites, a llegar a sus metas mediante una serie de objetivos factibles. Es muy raro que una persona pase de los andrajos a la riqueza de la noche a la mañana. Pero a los Sagitario les resultan difíciles los procesos largos e interminables. A semejanza de los nativos de Leo, quieren alcanzar la riqueza y el éxito de manera rápida e impresionante.

Deben tener presente, no obstante, que este exceso de optimismo puede conducir a proyectos económicos no realistas y a decepcionantes pérdidas. Evidentemente, ningún signo del zodiaco es capaz de reponerse tan pronto como Sagitario, pero esta actitud sólo va a causar una innecesaria angustia. Los Sagitario tienden a continuar con sus sueños, jamás los van a abandonar, pero deben trabajar también en su dirección de maneras prácticas y eficientes.

Profesión e imagen pública

Los Sagitario son grandes pensadores. Lo quieren todo: dinero, fama, prestigio, aplauso público y un sitio en la historia. Con frecuencia suelen ir tras estos objetivos. Algunos los consiguen, otros no; en gran parte esto depende del horóscopo de cada persona. Pero si Sagitario desea alcanzar una buena posición pública y profesional, debe comprender que estas cosas no se conceden para enaltecer al ego, sino a modo de recompensa por la cantidad de servicios prestados a toda la Humanidad. Cuando descubren maneras de ser más útiles, los Sagitario pueden elevarse a la cima.

Su ego es gigantesco, y tal vez con razón. Tienen mucho de qué enorgullecerse. No obstante, si desean el aplauso público, tendrán que aprender a moderarlo un poco, a ser más humildes y modestos, sin caer en la trampa de la negación y degradación de sí mismos. También deben aprender a dominar los detalles de la vida, que a veces se les escapan.

En el aspecto laboral, son muy trabajadores y les gusta complacer a sus jefes y compañeros. Son cumplidores y dignos de confianza, y disfrutan con las tareas y situaciones difíciles. Son compañeros de trabajo amistosos y serviciales. Normalmente aportan ideas nuevas e inteligentes o métodos que mejoran el ambiente laboral para todos. Siempre buscan puestos y profesiones que representen un reto y desarrollen su intelecto, aunque tengan que trabajar arduamente para triunfar. También trabajan bien bajo la supervisión de otras personas, aunque por naturaleza prefieren ser ellos los supervisores y aumentar su esfera de influencia. Los Sagitario destacan en profesiones que les permitan comunicarse con muchas personas diferentes y viajar a lugares desconocidos y emocionantes.

Amor y relaciones

A los nativos de Sagitario les gusta tener libertad y de buena gana se la dan a su pareja. Les gustan las relaciones flexibles, informales y siempre cambiantes. Tienden a ser inconstantes en el amor y a cambiar con bastante frecuencia de opinión respecto a su pareja. Se sienten amenazados por una relación claramente definida y bien estructurada, ya que esta tiende a coartar su libertad. Suelen casarse más de una vez en su vida.

Cuando están enamorados son apasionados, generosos, francos, bondadosos y muy activos. Demuestran francamente su afecto. Sin embargo, al igual que los Aries, tienden a ser egocéntricos en su manera de relacionarse con su pareja. Deberían cultivar la capacidad de ver el punto de vista de la otra persona y no sólo el propio. Es necesario que desarrollen cierta objetividad y una tranquila claridad intelectual en sus relaciones, para que puedan mantener una mejor comunicación con su pareja y en el amor en general. Una actitud tranquila y racional les ayudará a percibir la realidad con mayor claridad y a evitarse desilusiones.

Hogar y vida familiar

Los Sagitario tienden a dar mucha libertad a su familia. Les gusta tener una casa grande y muchos hijos. Sagitario es uno de los signos más fértiles del zodiaco. Cuando se trata de sus hijos, peca por el lado de darles demasiada libertad. A veces estos se forman la idea de que no existe ningún límite. Sin embargo, dar libertad en casa es algo básicamente positivo, siempre que se mantenga una cierta medida de equilibrio, porque la libertad permite a todos los miembros de la familia desarrollarse debidamente.

Horóscopo para el año 2018*

Principales tendencias

Júpiter en tu casa doce desde octubre del año pasado indica un año espiritual. Hay crecimiento interior, invisible al mundo externo; pero tú lo notas. Después del 8 de noviembre, cuando Júpiter cruza tu ascendente, lo verán también los demás. Llevas dos años de prosperidad; Júpiter en tu primera casa va a prolongarla y acelerarla. Júpiter, el señor de tu carta, en tu primera casa, te hará aún más Sagitario de lo que ya eres; se acentuarán todas esas cualidades. Habrá más viajes que de costumbre, más interés en la religión, la filosofía y la educación superior. Habrá más entusiasmo, exuberancia y optimismo. Volveremos a este tema.

Tu casa del dinero está extraordinariamente fuerte este año. Saturno, tu planeta del dinero, entró en ella a fines del año pasado, y estará en ella los dos próximos años. Esto indica una enorme atención a las finanzas, y con eso, el éxito. Hablaremos más de esto.

Neptuno está en tu cuarta casa, la del hogar y la familia, desde 2012. Esto indica «espiritualización» de la familia y más concretamente de los padres o figuras parentales. La vida familiar se eleva, se perfecciona. Hablaremos más de esto.

Urano está en tu quinta casa desde hace siete años; y esto está a punto de cambiar. Este año hará una incursión en tu sexta casa del 16 de mayo al 6 de noviembre. Los hijos y figuras filiales de tu vida han estado rebeldes, inquietos, difíciles de manejar; esto continúa este año pero las cosas se van volviendo más fáciles. Urano en tu sexta casa indica cambios en la situación laboral, y los próximos años habrá muchos cambios en esto. También trae cambios importantes en tu programa de salud y en tu actitud hacia la salud. Volveremos a este tema.

En tu novena casa hay mucho cambio y trastornos; cuatro de los cinco eclipses que hay este año la afectan. Los eclipses solares

---

* Las previsiones de este libro se basan en el Horóscopo Solar y todos los signos que derivan de él; tu Signo Solar se convierte en el Ascendente, y las casas se numeran a partir de él. Tu horóscopo personal, el trazado concretamente para ti (según la fecha, hora y lugar exactos de tu nacimiento) podrían modificar lo que decimos aquí. Joseph Polansky

son tres (uno más que lo normal) y hay dos eclipses que ocurren en tu novena casa: es decir, el 80 por ciento de los eclipses afectan a tu novena casa. Por lo tanto, si eres universitario o haces algún curso de posgrado, haces cambios drásticos en tus planes educacionales; podrías cambiar de facultad, de asignatura principal o tal vez otro tipo de cambio importante. Es posible también que cambies de lugar de culto.

Las facetas de interés más importantes para ti este año son: las finanzas; el hogar y la familia; los hijos, la diversión y la creatividad (hasta el 16 de mayo y luego a partir del 6 de noviembre); la salud y el trabajo (desde el 16 de mayo al 6 de noviembre); la espiritualidad (hasta el 8 de noviembre); el cuerpo, la imagen y el placer personal (a partir del 8 de noviembre).

Los caminos hacia la mayor realización o satisfacción para ti este año son: la espiritualidad (hasta el 8 de noviembre); el cuerpo, la imagen y el placer personal (a partir del 8 de noviembre); la religión, la filosofía, la educación superior y viajes al extranjero (hasta el 17 de noviembre); la sexualidad, los estudios ocultos, la transformación personal (a partir del 17 de noviembre).

Salud

(Ten en cuenta que esta es una perspectiva astrológica de la salud, no una médica. Antaño no había ninguna diferencia, ambas eran idénticas, pero en esta época podrían diferir muchísimo. Para una perspectiva médica, por favor, consulta a tu médico o a otro profesional de la salud.)

La salud debería ser buena este año; sólo te afecta un planeta lento, Neptuno; los demás o están en aspectos armoniosos o te dejan en paz. Esto lo sentirás en tu salud general y energía. En 2016 la salud fue vulnerable, en 2017 estuvo algo mejor; si has resistido bien esos dos años, este será bueno; los aspectos son mucho mejores.

Teniendo más energía se te abren todo tipo de panoramas; ahora se hacen eminentemente «factibles» proyectos que ni siquiera habrías considerado los dos años pasados.

Por buena que sea tu salud siempre puedes mejorarla. Da más atención a las siguientes zonas, que son las vulnerables en tu carta. Así prevendrás problemas, y aun en el caso de que no los prevengas del todo, se atenuarán; no tienen por qué ser terribles.

El hígado y los muslos. Estas zonas son siempre importantes para ti, pues las rige tu signo. Te irán bien sesiones de reflexología. Masajes periódicos en los muslos deberían formar parte de tu programa de salud. Con esto fortaleces no solamente el hígado y los muslos sino también la parte inferior de la espalda; se dice que también fortalece el colon, por reflejo. De vez en cuando te convendría hacer una limpieza del hígado, con infusión de hierbas, y más especialmente cuando te sientas indispuesto.

El cuello y la garganta. Estas zonas son siempre importantes para ti; masajes periódicos en el cuello deberían también formar parte de tu programa de salud; con esto aflojas la tensión muscular que suele acumularse en la nuca; también es buena la terapia sacro-craneal.

Los tobillos y las pantorrillas. Estas zonas serán importantes del 16 de mayo al 6 de noviembre, periodo en que estará Urano en tu sexta casa; volverán a ser importantes el año que viene, a partir de marzo, y continuarán siéndolo durante los siete años siguientes. Conviene, por lo tanto, darles masajes; si hay puntos dolorosos, el masaje los eliminará; también hay que dar masaje al hueso de la espinilla (suele haber ahí puntos dolorosos que sólo se notan con el masaje). Protege bien los tobillos cuando hagas ejercicio.

Si estás en edad de concebir, cuando Júpiter entre en tu signo el 8 de noviembre serás mucho más fértil; también habrá una tendencia a echarse kilos encima (normalmente debido a la buena vida); esto habrá que controlarlo.

Urano es el regente de tu tercera casa; su posición en tu sexta casa señala la importancia de la buena salud mental; evita abusar de las facultades de comunicación (hablar demasiado); evita también pensar demasiado; desconecta la mente cuando no la estés usando; da a la mente el ejercicio y el alimento que necesita; lee buenos libros y rúmialos. Aspira a la pureza intelectual (siempre es algo bueno, pero ahora es un asunto de salud).

Venus, tu planeta de la salud, avanza rápido, como saben nuestros lectores; normalmente transita por todos los signos y casas del horóscopo en un año; dado que este año hace movimiento retrógrado sólo transitará por once signos y casas. En todo caso, esto significa que hay muchas tendencias de corto plazo que dependen de dónde está Venus y de los aspectos que recibe. Estas tendencias es mejor tratarlas en las previsiones mes a mes.

Hogar y vida familiar

Esta ha sido una faceta importante desde hace unos años y continuará siéndolo varios años más. Júpiter en Escorpio la mayor parte del año forma aspecto hermoso con Neptuno, que es tu planeta del hogar y la familia. Esto indica armonía con los familiares; te llevas bien con ellos; hay buena colaboración mutua.

Este aspecto favorece una mudanza o el agrandamiento de la casa actual. Indica la compra o venta afortunada de una casa; a veces la persona compra otra casa o tiene acceso a una segunda casa. También indica la ampliación del círculo familiar; normalmente esto ocurre por nacimientos o bodas, pero también puede ocurrir porque conoces a personas que hacen el papel de familiares en tu vida, personas que te dan el apoyo emocional incondicional que daría un familiar.

Como hemos dicho, el hogar se espiritualiza; por lo tanto es probable que en la casa haya más símbolos religiosos o esotéricos u obras de arte. Tal vez hay más cristales, gongs, tambores u otros objetos de tipo espiritual.

Tal vez, como hemos visto en años anteriores, la casa se use como lugar de reunión para actividades espirituales: reuniones de oración, charlas o seminarios espirituales, cosas de esta naturaleza.

Teniendo a Neptuno en tu cuarta casa (y es el señor de ella) es muy importante mantener la casa «psíquicamente» pura; no basta con tener limpio el suelo y las alfombras; también deben estar limpias la atmósfera del pensamiento y la atmósfera emocional. Este es un año para aprender a librarse de «fantasmas» y entidades incorpóreas. Hay personas especializadas en esto; creo que lo llaman «limpieza del espacio». Estas personas purifican la energía psíquica de una casa mediante diversas técnicas (con incienso, salvia, sonidos, gongs, oración y ritos de eliminación o expulsión). Si hubiera algún problema de estos en la casa (los que podrían ser causa de cualquier otro tipo de problema, psíquico o físico) convendría recurrir a esta solución.

Después del 8 de noviembre, cuando Júpiter entra en tu signo, tendrás que esforzarte más para conseguir armonía familiar. Al parecer estás en desacuerdo con un progenitor o figura parental.

En cualquier época del año se pueden hacer obras de renovación en la casa. Pero si tienes libertad en el asunto, a partir del 15 de noviembre es un buen periodo. Si quieres redecorar, dar otra mano de pintura o comprar objetos de arte para la casa, del 11 de febrero al 7 de marzo es un buen periodo.

Un hermano, hermana o figura fraterna tiene mucho éxito en la profesión, pero parece tener una inquietud emocional. Esta persona podría mudarse muchas veces en los próximos años.

Los progenitores o figuras parentales viajan más este año; es posible que uno de ellos se mude de casa; esto podría ocurrir después del 8 de noviembre o el próximo año.

Los hijos y figuras filiales tienen un año familiar sin novedades ni cambios.

Los nietos (si los tienes) podrían mudarse, están las oportunidades; si están en edad de concebir, son más fértiles este año.

Profesión y situación económica

Este año es próspero, como hemos dicho; es una continuación de los dos años pasados. Tu planeta del dinero, Saturno, está en tu casa del dinero. Está en Capricornio, su signo y casa; ahí es fuerte, en los planos «celestial y terrestre». Actúa con el máximo poder; esto significa mayores ingresos.

Su entrada en Capricornio a fines de diciembre, es otra buena señal; Saturno en su signo y casa, da un juicio financiero sensato. El año pasado podrías haber sido más especulador y arriesgado; ya no. Ahora tu método hacia la riqueza es avanzar paso a paso, metódicamente; tienes visión de largo plazo. El dinero rápido, fácil, es ahora detestable; vas a forjar tu riqueza a lo largo del tiempo, de manera sólida.

El planeta del dinero en Capricornio es un aspecto que favorece el tener el control de tus finanzas, y no que ellas te controlen a ti. Favorece el hacer presupuestos y planes de ahorro e inversiones a largo plazo; programas financieros disciplinados. Si te atienes a ellos, y es probable que lo hagas estos años, la riqueza vendrá naturalmente, con poco esfuerzo. Probablemente la mayor dificultad será atenerte a tu plan. Para un plan de inversiones son más importantes la regularidad y la disciplina que la suerte. Siempre habrá tentaciones de aflojar, pero mantente firme.

Si eres inversor, Saturno en Capricornio favorece los sectores de inmobiliaria y el sector del mercado bursátil de tipo seguro, a la antigua, empresas tradicionales cuyo índice de interés bursátil es estable, seguro; inversiones de tipo conservador, pero de calidad.

Si no eres inversor, este aspecto favorece un puesto administrativo en el mundo empresarial; tus capacidades administrativas, que son fuertes este año, son muy comerciables.

Plutón lleva muchos años en tu casa del dinero y continuará en ella varios años más; Plutón, que rige las deudas, favorece los bonos y el mercado de bonos, de preferencia en el tipo de empresas ya mencionadas.

Plutón también rige los impuestos; así pues, el mensaje del horóscopo es que en finanzas es muy importante la eficiencia en planificar el pago de impuestos.

Si estás en la edad es probable que estés haciendo planes testamentarios; si no, o vas a heredar dinero o te van a nombrar para un puesto administrativo de alguna propiedad.

Este no es un año especialmente fuerte en la profesión; algunos años son así. El Cosmos apunta hacia un desarrollo equilibrado y por lo tanto en diferentes años da más importancia a una faceta que a otra. Cuando una persona llega a la edad madura, habrá desarrollo y experiencias en todos los sectores.

Mercurio es tu planeta de la profesión; después de la Luna es el planeta de movimiento más rápido de todos. Cada año transita por todos los signos y casas de tu carta. Por lo tanto, en la profesión hay muchas tendencias de corto plazo que dependen de dónde está Mercurio y de los aspectos que recibe. Estas tendencias es mejor tratarlas en las previsiones mes a mes.

Amor y vida social

Saturno en tu signo los dos años pasados no colaboró positivamente en tu vida amorosa; tal vez sin darte cuenta te has vuelto frío, brusco, reservado, empresarial. Estas son buenas cualidades para un administrador o ejecutivo de una empresa, pero no para el éxito social. Sagitario no es persona naturalmente fría, pero así es como te han considerado los demás, y han reaccionado a esa actitud. Estas eran las vibraciones que enviabas sin darte cuenta.

Afortunadamente Saturno ya salió de tu signo; ahora te comportas más como tu ser alegre, despreocupado. Ya aparece tu simpatía natural, y verás enorme mejoría en tu vida amorosa.

Tu séptima casa no está prominente este año, así que el amor y el romance no son asuntos importantes. No tienes ninguna necesidad de hacer cambios en esta faceta. El Cosmos no te impulsa ni en uno ni en otro sentido. Las cosas tienden a continuar como están. Si estás casado o casada lo más probable es que continúes en esa situación y si estás soltero o soltera, lo mismo.

Mercurio es tu planeta del amor (y también tu planeta de la profesión). Como saben nuestros lectores, es un planeta de movimiento rápido e irregular; a veces avanza muy rápido, en un mes transita por tres signos y casas; a veces avanza lento y relajado; y a veces retrocede. ¿Esto no describe bien tu vida amorosa? Debido a esto hay muchas tendencias de corto plazo en el amor, las que dependen de dónde está Mercurio y de los aspectos que recibe. Estas tendencias es mejor tratarlas en las previsiones mes a mes.

Este año Mercurio hace movimiento retrógrado tres veces. Este es otro motivo de que veamos mejoría en tu vida amorosa; los dos años pasados hizo movimiento retrógrado cuatro veces; estos movimientos retrógrados debilitan la confianza social; el juicio social no es lo que debiera, por lo tanto no son periodos buenos para tomar decisiones importantes en el amor, ni en un sentido ni en otro; son periodos para adquirir claridad mental, para ver qué mejoras se pueden hacer. Entonces, cuando Mercurio retoma el movimiento directo, puedes poner por obra tus planes.

El año pasado fue fabuloso para la amistad y las actividades de grupo; hiciste nuevas e importantes amistades. Este año no eres muy activo en esta faceta; es un año en que las cosas siguen como están, sin novedades ni cambios.

Los compañeros de trabajo y los empleados (si los tienes) tienen un fuerte año social; si están solteros entablan relaciones serias.

Las amistades y los socios también tienen un buen año social a partir del 8 de noviembre.

El cónyuge, pareja o ser amado actual también tiene un año social fabuloso a partir del 8 de noviembre; esta persona hace nuevas e importantes amistades.

Los hermanos y figuras fraternas pasan por pruebas en su matrimonio o relación amorosa; si la relación es buena sobrevivirá, pero si es defectuosa lo más probable es que acabe.

Los hijos y figuras filiales tienen un año sin novedades ni cambios en su vida amorosa y social; el año pasado fue mucho mejor.

Progreso personal

Tal vez no hay ningún otro signo que entienda mejor que Sagitario las dimensiones espirituales de la riqueza; está en su naturaleza entenderlas; las tienen en el disco duro, como si dijéramos. Teniendo a tu planeta de la espiritualidad, Plutón, en tu casa del dinero, la tendencia es más fuerte aún. La intuición te guía, y prosperas. La orientación espiritual suele llegar en sueños, a través de videntes, adivinos, astrólogos o canalizadores espirituales.

La abundancia o riqueza de la Divinidad no tiene nada que ver con lo que llamamos «factores prácticos»; no le interesa la situación de la economía, el mercado ni cuánto tienes en el banco. Crea las condiciones; crea la riqueza. Con frecuencia revela riqueza donde no creías que existía. Con la intuición tendemos a ignorar lo que llaman «realidad», la realidad material, y centramos la atención en las realidades espirituales de provisión ilimitada.

Ahora ha entrado un nuevo factor en el cuadro: Saturno en tu casa del dinero. Saturno es el más práctico de todos los planetas, el más mundano, el más atento a las «condiciones visibles». Tiende a considerar el método espiritual una «fantasía excesivamente optimista», una quimera peligrosa; mira cuánto tienes en el banco, calcula las condiciones del mercado, el poder adquisitivo futuro y hace los planes basándose en esos datos; se opone absolutamente a la riqueza espiritual.

Así pues, en tu vida financiera tiene trabajando dos fuerzas opuestas: una muy espiritual y la otra ultra mundana y práctica. El lado espiritual dice «da y se te dará»; Saturno dice «da solamente cuando te lo puedas permitir».

Estas dos fuerzas dialogan entre sí; es como tener dos mentes en un cuerpo. Si obedeces a tu intuición, Saturno, el lado práctico, siente miedo y tal vez se enfada; si obedeces a tu lado práctico, tu lado espiritual se resiente, queda insatisfecho. De una u otra manera, y no hay ninguna regla para esto, tienes que fusionar estas dos fuerzas, unirlas, hacerlas trabajar juntas.

Tal vez usa tu intuición para hacer dinero y luego la fuerza de Saturno para administrarlo e invertirlo bien. Otra opción sería ganar dinero del modo convencional y luego invertirlo según la intuición.

A veces este aspecto indica a la persona que está en un puesto administrativo de una organización benéfica no lucrativa. Los objetivos son idealistas y espirituales, pero la administración día a día es práctica.

Previsiones mes a mes

Enero

Mejores días en general: 3, 4, 12, 13, 14, 22, 23, 31
Días menos favorables en general: 5, 6, 20, 21, 27, 28
Mejores días para el amor: 3, 4, 5, 6, 15, 16, 25, 26, 27, 28
Mejores días para el dinero: 1, 2, 5, 10, 11, 15, 16, 20, 21, 25, 29, 30
Mejores días para la profesión: 3, 4, 5, 6, 15, 16, 25, 26

Dado que tu cumpleaños fue hace muy poco, tu ciclo solar personal está en fase creciente; el mes pasado, en el solsticio de invierno, comenzó la fase creciente del ciclo solar universal. Todos los planetas están en movimiento directo este mes (lo que es muy excepcional). Estás pues, en un periodo fabuloso (el mes que viene también) para iniciar nuevos proyectos o empresas o lanzar nuevos productos en el mundo. Del 17 al 30, cuando la Luna también está en fase creciente, es el mejor periodo del mes para hacer esto. Cuentas con mucho respaldo e impulso cósmico y deberías ver progreso rápido.

Comienzas el año con el sector oriental, el del yo, muy dominante. Esto va a cambiar pronto. Sigues en un periodo de independencia, así que si aún no has hecho los cambios que es necesario hacer, este es el periodo para hacerlos; más adelante, a partir del próximo mes, será más difícil.

El lado noche de tu carta (la mitad inferior) es la más fuerte este mes y en los próximos meses estará más fuerte aún; eres más una persona «nocturna». Este es el periodo para ocuparte de los asuntos familiares y domésticos y de tu bienestar emocional; es el periodo para reunir energías para el siguiente empuje profesional que comenzará en junio; es un periodo de preparación, no para actuar.

El 31 hay un eclipse lunar que se ve fuerte en ti; ocurre en tu novena casa, la de los viajes al extranjero. Eres un gran viajero, pero evita viajar durante el periodo del eclipse, si es posible. Si eres estudiante universitario haces importantes cambios en tus planes educacionales. Hay trastornos o reorganización en tu lugar de culto y drama en la vida de sus dirigentes. El planeta eclipsado, la Luna, rige tu octava casa, por lo tanto podría haber experiencias de casi muerte. Normalmente este aspecto trae enfrentamientos con la muerte, no muerte literal. Hay eclipses lunares dos veces al año así que ya has pasado muchas de estas cosas; podrías soñar con la muerte; te causan gran impresión delitos o crímenes espantosos o ataques terroristas, de los que lees en el diario u oyes comentarios en el vecindario. El Cosmos te obliga a profundizar en la comprensión de este tema. Este eclipse hace impacto en Venus (aunque no directamente), por lo tanto podría haber cambios laborales; a veces hay disturbios o trastornos en el lugar de trabajo. Hay dramas en la vida de personas amigas. Un progenitor o figura parental tiene que hacer cambios importantes en sus finanzas.

Febrero

Mejores días en general: 9, 10, 19, 27, 28
Días menos favorables en general: 2, 3, 16, 17, 23, 24
Mejores días para el amor: 4, 5, 14, 15, 16, 23, 24, 25, 26
Mejores días para el dinero: 2, 6, 7, 11, 12, 16, 17, 21, 25, 26
Mejores días para la profesión: 2, 3, 4, 5, 14, 15, 25, 26

El 15 hay un eclipse solar que ocurre en tu tercera casa y afecta a hermanos, figuras fraternas y vecinos; hay dramas en sus vidas; se ven obligados a redefinirse. A veces hay cambios importantes en el barrio, obras de construcción y cosas de esta naturaleza. Si eres estudiante, universitario o aun no universitario haces cambios importantes en tus planes educacionales, podrías cambiar de colegio o facultad; hay disturbios o reorganización en el colegio o la universidad. Pasan por pruebas los coches y el equipo de comunicación. Te conviene conducir con más prudencia durante este periodo; si no es necesario, es mejor que no conduzcas; minimiza todo lo posible la actividad de conducir; por ejemplo, mejor vas a una tienda o restaurante del barrio que a uno que esté más lejos. El planeta eclipsado, el Sol, rige tu novena casa, por lo tanto, como el mes pasado, no es aconsejable viajar durante el periodo del eclipse; si debes viajar programa el viaje antes o después del eclipse. Hay más confusión en tu lugar de culto y más dramas en la vida de sus dirigentes. Este eclipse hace impacto en Mercurio y Júpiter, dos planetas importantes en tu carta. El impacto en Mercurio afecta a la vida amorosa: hay problemas en la relación actual; también afecta a la profesión: debes tomar medidas correctivas. El efecto del impacto en Júpiter es más personal: te ves obligado a hacer cambios en tu imagen, en tu apariencia general, tu manera de presentarte ante el mundo (esto es un proceso de unos cinco o seis meses). Tómate las cosas con calma y reduce tus actividades durante el periodo del eclipse, unos cuantos días antes y otros tantos después.

El 18 entran el Sol y Mercurio en tu cuarta casa, la del hogar y la familia, la que se hace muy fuerte. Tu planeta de la profesión en la cuarta casa nos da un mensaje muy simple: en este periodo, tu profesión, tu misión, está en el hogar y la familia; gran parte de tus actividades profesionales, externas, las puedes hacer desde la casa. Tu planeta del trabajo, Venus, también está en tu cuarta casa a partir del 11, otro mensaje para trabajar más desde la casa. Debes estar presente para la familia.

Marte, tu planeta de los hijos, entró en tu primera casa el 27 del mes pasado y estará en ella todo el mes: otro mensaje más para centrar la atención en la familia.

Marzo

Mejores días en general: 8, 9, 18, 19, 26, 27
Días menos favorables en general: 1, 2, 15, 16, 17, 22, 23, 29, 30
Mejores días para el amor: 8, 18, 19, 22, 23, 26, 27
Mejores días para el dinero: 1, 6, 7, 10, 11, 12, 15, 16, 17, 20, 24, 25, 29
Mejores días para la profesión: 1, 2, 8, 18, 19, 26, 27, 29, 30

Hasta el 20 siguen siendo importantes los asuntos familiares y domésticos. Pero el poder de la cuarta casa no se limita al hogar y la familia; abarca también tu vida emocional en general. Cuando la cuarta casa está fuerte hay oportunidades de hacer progreso psíquico; estas cosas ocurren estés o no estés en una psicoterapia formal; espontáneamente surgen recuerdos del pasado para que puedas mirarlos desde tu perspectiva actual. No vas a reescribir la historia, lo que sea que pasó, pasó. Pero vas a reinterpretar la historia de una manera mejor; lo que fue aterrador para un niño o niña de tres años sólo hace sonreír al adulto. Podrás ver el origen de muchos gustos, aversiones y fobias, y eso es el principio de la curación; no tienes por qué llevar encima esos traumas el resto de tu vida.

Las finanzas van fundamentalmente bien este mes, pero mejor antes del 20 que después; después tendrás que trabajar más por tus ingresos. Marte entra en tu casa del dinero el 17, y esto indica que estás dispuesto a hacer el trabajo y, por lo tanto, el mes se ve próspero. Hay buen apoyo familiar; la familia y las conexiones familiares (o la empresa o negocio de la familia) son importantes en las finanzas.

Tu quinta casa se hace muy fuerte después del 20; entras en una cima de placer personal. Es el periodo para la diversión, para recargar las pilas con actividades de ocio. El amor se ve feliz pues tu planeta del amor pasa la mayor parte del mes, a partir del 6, en tu quinta casa. El amor es feliz pero no serio; va más de diversión que de verdadero romance. Disfrútalo en lo que es. Si estás en una relación amorosa puedes mejorarla divirtiéndoos juntos como pareja. Tu planeta del amor, Mercurio, inicia movimiento retrógrado el 28, y entonces comienza a complicarse la vida amorosa. Falta claridad, el juicio social no está a la altura habitual.

Mercurio en tu quinta casa también afecta a la profesión. Hay varias maneras de interpretar esto. Una, que es importante que disfrutes con tu profesión; encuentra formas creativas de inyectarle agrado, placer. Otra es que actividades de diversión o entretenimiento favorecen la profesión; tal vez haces un contacto importante en un balneario o teatro; tal vez haces pasar un buen rato de diversión a clientes importantes. Son muchas las posibilidades.

Abril

Mejores días en general: 4, 5, 6, 14, 15, 23, 24
Días menos favorables en general: 12, 13, 18, 19, 25, 26
Mejores días para el amor: 4, 5, 6, 7, 8, 14, 15, 16, 17, 18, 19, 23, 24, 27
Mejores días para el dinero: 2, 3, 7, 8, 12, 13, 16, 21, 22, 25, 29, 30
Mejores días para la profesión: 4, 5, 6, 14, 15, 23, 24, 25, 26

Desde el 18 de febrero se ha hecho muy fuerte el sector occidental de tu carta (el de los demás). No domina del todo, todavía hay varios planetas en tu sector oriental, pero está en la posición más fuerte que tendrá este año. Hay cierta independencia personal, entonces, pero menos que la habitual; es fuerte la necesidad de equilibrar tus intereses con los de los demás. Esta no es la carta de la persona que se somete totalmente (como la que vemos en otros signos), sino de la que a veces se inclina a imponer su voluntad y a veces se inclina a la voluntad de otros. Veo una situación tipo balancín; a veces haces tu voluntad, a veces dejas que se impongan los demás; depende de la situación.

El 20 ya estás menos en ánimo de fiestas; estás en ánimo para el trabajo; no se trata de que tengas que trabajar, lo deseas. Y en esa modalidad es cuando van mejor los proyectos de trabajo. En el caso de que estés desempleado, tienes buenas perspectivas de encontrar trabajo, hay por lo menos dos oportunidades. Si tienes empleo, tienes oportunidades para hacer horas extras o trabajos secundarios.

El movimiento retrógrado de tu planeta del amor, Mercurio, no impide el amor pero retrasa las cosas; esto es esencialmente bueno: necesitas más cautela hasta el 15. Mercurio pasa el mes en tu quinta casa, la de la diversión y entretenimiento; esto indica tu actitud en el amor en este periodo. Si estás soltero o soltera es probable que encuentres oportunidades románticas en fiestas, balnearios, lugares nocturnos, centros de diversión. El 24 Venus entra en tu séptima casa, la del amor; esto indica una oportunidad para romance de oficina, romance con un compañero de trabajo; también indica más vida social en el lugar de trabajo. Pero el amor no se ve serio; es más o menos igual que el mes pasado; va de diversión, es simplemente otra forma de entretenimiento, como ir al cine o al teatro.

Este mes está poderosa tu casa del dinero, es una de las más fuertes del horóscopo. Marte pasa todo el mes en ella; como el mes pasado, esto indica buen apoyo familiar y la importancia de las conexiones familiares en las finanzas. También es probable que gastes más en el hogar y la familia.

La salud es buena este mes; esto debería considerarse otra forma de riqueza. Puedes fortalecerla otro poco dando más atención al cuello y la garganta hasta el 24 (el masaje en el cuello es excelente), y después a los brazos y los hombros.

Mayo

Mejores días en general: 2, 3, 11, 12, 13, 20, 21, 29, 30
Días menos favorables en general: 9, 10, 16, 17, 22, 23
Mejores días para el amor: 2, 3, 7, 8, 13, 14, 16, 17, 22, 23, 26, 31
Mejores días para el dinero: 4, 5, 9, 10, 14, 18, 19, 22, 26, 27, 31
Mejores días para la profesión: 2, 3, 13, 14, 22, 23, 31

Este mes ocurren muchos cambios interesantes; es un mes novedoso. El 16 Urano pasa de tu quinta casa a la sexta, tránsito muy importante. Esto trae inestabilidad a la situación laboral, la que continuará unos meses. Lo bueno es que las oportunidades laborales pueden presentarse en un abrir y cerrar de ojos, de las maneras más inesperadas. Este año sólo vas a experimentar el comienzo de esta tendencia, pero el año que viene, y los siete años siguientes, será más pronunciada. El Cosmos desea que te sientas cómodo con la inseguridad laboral. Este tránsito también produce cambios, tal vez muchos, en tu programa de salud y en tu actitud hacia la salud. Te vuelves más experimental; esto también será más pronunciado en los años futuros.

El 21 el poder planetario comienza a trasladarse al lado de tu carta, la mitad superior. Por lo tanto, en sentido figurado, es el amanecer en tu año. Vas a ser más una persona diurna que una nocturna, y este mes es sólo el comienzo; llega el periodo para centrar la atención en tu vida y tus objetivos externos.

Aumentan las actividades sociales y amorosas, y son más felices; tu planeta del amor, Mercurio, está en movimiento directo y avanza muy rápido; esto indica confianza, seguridad social. Si estás soltero o soltera y sin compromiso sales más en citas. Las dotes sociales son más fuertes. El 21, cuando el Sol entra en tu séptima casa, la del amor, inicias una cima amorosa y social anual; estás en ánimo para el amor y el romance (y esto influye). En tu vida social te relacionas y te llevas bien con muchos y diversos tipos de personas. Este mes te llevas bien con más o menos todo el mundo.

Las finanzas son excelentes este mes, en especial hasta el 21. El 1 el Sol forma buenos aspectos a tu planeta del dinero, lo que trae un bonido día de paga y/o una oportunidad. El 18 y el 19 Mercurio forma buenos aspectos a tu planeta del dinero, lo que trae más de lo mismo. En tus finanzas cuentas con el favor de tu cónyuge, pareja o ser amado actual y de jefes, padres o figuras parentales.

Venus pasa la mayor parte del mes «fuera de límites», y esto significa que sales de tu esfera normal por motivos de trabajo; también indica que en salud y terapias buscas soluciones fuera de los sistemas terapéuticos corrientes.

Junio

Mejores días en general: 8, 9, 16, 17, 25, 26
Días menos favorables en general: 5, 6, 7, 12, 13, 18, 19
Mejores días para el amor: 3, 4, 6, 7, 12, 13, 14, 16, 23, 24
Mejores días para el dinero: 1, 2, 5, 6, 7, 10, 14, 15, 18, 23, 24, 28, 29
Mejores días para la profesión: 3, 4, 14, 18, 19, 23, 24

Desde el 21 del mes pasado la salud necesita más atención; no pasa nada catastrófico sino simplemente la presión de los planetas rápidos; de todos modos la energía no es lo que era ni siquiera hace un mes. Conviene entender estas cosas. Como siempre, procura descansar lo suficiente; si te sientes cansado, echa una cabezada o tómate un rato de descanso. Hasta el 14 puedes fortalecer la salud con una buena dieta; da más atención al estómago; es importante la buena salud emocional. Después del 14 da más atención al corazón; te irán bien masajes en el pecho. A partir del 21 verás cómo vuelven la salud y la energía; es como si se hubiera pulsado un gigantesco interruptor cósmico y tu energía fluye normalmente.

Hasta el 21 continúas en tu cima amorosa y social; siempre te han atraído personas extranjeras, y este mes más aún. Hay oportunidades románticas y sociales en otros países, y además en ambientes educacionales y en tu lugar de culto. Ahora está fuerte la confianza social: Mercurio no sólo está en movimiento directo sino que también avanza bastante rápido; cubres mucho terreno social en este periodo.

Las finanzas se ven algo más difíciles este mes. Tampoco en esto pasa nada catastrófico, sino que todo va más lento que lo habitual. Tu planeta del dinero, Saturno, está en movimiento retrógrado y recibe aspectos desfavorables. Simplemente tienes que trabajar más por tus ingresos y hacer frente a más retrasos; puedes evitar empeorar las cosas poniendo más atención a los detalles en tus gestiones financieras; un pequeño error puede causar grandes retrasos.

El 1 y el 2 Venus le forma aspectos hermosos a Júpiter; esto trae éxito en el trabajo y felices oportunidades laborales; hay buenas noticias en la faceta salud. Los hijos o figuras filiales de tu vida tienen un bonito día de paga.

El 19 y el 20 Mercurio forma aspectos hermosos a Júpiter y a Neptuno; esto trae felices oportunidades y éxitos profesionales, y felicidad social. Si estás soltero o soltera tienes felices encuentros románticos. Los familiares apoyan tus objetivos profesionales.

Estando todavía fuerte el sector occidental o social de tu carta y Júpiter en movimiento retrógrado, este mes será mejor que te sometas a la voluntad de los demás; déjalos que se impongan mientras esto no sea destructivo. Un exceso de voluntariedad no es conducente al romance, y este es un mes romántico.

Julio

Mejores días en general: 5, 6, 14, 15, 22, 23, 24
Días menos favorables en general: 3, 4, 10, 11, 16, 17, 30, 31
Mejores días para el amor: 5, 6, 10, 11, 14, 15, 22, 23, 24
Mejores días para el dinero: 1, 7, 8, 12, 13, 16, 20, 21, 25, 26, 27, 28, 29
Mejores días para la profesión: 5, 6, 14, 15, 16, 17, 22, 23, 24

Dos eclipses prácticamente garantizan que este mes sea azaroso y trastornador; ni un solo momento aburrido.

En tu vida has pasado por eclipses mucho peores, pero no te hará ningún daño reducir tus actividades y tomarte las cosas con calma en estos periodos.

El eclipse solar del 13 ocurre en tu octava casa, y esto lo hace fuerte en ti. Podría ser causa de una experiencia de casi muerte y de encuentros psíquicos con la muerte; normalmente no se trata de una muerte física (para pronosticar esto es necesario estudiar la carta astral de la persona según la fecha, hora y lugar de su nacimiento). Así pues, no hace ninguna falta tentar a la parca de la guadaña; pasa más tiempo tranquilo en casa durante el periodo del eclipse. El cónyuge, pareja o ser amado actual pasa por una crisis financiera, algún problema que le obliga a hacer cambios importantes en sus finanzas. Podrías tener problemas con un inspector de Hacienda o con alguna compañía de seguros. Si estás en edad, tal vez quieras hacer cambios en tu testamento. El planeta eclipsado, el Sol, rige tu novena casa, por lo tanto nuevamente (como vimos en los eclipses de enero y febrero) hay trastornos en tu lugar de culto y hay drama en la vida de sus dirigentes. Pasan por pruebas tus creencias religiosas y filosóficas, se pone a prueba tu fe. Si eres estudiante universitario o estás a punto de serlo haces cambios en tus planes educacionales. Este eclipse hace impacto directo en Plutón, tu planeta de la espiritualidad; esto produce confusión, caos, en una organización benéfica o espiritual con la que te relacionas; hay drama en la vida de tu gurú o figura de gurú. La vida onírica podría ser hiperactiva (y tal vez negativa), pero no hagas caso de estos sueños; no son mensajes de lo alto sino residuos o desechos astrales agitados por el eclipse.

El eclipse lunar del 27 ocurre en tu tercera casa y trae lo mismo que trajo el eclipse solar. Podría haber una experiencia de casi muerte o encuentros psíquicos con la muerte; podría haber problemas con un inspector de Hacienda y en reclamaciones a una compañía de seguros. Conduce solamente si es necesario; haz todo lo posible por no conducir. Pasan por pruebas los coches y el equipo de comunicación; es posible que tengas que hacerlos reparar o reemplazarlos. Hay dramas en la vida de hermanos, figuras fraternas y vecinos. Podría haber un cambio radical en tu barrio. Si eres estudiante aun no universitario este eclipse te afecta; hay problemas en el colegio y haces cambios en tus planes educacionales.

Agosto

Mejores días en general: 1, 2, 3, 10, 11, 19, 20, 29, 30
Días menos favorables en general: 6, 7, 12, 13, 26, 27
Mejores días para el amor: 1, 2, 3, 5, 6, 7, 10, 11, 14, 15, 19, 20, 24, 25, 29, 30
Mejores días para el dinero: 4, 8, 9, 12, 16, 17, 21, 22, 26, 27, 31
Mejores días para la profesión: 1, 2, 3, 6, 7, 10, 11, 19, 20, 29, 30

El 11 hay otro eclipse solar (el tercero del año) que mantiene agitadas las cosas.

Este eclipse es más o menos una repetición del que acabamos de tener. Ocurre en tu novena casa y nuevamente te afecta si eres estudiante universitario, y también afecta a tu lugar de culto y a sus dirigentes. Y produce más caos aún. Ocurre cuando el 60 por ciento de los planetas están en movimiento retrógrado (el máximo del año) y por lo tanto podría tener reacciones retardadas; pero a lo largo de los seis próximos meses veremos los cambios y dramas que mencionamos. Pasan por pruebas los matrimonios de hermanos y figuras filiales.

Eres viajero por naturaleza, Sagitario, y este mes lo eres más aún teniendo tan fuerte tu novena casa; pero evita viajar durante el periodo del eclipse.

A pesar del eclipse este mes es exitoso. Tu planeta de la profesión, Mercurio, retoma el movimiento directo el 19, y el 22 el Sol entra en tu décima casa, la de la profesión; entonces inicias una cima profesional anual. Hasta el 7 te son útiles tu ética laboral y las amistades que están en puestos adecuados. Tu disposición a viajar es también un punto positivo; eso sí, como hemos dicho, evita viajar durante el periodo del eclipse, si es posible.

La prosperidad es fuerte este mes, especialmente después del 22. No sería sorpresa un ascenso o un aumento de sueldo (a veces ocurren estas cosas de forma no oficial). En general, son buenas las inversiones en el extranjero y hay buena disposición hacia ti por parte de empresas y personas extranjeras. El único problema es que tu planeta del dinero está en movimiento retrógrado; la prosperidad llega pero con más lentitud de lo que esperabas.

Tu planeta del amor, Mercurio, pasa el mes en tu novena casa; esto indica más actividad social y la atracción por personas extranjeras, pastores religiosos y profesores. Esta atracción es innata en ti, pero ahora es mucho más fuerte. Mercurio está en movimiento retrógrado hasta el 19, y esto recomienda más cautela en el amor. Por naturaleza eres persona de «amor a primera vista», te precipitas a entablar una relación, y esto también es más fuerte este mes. Pero hasta el 19 debes ser más prudente; después del 19 es otra historia.

A partir del 22 la salud necesita más atención; no ocurre nada importante, nada grave, simplemente tienes menos energía. Hasta el 7 puedes fortalecer la salud con masajes en los brazos y los hombros y después con masajes en las caderas.

Septiembre

Mejores días en general: 7, 15, 16, 25, 26
Días menos favorables en general: 2, 3, 9, 22, 23, 24, 29, 30
Mejores días para el amor: 2, 3, 9, 13, 18, 19, 22, 23, 29, 30

Mejores días para el dinero: 1, 4, 5, 8, 9, 13, 14, 17, 18, 19, 22, 23, 24, 27
Mejores días para la profesión: 9, 18, 19, 29

El 22 del mes pasado el poder planetario volvió al sector oriental de tu carta, el sector del yo. El 6 de este mes, cuando Mercurio pasa a tu sector oriental, el dominio de este sector es más fuerte aún; el 80 por ciento de los planetas, y a veces el 90 por ciento, están en tu sector oriental. En realidad nunca has perdido tu independencia en lo que va de año, pero ahora esta es más fuerte que nunca. Respeta a los demás, pero haz las cosas a tu manera; responsabilízate de tu felicidad. Lo que importa ahora es tu mérito personal no tu capacidad para caer bien ni tus dotes sociales.

Hasta el 22 sigue siendo necesaria la atención a la salud; así pues, como siempre, procura descansar lo suficiente. Hasta el 9 fortalece la salud con masajes en las caderas y tal vez una limpieza de los riñones con infusiones de hierbas; después del 9 da más atención al colon, la vejiga y los órganos sexuales; ahora es importante la moderación sexual; además, respondes bien a las terapias espirituales. Si te sientes indispuesto, recurre a un terapeuta que emplee técnicas espirituales. A partir del 22 volverán maravillosamente la salud y la energía; este ha sido un problema de corta duración.

Sigues en una cima profesional anual y gran parte de lo que hablamos el mes pasado vale ahora. Está dispuesto a viajar, a hacer cursos que te hagan avanzar en la profesión y a enseñar a otros. Del 6 al 22 tienes amistades en puestos elevados que parecen dispuestos a apoyarte. Tienes éxito este mes. También tiene éxito tu cónyuge, pareja o ser amado actual.

El amor debería ir bien este mes. De boda no se ven probabilidades, pero de amor sí. Tu planeta del amor, Mercurio, está en tu décima casa del 6 al 22. Esto indica que el amor está en los primeros lugares de tus prioridades; es tal vez tu verdadera profesión, tu misión; tienes que estar por el ser amado y por tus amistades. También indicaría oportunidades románticas cuando estás atendiendo a tus objetivos profesionales y con personas relacionadas con tu profesión. En este periodo te atraen personas de elevada posición, y conocerás a personas de este tipo. Gran parte de tu vida social este mes (del 6 al 22) parece estar relacionada con tu profesión o trabajo.

Octubre

Mejores días en general: 4, 5, 12, 13, 14, 22, 23, 31
Días menos favorables en general: 1, 6, 7, 20, 21, 27, 28
Mejores días para el amor: 1, 2, 3, 9, 10, 11, 20, 21, 27, 28, 29, 30
Mejores días para el dinero: 2, 3, 6, 10, 11, 15, 16, 20, 21, 24, 25, 29, 30
Mejores días para la profesión: 1, 6, 7, 9, 10, 20, 21, 29, 30

Este mes se mueven las piezas del tablero cósmico para la prosperidad. El 9 del mes pasado tu planeta del dinero retomó el movimiento directo; Plutón, en tu casa del dinero, lo retoma el 2. El aspecto Saturno y Plutón paralelos (ocupan el mismo grado de latitud) indica una excelente intuición financiera. Durante meses han estado paralelos, pero estaban en movimiento retrógrado; ahora, en movimiento directo, son más fiables. Ahora hay claridad y dirección en las finanzas; tu criterio es el correcto y tienes buena intuición. Cuando el Sol entre en Escorpio el 22, verás cómo aumentan los ingresos; antes estaban bien, pero tenías que trabajar más.

La salud y la energía están súper; no hay ningún planeta rápido en alineación desfavorable; sólo un planeta lento está en alineación desfavorable, Neptuno, y esto lo has tenido así muchos años. Con energía, lo que parecía imposible ahora es posible. Venus, tu planeta de la salud, inicia movimiento retrógrado el 5 (esto lo hace cada dos años), así que no te des prisa en hacer cambios en la dieta ni en tu programa de salud; es necesario analizar las cosas con más detenimiento para hacer cambios. Venus pasa todo el mes en tu casa doce, la de la espiritualidad, y esto indica que respondes bien a terapias de tipo espiritual; teniendo tan fuerte tu casa doce (a partir del 23), este es un periodo fabuloso para profundizar en el conocimiento de la curación espiritual.

Júpiter está en tu casa doce todo lo que va de año, y este mes esta casa se hace aún más fuerte, es con mucho la más fuerte del horóscopo. Este es un periodo para crecimiento interior. Vas a ver que las cosas tienen que ocurrir «a través de ti» antes que te ocurran a ti; lo interior precede a lo exterior. Así pues, este crecimiento interior se va a manifestar como crecimiento exterior en los próximos meses.

Mercurio, tu planeta del amor y de la profesión, pasa la mayor parte del mes, a partir del 10, en tu casa doce; el mensaje del horóscopo es: mantente bien espiritualmente y todo lo demás, salud, profesión, amor y finanzas irá bien. Estas cosas cuidarán de sí mismas.

Noviembre

Mejores días en general: 1, 9, 10, 19, 20, 27, 28
Días menos favorables en general: 2, 3, 16, 17, 23, 24, 29, 30
Mejores días para el amor: 1, 4, 5, 9, 10, 14, 15, 19, 20, 23, 24, 27, 28
Mejores días para el dinero: 2, 8, 10, 11, 12, 19, 21, 27
Mejores días para la profesión: 1, 2, 3, 9, 10, 19, 20, 27, 28, 29, 30

Este es un mes feliz y próspero, Sagitario. El futuro se ve brillante y necesitas gafas de sol para mirarlo. El 8 Júpiter cruza tu ascendente y entra en tu primera casa; ahí está en su signo y casa, se siente a gusto, y es más poderoso por tu bien. Esto inicia, como hemos dicho, un ciclo de varios años de prosperidad. Eres viajero por naturaleza; pues, ahora lo eres más. ¿Volamos a Argentina a ver el partido de fútbol? ¿O a Alemania? Tienes las maletas listas. ¿Pasamos a París a comer y luego cenamos en Londres? Tienes las maletas listas. En general tiendes a llevar un elevado estilo de vida, pero ahora esos deseos aumentan. En este periodo eres un Sagitario al que han inyectado esteroides.

El 6 Urano vuelve a tu quinta casa en movimiento retrógrado. La situación laboral se estabiliza temporalmente; también se estabiliza la experimentación en asuntos de salud.

El 16 Venus retoma el movimiento directo así que hasta entonces evita hacer cambios importantes en tu programa de salud. La salud continúa excelente. Ni siquiera la entrada de Marte en alineación desfavorable el 16 afecta materialmente a tu salud; la mayoría de los planetas están en relación armoniosa contigo. Puedes fortalecer tu salud ya buena dando más atención a las caderas y los riñones; el masaje en las caderas no sólo fortalece los riñones sino también la parte inferior de la espalda.

La vida amorosa va bien este mes, aunque algo complicada; tu planeta del amor, Mercurio, pasa el mes en tu primera casa; esto indica que el amor te busca, te persigue, siempre está donde estás tú; también sugiere a la persona que ama según sus condiciones y la otra persona parece dispuesta a complacer. Pero Mercurio inicia movimiento retrógrado el 17, y esto puede ser causa de retrasos o contratiempos. El 27 y el 28 Mercurio viaja con Júpiter y entonces el amor resplandece: hay felices experiencias sociales y, si estás sin compromiso, un feliz encuentro romántico. También trae elevación y éxito en la profesión, aunque esto podría ser con reacción retardada.

La profesión va perdiendo importancia. El 22 ya habrá sólo un planeta sobre el horizonte de tu carta, sin contar la Luna. El lado noche de tu horóscopo será entonces muy dominante. Al parecer ya has conseguido tus objetivos profesionales de corto plazo; se te considera exitoso, y das esa imagen. No tienes necesidad de correr en pos de oportunidades profesionales, estas vienen en pos de ti; después del 17 analízalas más detenidamente.

Diciembre

Mejores días en general: 6, 7, 16, 17, 25, 26
Días menos favorables en general: 14, 15, 21, 22, 27, 28
Mejores días para el amor: 2, 3, 4, 5, 13, 14, 15, 21, 22, 23, 24
Mejores días para el dinero: 6, 8, 9, 10, 16, 18, 26, 27
Mejores días para la profesión: 4, 5, 14, 23, 24, 27, 28

Este es un mes feliz y próspero, Sagitario, disfrútalo.

El poder planetario está ahora en su posición oriental máxima, por lo que tú te encuentras en tu periodo de independencia máxima; sólo hay un planeta en tu sector occidental, el de los demás, aparte de la Luna, la que sólo está medio mes en el sector occidental. Este es un indicador clásico de la persona que tiene la vida según sus condiciones; tienes las cosas a tu manera; esto tiene sus puntos positivos y sus puntos negativos; si tu manera es imprudente puede producir problemas kármicos más adelante; pero si es prudente y no hay intención de hacer daño a los demás, es muy positivo.

La salud y la energía son excelentes; la entrada de tu planeta de la salud en tu casa doce el 2 indica que respondes bien a métodos curativos espirituales; tal vez amplías tus conocimiento sobre estos métodos.

Continúas en una cima de placer personal; es el periodo para tratar bien al cuerpo; podrías tender a excederte en esto y si lo haces tendrás que pagar las consecuencias más adelante; podrías tener problema de peso.

Júpiter en tu signo (junto con el Sol) te hace mucho más fértil este mes si estás en edad de concebir; esta tendencia continuará los doce próximos meses.

El 21 el Sol entra en tu ya fuerte casa del dinero y la hace más fuerte aún; comienzas una cima financiera anual. Del 25 al 31 el Sol viaja con Saturno, y esto trae aumento de ingresos; este aspecto favorece el dinero procedente de otros países, de empresas extranjeras y de personas extranjeras en general.

El 6 comienza a mejorar la vida amorosa pues este día Mercurio retoma el movimiento directo; a partir del 13 va francamente bien pues Mercurio vuelve a entrar en tu primera casa. Como el mes pasado, esto sugiere a la persona que tiene el amor según sus condiciones; tu cónyuge, pareja o ser amado actual está impaciente por complacerte, como también los demás en general. Si estás soltero o soltera y sin compromiso no es mucho lo que tienes que hacer para atraer amor; este te encontrará, sólo tienes que ocuparte de tus asuntos cotidianos. Dado que Mercurio es también tu planeta de la profesión, su entrada en tu primera casa trae felices oportunidades profesionales. Como el mes pasado sugiere a la persona que ha conseguido sus objetivos profesionales (al menos los de corto plazo) y da la imagen; se te considera exitoso y así es como te sientes.

Capricornio

La Cabra

Nacidos entre el 21 de diciembre y el 19 de enero

Rasgos generales

CAPRICORNIO DE UN VISTAZO

Elemento: Tierra

Planeta regente: Saturno
Planeta de la profesión: Venus
Planeta del amor: la Luna
Planeta del dinero: Urano
Planeta de la salud y el trabajo: Mercurio
Planeta del hogar y la vida familiar: Marte
Planeta espiritual: Júpiter

Colores: Negro, índigo
Colores que favorecen el amor, el romance y la armonía social: Castaño rojizo, plateado
Color que favorece la capacidad de ganar dinero: Azul marino

Piedra: Ónice negro

Metal: Plomo

Aromas: Magnolia, pino, guisante de olor, aceite de gualteria

Modo: Cardinal (= actividad)

Cualidades más necesarias para el equilibrio: Simpatía, espontaneidad, sentido del humor y diversión

Virtudes más fuertes: Sentido del deber, organización, perseverancia, paciencia, capacidad de expectativas a largo plazo

Necesidad más profunda: Dirigir, responsabilizarse, administrar

Lo que hay que evitar: Pesimismo, depresión, materialismo y conservadurismo excesivos

Signos globalmente más compatibles: Tauro, Virgo

Signos globalmente más incompatibles: Aries, Cáncer, Libra

Signo que ofrece más apoyo laboral: Libra

Signo que ofrece más apoyo emocional: Aries

Signo que ofrece más apoyo económico: Acuario

Mejor signo para el matrimonio y/o asociaciones: Cáncer

Signo que más apoya en proyectos creativos: Tauro

Mejor signo para pasárselo bien: Tauro

Signos que más apoyan espiritualmente: Virgo, Sagitario

Mejor día de la semana: Sábado

La personalidad Capricornio

Debido a las cualidades de los nativos de Capricornio, siempre habrá personas a su favor y en su contra. Mucha gente los admira, y otros los detestan. ¿Por qué? Al parecer esto se debe a sus ansias de poder. Un Capricornio bien desarrollado tiene sus ojos puestos en las cimas del poder, el prestigio y la autoridad. En este signo la ambición no es un defecto fatal, sino su mayor virtud.

A los Capricornio no les asusta el resentimiento que a veces puede despertar su autoridad. En su mente fría, calculadora y organizada, todos los peligros son factores que ellos ya tienen en cuenta en la ecuación: la impopularidad, la animosidad, los malentendidos e incluso la vil calumnia; y siempre tienen un plan para afrontar estas cosas de la manera más eficaz. Situaciones que aterrarían a cualquier mente corriente, para Capricornio son meros problemas que hay que afrontar y solventar, baches en el camino hacia un poder, una eficacia y un prestigio siempre crecientes.

Algunas personas piensan que los Capricornio son pesimistas, pero esto es algo engañoso. Es verdad que les gusta tener en cuenta el lado negativo de las cosas; también es cierto que les gusta imaginar lo peor, los peores resultados posibles en todo lo que emprenden. A otras personas les pueden parecer deprimentes estos análisis, pero Capricornio sólo lo hace para poder formular una manera de salir de la situación, un camino de escape o un «paracaídas».

Los Capricornio discutirán el éxito, demostrarán que las cosas no se están haciendo tan bien como se piensa; esto lo hacen con ellos mismos y con los demás. No es su intención desanimar, sino más bien eliminar cualquier impedimento para un éxito mayor. Un jefe o director Capricornio piensa que por muy bueno que sea el rendimiento siempre se puede mejorar. Esto explica por qué es tan difícil tratar con los directores de este signo y por qué a veces son incluso irritantes. No obstante, sus actos suelen ser efectivos con bastante frecuencia: logran que sus subordinados mejoren y hagan mejor su trabajo.

Capricornio es un gerente y administrador nato. Leo es mejor para ser rey o reina, pero Capricornio es mejor para ser primer ministro, la persona que administra la monarquía, el gobierno o la empresa, la persona que realmente ejerce el poder.

A los Capricornio les interesan las virtudes que duran, las cosas que superan las pruebas del tiempo y circunstancias adversas. Las modas y novedades pasajeras significan muy poco para ellos; sólo las ven como cosas que se pueden utilizar para conseguir beneficios o poder. Aplican esta actitud a los negocios, al amor, a su manera de pensar e incluso a su filosofía y su religión.

Situación económica

Los nativos de Capricornio suelen conseguir riqueza y generalmente se la ganan. Están dispuestos a trabajar arduamente y durante mucho tiempo para alcanzar lo que desean. Son muy dados a renunciar a ganancias a corto plazo en favor de un beneficio a largo plazo. En materia económica entran en posesión de sus bienes tarde en la vida.

Sin embargo, si desean conseguir sus objetivos económicos, deben despojarse de parte de su conservadurismo. Este es tal vez el rasgo menos deseable de los Capricornio. Son capaces de oponerse a cualquier cosa simplemente porque es algo nuevo y no ha sido puesto a prueba. Temen la experimentación. Es necesario que estén dispuestos a correr unos cuantos riesgos. Debería entusiasmarlos más lanzar productos nuevos al mercado o explorar técnicas de dirección diferentes. De otro modo el progreso los dejará atrás. Si es necesario, deben estar dispuestos a cambiar con los tiempos, a descartar métodos anticuados que ya no funcionan en las condiciones modernas.

Con mucha frecuencia, la experimentación va a significar que tengan que romper con la autoridad existente. Podrían incluso pensar en cambiar de trabajo o comenzar proyectos propios. Si lo hacen deberán disponerse a aceptar todos los riesgos y a continuar adelante. Solamente entonces estarán en camino de obtener sus mayores ganancias económicas.

Profesión e imagen pública

La ambición y la búsqueda del poder son evidentes en Capricornio. Es tal vez el signo más ambicioso del zodiaco, y generalmente el más triunfador en sentido mundano. Sin embargo, necesita aprender ciertas lecciones para hacer realidad sus más elevadas aspiraciones.

La inteligencia, el trabajo arduo, la fría eficiencia y la organización los llevarán hasta un cierto punto, pero no hasta la misma cima. Los nativos de Capricornio han de cultivar la buena disposición social, desarrollar un estilo social junto con el encanto y la capacidad de llevarse bien con la gente. Además de la eficiencia, necesitan poner belleza en su vida y cultivar los contactos sociales adecuados. Deben aprender a ejercer el poder y a ser queridos por ello, lo cual es un arte muy delicado. También necesitan aprender a unir a las personas para llevar a cabo ciertos objetivos. En resumen, les hacen falta las dotes sociales de Libra para llegar a la cima.

Una vez aprendidas estas cosas, los nativos de Capricornio tendrán éxito en su profesión. Son ambiciosos y muy trabajadores; no tienen miedo de dedicar al trabajo todo el tiempo y los esfuerzos necesarios. Se toman su tiempo para hacer su trabajo, con el fin de hacerlo bien, y les gusta subir por los escalafones de la empresa, de un modo lento pero seguro. Al estar impulsados por el éxito, los Capricornio suelen caer bien a sus jefes, que los respetan y se fían de ellos.

Amor y relaciones

Tal como ocurre con Escorpio y Piscis, es difícil llegar a conocer a un Capricornio. Son personas profundas, introvertidas y reservadas. No les gusta revelar sus pensamientos más íntimos. Si estás enamorado o enamorada de una persona Capricornio, ten paciencia y tómate tu tiempo. Poco a poco llegarás a comprenderla.

Los Capricornio tienen una naturaleza profundamente romántica, pero no la demuestran a primera vista. Son fríos, flemáticos y no particularmente emotivos. Suelen expresar su amor de una manera práctica.

Hombre o mujer, a Capricornio le lleva tiempo enamorarse. No es del tipo de personas que se enamoran a primera vista. En una relación con una persona Capricornio, los tipos de Fuego, como Leo o Aries, se van a sentir absolutamente desconcertados; les va a parecer fría, insensible, poco afectuosa y nada espontánea. Evidentemente eso no es cierto; lo único que pasa es que a los Capricornio les gusta tomarse las cosas con tiempo, estar seguros del terreno que pisan antes de hacer demostraciones de amor o de comprometerse.

Incluso en los asuntos amorosos los Capricornio son pausados. Necesitan más tiempo que los otros signos para tomar decisiones, pero después son igualmente apasionados. Les gusta que una relación esté bien estructurada, regulada y definida, y que sea comprometida, previsible e incluso rutinaria. Prefieren tener una pareja que los cuide, ya que ellos a su vez la van a cuidar. Esa es su filosofía básica. Que una relación como esta les convenga es otro asunto. Su vida ya es bastante rutinaria, por lo que tal vez les iría mejor una relación un poco más estimulante, variable y fluctuante.

Hogar y vida familiar

La casa de una persona Capricornio, como la de una Virgo, va a estar muy limpia, ordenada y bien organizada. Los nativos de este signo tienden a dirigir a su familia tal como dirigen sus negocios. Suelen estar tan entregados a su profesión que les queda poco tiempo para la familia y el hogar. Deberían interesarse y participar más en la vida familiar y doméstica. Sin embargo, sí se toman muy en serio a sus hijos y son padres y madres muy orgullosos, en especial si sus hijos llegan a convertirse en miembros destacados de la sociedad.

Horóscopo para el año 2018*

Principales tendencias

Ha habido mucho crecimiento espiritual interior los dos años pasados, pues el señor de tu horóscopo, Saturno, estaba transitando por tu casa doce. Ya avanzado este año habrá más, cuando Júpiter entre en esta casa el 8 de noviembre. Pero por el momento, tu crecimiento interior es visible a los demás, al mundo. Saturno ha entrado en tu signo y estará en él los dos próximos años. A muchas personas les resulta incómodo un tránsito de Saturno, pero para ti es bueno. Saturno te hará ser una persona más Capricornio aún de lo que ya eres; serás aún más organizado, más estructurado, con más capacidad administrativa de la que has tenido.

Plutón, tu planeta de las amistades, lleva muchos años en tu signo, lo que significa que te has atraído personas amigas; estas llegan a ti sin mucho esfuerzo por tu parte. Este año, con Júpiter en tu casa once, harás aún más amistades; y parece que son personas de tipo más espiritual que lo habitual.

Urano está en tu cuarta casa, la del hogar y la familia, desde hace siete años, y ha producido mucho cambio e inestabilidad en el círculo familiar. Afortunadamente esto comienza a calmarse un poco este año (no del todo, pero mejorará); el 16 de mayo Urano sale de tu cuarta casa y entra en la quinta, la de los hijos. Esto es una buena señal financiera, pues Urano es tu planeta del dinero; también es un buen tránsito para tu salud. Volveremos a este tema.

Neptuno lleva varios años en tu tercera casa y continuará en ella varios años más. Esto significa que tus intereses espirituales se han espiritualizado, refinado; disfrutas de la poesía y de la literatura de tipo espiritual. Los hermanos y las figuras fraternas también están bajo una fuerte influencia espiritual. Si eres estudiante aun no universitario debes cuidar de no dejar «vagar la mente» durante las clases o tus horas de estudio; procura centrar la atención en tus estudios.

---

* Las previsiones de este libro se basan en el Horóscopo Solar y todos los signos que derivan de él; tu Signo Solar se convierte en el Ascendente, y las casas se numeran a partir de él. Tu horóscopo personal, el trazado concretamente para ti (según la fecha, hora y lugar exactos de tu nacimiento) podrían modificar lo que decimos aquí. Joseph Polansky

Las facetas de mayor interés para ti este año son: el cuerpo, la imagen y el placer personal; la comunicación y las actividades intelectuales; el hogar y la familia (hasta el 16 de mayo y luego a partir del 6 de noviembre); los hijos, la diversión y la creatividad (del 16 de mayo al 6 de noviembre); las amistades, los grupos y las actividades de grupo (todo el año, pero en especial hasta el 8 de noviembre); la espiritualidad (a partir del 8 de noviembre).

Los caminos hacia tu mayor realización o satisfacción este año son: las amistades, los grupos y las actividades de grupo (todo el año, pero en especial hasta el 8 de noviembre); la espiritualidad (a partir del 8 de noviembre); la sexualidad, los estudios ocultos, la transformación personal (hasta el 17 de noviembre); el amor y el romance (a partir del 17 de noviembre).

Salud

(Ten en cuenta que esta es una perspectiva astrológica de la salud, no una médica. Antaño no había ninguna diferencia, ambas eran idénticas, pero en esta época podrían diferir muchísimo. Para una perspectiva médica, por favor, consulta a tu médico o a otro profesional de la salud.)

La salud mejora mucho este año, y en los próximos años será mejor aún. Urano, que ha estado en aspecto desfavorable contigo durante los siete años pasados, ahora entra en alineación armoniosa; este año esto será durante una parte del año, pero el año que viene, a partir de marzo, ya será para varios años.

Por lo general Saturno en el propio signo no es indicador de buena salud, pero para ti lo es; es el señor de tu carta y siempre es «amistoso» contigo.

Tu sexta casa vacía es otro indicador positivo de salud; no tienes mucha necesidad de estar atento a tu salud pues no hay nada mal; más o menos das por descontada la salud.

Por buena que sea tu salud, siempre puedes fortalecerla. Da más atención a las siguientes zonas, que son las vulnerables en tu carta. Si surgiera algún problema lo más probable es que sea en alguna de ellas, así que mantenerlas en buena forma es una manera de prevenirlo, y aun en el caso de que no se pueda prevenir del todo, se atenuaría; no tiene por qué ser terrible.

El corazón. Este órgano sólo se ha hecho importante este año (en realidad, desde diciembre del año pasado) y lo será también el próximo. Te irá bien trabajar sus puntos reflejos en sesiones de reflexología. Evita la preocupación y la ansiedad; según los terapeutas espirituales son las causas principales de los problemas cardiacos; la meditación te será muy útil para evitar estas emociones y finalmente transformarlas.

La columna, las rodillas, la dentadura, los huesos, la piel y la alineación esquelética general. Estas zonas son siempre importantes para ti pues tu signo las rige. Masajes periódicos en la espalda y las rodillas deberían formar parte de tu programa de salud; te convienen visitas periódicas a un quiropráctico u osteópata; es necesario mantener bien alineadas las vértebras. Terapias como la Técnica Alexander, el Rolfing y el Feldenkreis son buenas para la columna. La Técnica Alexander es buen preventivo pues educa a los músculos a mantener la postura correcta. Son aconsejables una buena higiene dental y controles periódicos. Usa un buen filtro solar cuando salgas al aire libre.

Los pulmones, los brazos, los hombros y el sistema respiratorio. Estas zonas también son siempre importantes para Capricornio pues el planeta que las rige, Mercurio, es tu planeta de la salud. Te irán bien sesiones de reflexología. Te convienen masajes periódicos en los brazos y los hombros; en los hombros suele acumularse tensión y es necesario aflojarla.

La persona Capricornio tiende a ser delgada, pero si eres una excepción y necesitas bajar de peso, este es un buen año para hacerlo; tus intentos estarán respaldado por el Cosmos.

Este es un buen año para dar a la imagen y el cuerpo la «apariencia» que deseas, en el sentido estético.

Podemos considerar que el señor de tu horóscopo, Saturno, es tu entrenador personal; le importa tu imagen externa, tu apariencia. El señor de tu sexta casa, Mercurio, hace el papel de «médico personal»; le importa más tu salud que tu apariencia.

Tu planeta de la salud, Mercurio, es de movimiento rápido e irregular; a veces avanza muy rápido, a veces más lento, a veces se detiene y a veces retrocede. Por lo tanto, hay muchas tendencias de corto plazo que dependen de dónde está Mercurio y de los aspectos que recibe. Estas tendencias es mejor tratarlas en las previsioncs mes a mes.

Hogar y vida familiar

Como hemos dicho, durante al menos siete años esta sido una faceta importante y cambiante. Es posible que haya habido muchas mudanzas o renovaciones en la casa en este tiempo. Tienes el perfil de la persona (y conozco a varias) que renueva y moderniza la casa y luego la vende; entonces se muda y repite el proceso; la renovación y la mudanza son constantes. Moderniza la casa tal como uno actualiza y moderniza el ordenador y los programas. Esto sigue y sigue.

Este aspecto también indica la búsqueda de la «casa soñada» o la «situación doméstica ideal». Cada vez que piensas «ya está, ya la tengo», te viene otra idea y vuelves a renovarla de acuerdo a la idea.

Otra posibilidad es la ruptura de la unidad familiar; hay conflictos, fisuras; a veces divorcio, a veces riñas y separación en bandos o facciones. Debido a esto la situación familiar es muy diferente a lo que era siete años atrás.

También tienes el perfil de la persona que instala en casa todo tipo de aparatos de última tecnología: un ingenioso sistema de alarma, cámaras de vídeo conectadas a Internet, ingeniosos electrodomésticos, en fin todo lo de alta tecnología es atractivo.

Has gastado mucho en la casa y la familia, ha sido caro. Pero lo bueno es que también hay ingresos procedentes de esta faceta.

Tu planeta del dinero, Urano, en tu cuarta casa indica ingresos procedentes del hogar, tal vez de una oficina en casa o de una empresa o negocio con sede en la casa. Tu casa es tanto un centro económico como un hogar.

Estas tendencias continúan en vigor este año, pero muy atenuadas. Disminuye el deseo de renovar y modernizar. Como hemos dicho, Urano sale de tu cuarta casa el 16 de mayo y vuelve a entrar el 6 de noviembre; en marzo del año que viene entrará en tu quinta casa para quedarse unos siete años. Así pues, disminuye mucho la inestabilidad en la situación doméstica y familiar. Es posible que te establezcas en tu casa actual por mucho tiempo.

El tránsito de Urano por tu quinta casa, del 16 de mayo al 6 de noviembre, es un anticipo, un anuncio de cosas por venir. La atención estará menos en la casa física y más en los hijos y figuras filiales de tu vida. Y estos serán más difíciles de manejar; no podrás usar tu estilo autoritario normal con ellos, no lo aceptarán. Tendrás que explicarles, de modo racional, por qué deben hacer esto o aquello; tendrás que apelar a su razón.

Urano en tu quinta casa indica que los hijos o figuras filiales van a pasar por muchos cambios personales; en los siete próximos años se redefinirán constantemente; cambiarán su «apariencia» y el concepto de sí mismos, cambiarán su imagen y su personalidad. Será como si cada mes más o menos trataras con una «nueva persona».

También van a hacer más experimentación con sus cuerpos, desearán poner a prueba sus límites. Esto es bueno en esencia, pero se ha de hacer con prudencia y cuidado, no de modo temerario. Con el yoga, el tai chi y las artes marciales se puede hacer esto sin riesgos.

Profesión y situación económica

Este año ocurren en tu vida cambios financieros muy importantes, y esto es sólo el comienzo. Tu planeta del dinero, Urano, sale de tu cuarta casa y entra en la quinta; este año su tránsito por esta casa sólo será del 16 de mayo al 6 de noviembre, pero el próximo año entrará en ella para quedarse.

Así pues, gastas en la casa y también ganas de ella, de la familia y de las conexiones familiares. Y cuando Urano entre en tu quinta casa también habrá un cambio en las finanzas. Mientras Urano ha estado en Aries (los siete años pasados) tal vez has sido más impulsivo para tomar decisiones financieras, tal vez demasiado temerario; tal vez te atraía el «dinero rápido» y te quemaste unas cuantas veces. La entrada de Urano en Tauro aporta una visión más conservadora; mejorará el juicio financiero. Y dado que Urano le forma aspectos hermosos a Saturno (el señor de tu carta) este año habrá prosperidad, y el próximo año esta se ve más fuerte aún.

El planeta del dinero en Tauro favorece las inversiones en los sectores cobre, tierras, ganado y productos agrícolas. Las empresas que proveen a los agricultores son interesantes para invertir.

El planeta del dinero en la quinta casa es un aspecto muy afortunado. Hay diversas maneras de interpretar esto y todas serían válidas. El acto de ganar dinero se vuelve placentero, una forma de diversión; disfrutas de esto tanto como algunas personas disfrutan de juegos de vídeo o del teatro; hacer dinero no es sólo una «necesidad» sino una forma de actividad de ocio (conozco a personas que lo sienten así). Otra interpretación es que gozas de tu riqueza, gastas más en actividades de ocio y de diversión. El simbolismo es de «dinero feliz». Esta posición favorece el mercado juvenil, industrias, de música y diversión, por ejemplo, dirigidas a los jóvenes. Esto indica que gastas más en los hijos y figuras filiales, tal vez inviertes en ellos; los hijos también pueden ser fuentes de ingresos; mucho depende de su edad y su fase en la vida. Si están en edad, es posible que te ayuden financieramente; si son niños tienen ideas inspiradas; y con frecuencia son la fuerza motivadora de hacer ingresos.

El planeta del dinero en la quinta casa te vuelve más especulador; pero esto será diferente a lo que ha sido en los siete años pasados; la especulación será más «controlada», bien pensada, bien escudada o protegida, que no precipitada o impulsiva.

Sales de un año fuerte en la profesión; 2017 fue un año de mucho éxito. Este año la profesión no es muy importante; es muy probable que hayas conseguido los objetivos profesionales importantes, al menos los de corto plazo, y no tengas necesidad de centrar la atención en esto. Tu décima casa está principalmente vacía, sólo transitan por ella los planetas rápidos y por cortos periodos. Por lo tanto, en lo que a profesión se refiere, este es un año sin novedades ni cambios.

Venus, tu planeta de la profesión, es de movimiento rápido, así que hay muchas tendencias de corto plazo en la profesión que dependen de dónde está Venus y de los aspectos que recibe. Estas tendencias es mejor tratarlas en las previsiones mes a mes.

Amor y vida social

Tu séptima casa no está poderosa este año; está prácticamente vacía; sólo transitan por ella los planetas rápidos y por cortos periodos; no es un foco importante de atención (aunque hay satisfacción en esto después del 17 de noviembre). Las cosas tienden a continuar como están; estás satisfecho y no tienes ninguna necesidad de hacer cambios; ya estés casado o casada, soltero o soltera, tiendes a continuar en ese estado.

Pero hay una complicación. Saturno está en tu signo. Si bien esto es fabuloso para las dotes de administración, no lo es para el amor. Capricornio ya es persona algo fría; este aspecto te hace aún más frío, reservado, empresarial, carente de simpatía y cariño; una persona que desea que se haga el trabajo y ya está. Esto puede ser causa de disgusto para muchas personas, pero en especial para tu cónyuge, pareja o ser amado actual. Deberías mostrarte más alegre, demostrar más afecto, más sentimientos positivos. Tendrás que trabajar en esto. Cada noche, antes de acostarte, procura proyectar amor y simpatía hacia los demás. Se puede ser buen administrador y persona afectuosa al mismo tiempo.

Este año hay tres eclipses que ponen a prueba tu matrimonio o relación amorosa: dos eclipses lunares que siempre ponen a prueba el amor, y un eclipse solar que ocurre en tu séptima casa, la del amor; es decir, el 60 por ciento de los eclipses (que son cinco) afectan a tu vida amorosa. Si la relación es buena sobrevivirá; si es defectuosa, está en peligro. De esto hablaremos con más detalle en las previsiones mes a mes.

Si estás soltero o soltera y sin compromiso este año es más para aventuras amorosas que para matrimonio; esto es así especialmente del 16 de mayo al 6 de noviembre. Te atraen personas adineradas, o personas relacionadas con tus finanzas.

Este es un año maravilloso para las amistades y actividades de grupo; es una faceta feliz. Entran nuevas amistades en el cuadro. Este año conviene participar en grupos de tipo espiritual, pero también encajan en el simbolismo los grupos dedicados a actividades benéficas o altruistas. Te veo muy activo en el panorama Internet de relaciones sociales; es un buen medio para hacer amistades.

Si estás en el segundo matrimonio o con miras a uno, el año se presenta sin novedades ni cambios. Si estás con miras a un tercer matrimonio este año hay romance, y tal vez boda. Si estás con miras a un cuarto matrimonio, este año también se presenta sin novedades ni cambios.

Los padres o figuras parentales han pasado por severas pruebas en su relación estos últimos años; es muy posible que el matrimonio no haya sobrivivido; aunque las pruebas están a punto de acabar y todo es más fácil, todavía continúan. Si están solteros, no es aconsejable que se casen todavía.

Los hermanos y figuras fraternas tienen un año romántico sin novedades ni cambios; las cosas siguen como están.

Los hijos y figuras filiales tienen un año social excelente; hay romance serio para los que están en edad; el único problema es la estabilidad; no están preparados para un compromiso matrimonial.

Progreso personal

Como hemos dicho, Saturno en tu signo trae muchas cosas maravillosas. Va a fortalecer tu sentido del deber y la responsabilidad, ya fuerte. También va a fortalecer tus habilidades administrativas. Pero esto tiene un lado negativo del que debes ser consciente; aun sin tener a Saturno en tu signo tiendes a ver el lado negro de las cosas; te gusta contemplar las «peores posibilidades» de cada situación para poder planificar una ruta de escape. Pues, ahora Saturno va a acentuar esta tendencia; podrías centrar demasiado la atención en el lado negro, ser excesivamente pesimista. Todo lo ves negro; es posible que te sientas mayor, mucho mayor que la edad que tienes, y esto te ocurre aun cuando seas muy joven. Si exageras esto podrías perder toda esperanza y apagar cualquier deseo de mejoría.

Si te encuentras en esta situación, sal de ella lo más pronto posible; no te quedes estancado en este espacio psíquico negativo. Podrías pensar que sencillamente eres realista, pero no es así. La meditación te será de gran ayuda. Vuelve la atención a lo Divino o a lo que te gustaría conseguir. Imagínate en este estado; vive donde te gustaría estar y no en lo que te dicen los sentimientos en el momento.

Júpiter, tu planeta de la espiritualidad, le forma aspectos hermosos a Neptuno, el planeta genérico de la espiritualidad. Por lo tanto este año hay muchas experiencias de tipo espiritual, sueños proféticos, sincronías, más capacidad de percepción extrasensorial y una intuición más fuerte. La vida onírica será importante y deberías anotar tus sueños en un diario. Si te cuesta recordarlos, antes de dormirte sugestiónate diciendo «recordaré mis sueños».

Si eres escritor tendrás un año muy inspirado.

Cuando Júpiter entre en tu casa doce el 8 de noviembre formará aspectos desfavorables con Neptuno, el planeta espiritual genérico. Esto podría causar cierto conflicto entre tu camino y la «tendencia espiritual general»; podría parecerte que te llevan en contra de las enseñanzas espirituales que son populares, pero esto sólo es en apariencia. En último término, el camino espiritual es algo muy personal. Cada persona es su propio camino. Puede que te lleve algún tiempo verlo, pero descubrirás que no hay ninguna contradicción. Lo que se enseña públicamente es cierto y también lo son tu orientación y camino personales.

Previsiones mes a mes

Enero

Mejores días en general: 5, 6, 15, 16, 25, 26
Días menos favorables en general: 1, 2, 8, 9, 22, 23, 29, 30
Mejores días para el amor: 1, 2, 5, 6, 15, 16, 27, 28, 29, 30
Mejores días para el dinero: 1, 2, 4, 10, 11, 13, 14, 17, 18, 19, 20, 21, 23, 24, 29, 30, 31
Mejores días para la profesión: 5, 6, 8, 9, 15, 16, 27, 28

Comienzas el año con muchos planetas en tu signo; el 60 por ciento de los planetas o están en él o transitan por él este mes. Esto es muchísima energía Capricornio; no eres sólo un Capricornio sino un mega Capricornio, con todos tus puntos acentuados, los buenos y los malos. Por el lado positivo, están muy realzadas tus habilidades administrativas y organizativas; también lo están tu ética laboral y tu legendaria paciencia. Por el lado negativo, podrían considerarte frío, reservado, empresarial, demasiado empresarial. Esto puede dificultar la vida social; a veces un sentido práctico exagerado se convierte en no práctico: tiene consecuencias que frustran lo que intentas hacer. Pero esto lo resolverás.

La salud es buena este mes. Tienes muchísima energía y, siendo Capricornio, la usarás sabiamente. Con tu presencia sencilla, discreta, rezumas carisma y poder estelar. Hay más prestancia, elegancia en tu imagen; tu sentido de la elegancia es impecable, en especial hasta el 18. No tienes ningún problema para atraer al sexo opuesto, aparte de los que ya mencionamos. Necesitas más simpatía, demostrar afecto a los demás.

El 80 por ciento de los planetas, y a veces el 90 por ciento, están en el sector oriental o independiente de tu carta. Estás en tu periodo de independencia máxima. Puedes y debes tener las cosas a tu manera; puedes y debes tener la vida según tus condiciones. Si hay condiciones que te molestan o son menos que perfectas, este es el periodo para hacer los cambios; más adelante, cuando los planetas se trasladen a tu sector occidental (dentro de unos meses) será más difícil hacer estos cambios. Ahora tu felicidad depende de ti.

Tu cumpleaños pudo haber sido a fines del mes pasado o será este mes. Desde el día de tu cumpleaños tu ciclo solar personal estará en fase creciente. El ciclo solar universal comenzó su fase creciente el 21 del mes pasado. Todos los planetas están en movimiento directo este mes, por lo tanto estás en un buen periodo para iniciar nuevos proyectos o empresas o lanzar nuevos productos al mercado. Del 17 al 30 (cuando la Luna está en fase creciente) es el periodo óptimo.

El 31 hay un eclipse lunar que ocurre en tu octava casa, así que evita las situaciones peligrosas en este periodo. El cónyuge, pareja o ser amado actual podría pasar por una crisis financiera o personal, y necesitará hacer cambios. La relación amorosa pasa por pruebas.

Febrero

Mejores días en general: 2, 3, 11, 12, 21, 22
Días menos favorables en general: 4, 5, 19, 25, 26
Mejores días para el amor: 4, 5, 14, 15, 16, 25, 26
Mejores días para el dinero: 6, 7, 10, 14, 15, 16, 17, 19, 20, 25, 26, 28
Mejores días para la profesión: 4, 5, 16, 25, 26

El eclipse lunar del mes pasado produjo cambios en las finanzas del cónyuge, pareja o ser amado actual; el eclipse solar del 15 de este mes produce más de lo mismo. Este eclipse ocurre en tu casa del dinero, así que también tú te ves obligado a hacer importantes cambios financieros. Es probable que estos cambios sean buenos, ya que estás en una cima financiera anual, pero pueden ser desagradables mientras ocurren. Con este tipo de eclipse la persona suele cambiar de banco, de agente bursátil, de planificador financiero o de inversiones. Hay dramas en la vida de personas adineradas de tu vida; pasan por pruebas sus matrimonios o relaciones. El eclipse lunar del mes pasado y el solar de este mes podrían traer experiencias de casi muerte, roces o encuentros con la muerte; así pues, no hace ninguna falta empeorar las cosas: evita las situaciones peligrosas, difíciles o estresantes durante el periodo del eclipse.

A pesar de los trastornos causados por el eclipse, este mes se ve próspero; estás en una cima financiera anual; tu casa del dinero está fuerte y por lo tanto es fuerte tu poder adquisitivo. Este es un buen mes para pagar deudas o endeudarse, según sea tu necesidad. Hay buena colaboración financiera entre tú y tu cónyuge, pareja o ser amado actual.

El amor no se ve muy importante este mes; una vez que haya pasado la agitación causada por el eclipse lunar del mes pasado y hayas resuelto los agravios en tu relación, las cosas deberían calmarse.

La salud y la energía continúan buenas; puedes fortalecerla más de las maneras explicadas en las previsiones para el año, y también con masajes en las pantorrillas y los tobillos hasta el 18, y después con masajes en los pies.

Este es otro mes excelente para iniciar nuevos proyectos o empresas, si aún no lo has hecho. Estás en la fase creciente de tu ciclo solar personal y del ciclo solar universal. Todos los planetas están en movimiento directo así que deberías ver un rápido progreso. Evita el periodo del eclipse, pero a partir del 16, cuando la Luna está en fase creciente, es el mejor periodo del mes para estas cosas.

El poder planetario está en el lado noche (mitad inferior) de tu carta, así que eres más persona nocturna que diurna. Siempre eres ambicioso, pero las ambiciones irán mejor si la base doméstica y familiar es sólida; atender a tu bienestar emocional favorecerá a tu profesión más adelante.

Marzo

Mejores días en general: 1, 2, 10, 11, 12, 20, 21, 29, 30
Días menos favorables en general: 3, 4, 18, 19, 24, 25, 31
Mejores días para el amor: 6, 7, 8, 16, 17, 18, 19, 24, 25, 26, 27
Mejores días para el dinero: 6, 7, 9, 13, 14, 15, 16, 17, 18, 19, 24, 25, 27
Mejores días para la profesión: 3, 4, 8, 18, 19, 26, 27, 31

La faceta hogar y familia es el principal titular este mes; la atención está en ella. Cualquiera que tenga casa sabe que siempre hay algo que hacer en ella; tornillos que se han soltado, electrodomésticos averiados que hay que reparar, retoques de pintura donde se ha descascarado, el calentador que da poca llama, etcétera, la lista sigue y sigue. Pues ahora es el periodo para ocuparse de esas cosas.

Tu cuarta casa se hace muy poderosa el 20 (aunque esto lo vas a sentir antes); a esto sumamos que Marte, el señor de tu cuarta casa, entra en tu signo el 17, y aumenta enormemente la importancia de dar atención al hogar y la familia.

La entrada del señor de la cuarta casa en tu primera casa indica buen apoyo familiar; indica la dedicación y afecto de un progenitor o figura parental; podría indicar también que esta persona viene a pasar un tiempo en tu casa.

Además, tu planeta de la profesión, Venus, entra en tu cuarta casa el 6. Tu verdadera profesión es el hogar y la familia. Todos los caminos llevan a Roma en el horóscopo de este mes.

El mensaje del horóscopo es: encuentra tu armonía emocional, atiende y arregla la situación familiar, y se arreglarán los asuntos profesionales y financieros.

Aunque no estás en una cima financiera, este mes es próspero (el próximo también lo será); Urano, tu planeta del dinero, recibe estimulación positiva; el 28 y el 29 Venus viaja con Urano, lo que indica suerte en las especulaciones y dinero feliz. Puedes ganar y gastar dinero en actividades de ocio y diversión; tanto Venus como Mercurio le forman buenos aspectos a Júpiter, lo que anuncia felices oportunidades laborales y prosperidad para los hijos y figuras filiales.

A partir del 20 la salud necesita más atención; como siempre, lo más importante es descansar lo suficiente. No te permitas cansarte demasiado; la energía baja es la enfermedad primordial. A partir del 6 fortalece la salud con masajes en la cara, la cabeza y el cuero cabelludo; esto no sólo fortalece esas zonas sino todo el cuerpo. También es importante el ejercicio; tienes que tener buen tono muscular. Son buenas las termoterapias, baños en agua caliente, saunas o baños de vapor. Por encima de todo mantén la buena salud emocional; procura que tu ánimo sea positivo y constructivo; evita la depresión como a la peste.

Abril

Mejores días en general: 7, 8, 16, 17, 25, 26
Días menos favorables en general: 1, 14, 15, 21, 22, 27, 28
Mejores días para el amor: 4, 5, 7, 8, 14, 15, 16, 17, 21, 22, 25, 27
Mejores días para el dinero: 2, 3, 6, 9, 10, 11, 12, 13, 15, 21, 22, 24, 29, 30
Mejores días para la profesión: 1, 7, 8, 16, 17, 27, 28

Continúa dando más atención a la salud este mes; haz todo lo posible por mantener elevada la energía; fortalece la salud de las maneras que explicamos el mes pasado: son buenos los masajes en la cabeza. Es bueno el ejercicio físico, también las termoterapias. Si te sientes indispuesto, te irá bien tomar el sol; después del 29 la salud y la energía mejoran espectacularmente, como por arte de magia.

Marte en tu signo todo el mes indica cariño e interés por parte de la familia. Capricornio rara vez es precipitado para hacer las cosas, pero este mes lo es; la impaciencia podría ser un problema; quieres que las cosas se hagan a toda prisa, y esta precipitación puede llevar a accidentes o lesiones. Sé prudente, ten conciencia del plano físico. Controla el mal genio.

Hasta el 20 sigue muy fuerte tu cuarta casa, la del hogar y la familia, así que continúa centrando la atención en esta faceta; Venus, tu planeta de la profesión, pasa la mayor parte del mes, hasta el 24, en tu quinta casa; esto indica el cariño de hijos y figuras filiales; indica que en la profesión es necesaria una actitud creativa; te vendrán las ideas.

El lado noche de tu carta continúa dominante este mes, así que trabaja en tu profesión con los métodos de la noche, no los del día. Vizualiza, medita, ponte emocionalmente en el lugar o posición en que quieres estar. Los actos externos ocurrirán naturalmente en el momento oportuno, nada puede impedir que se manifieste lo que te imaginas, a excepción de tus negativas interiores.

Este es un mes próspero. Del 17 al 19 el Sol viaja con tu planeta del dinero; esto trae incremento financiero y oportunidades, para ti y para tu cónyuge, pareja o ser amado actual; hay buena colaboración financiera entre vosotros.

El amor no es muy importante este mes. Esto es esencialmente bueno; las cosas tienden a continuar como están; indica satisfacción con las coas como están. En todo caso, si surgen problemas en el amor se deben probablemente a falta de atención. En general el amor va mejor del 16 al 29, cuando la Luna está en fase creciente; da más energía y entusiasmo por los asuntos sociales. Tu buen talante social es más fuerte; el 20, cuando la Luna está en su perigeo (su menor distancia a la Tierra) debería ser un buen día social.

Mayo

Mejores días en general: 4, 5, 14, 15, 22, 23, 31
Días menos favorables en general: 11, 12, 13, 18, 19, 24, 25
Mejores días para el amor: 4, 5, 7, 8, 14, 15, 17, 18, 19, 24, 26

Mejores días para el dinero: 3, 7, 8, 9, 10, 13, 18, 19, 22, 26, 27, 31
Mejores días para la profesión: 7, 8, 17, 24, 25, 26

El 20 del mes pasado entraste en una de tus cimas anuales de placer personal. Divertirse y disfrutar de la vida no es pereza (si no se exagera, y creo que no vas a exagerar), por el contrario, más avanzado el mes lleva a más productividad; el ocio y la despreocupación recargan las pilas para que después el trabajo vaya más sobre ruedas. Este es muy buen periodo para salir de vacaciones, si es posible, si tienes libertad para decidir. Si no, haz de este mes unas minivacaciones en el lugar en que estás. La diversión y la felicidad van a fortalecer tu salud, en especial después del 13.

Urano, tu planeta del dinero, entra en tu quinta casa el 16, importante tránsito. Entonces también serán lucrativas las actividades de ocio y diversión, tu creatividad (forma de diversión). En el balneario, la pista de baile o el teatro podría venirte una fabulosa idea o percepción financiera; tal vez haces una importante conexión financiera en alguno de esos lugares. Durante los próximos meses vas a disfrutar más de tu riqueza, y así es como debe ser.

El poder planetario se ha trasladado al sector occidental o social de tu carta; todavía hay muchos planetas en tu sector oriental, el del yo; el sector social dista mucho de ser dominante, pero está más fuerte de lo que ha estado en lo que va de año. Así pues, comienza a cultivar tus dotes sociales; alégrate un poco; proyecta afecto hacia los demás. Tu reto ahora es equilibrar tus intereses con los de los demás. No va a ser todo a tu manera como era a comienzos del año; a veces cedes ante los demás, a veces te guías por tu interés personal. Y cuando te inclines por tu interés, hazlo con más amabilidad, con el mínimo de ofensa a los demás.

El 21 el Sol entra en tu sexta casa; entonces ya has expulsado la diversión de tu organismo y estás en ánimo para el trabajo. Trabajas porque lo deseas, no porque tienes que hacerlo. Entonces es buen periodo para conseguir objetivos orientados al trabajo.

La salud es buena este mes. La salida de Marte de tu signo el 16 la mejora más. Hasta el 13 fortalece la salud con masajes en el cuello cabelludo, la cabeza y la cara; sigue siendo importante el buen tono muscular, así que continúa con el ejercicio. Después del 13, cuando tu planeta de la salud entra en Tauro, da más atención al cuello y la garganta; no permitas que se acumule tensión en los músculos de la nuca; aflójala con masajes periódicos.

Junio

Mejores días en general: 1, 2, 10, 11, 18, 19, 28, 29
Días menos favorables en general: 8, 9, 14, 15, 20, 21, 22
Mejores días para el amor: 3, 4, 6, 7, 12, 13, 14, 15, 16, 23, 24
Mejores días para el dinero: 1, 3, 4, 5, 6, 7, 10, 14, 15, 18, 23, 24, 28, 30
Mejores días para la profesión: 6, 7, 16, 20, 21, 22, 23, 24

La voluntariedad y el hacerte valer han sido fuertes todo lo que va de año, pero ahora, estando Saturno en movimiento retrógrado (desde el 18 de abril) y habiendo tantos planetas en el sector occidental o social de tu carta, estas actitudes se moderan. Esto es bueno. El 22 entras en una cima amorosa y social anual y te conviene cultivar más tus dotes sociales.

El poder que hay en tu sexta casa desde el 21 del mes pasado es excelente en el caso de que busques trabajo; también es bueno si eres empleador y quieres contratar empleados. Los hijos y figuras filiales tienen un mes financiero fuerte. Tu atención a la salud en este periodo (hasta el 22) te será ventajosa cuando esta se vuelva más delicada. Hasta el 12 fortalece la salud con masajes en los brazos y los hombros (como hemos dicho en las previsiones para el año). Después del 12 presta más atención a la dieta pues el estómago está más sensible; la salud social, la relación conyugal o amorosa sana, es importante para sentirte sano; haz todo lo posible por mantener la armonía social.

Si estás casado o casada o en una relación, verás que tu pareja prospera este mes, sobre todo después del 22. Si estás soltero o soltera y sin compromiso, te atraen las personas adineradas, las que hacen buenos ingresos; la riqueza es un excitante romántico; también te atraen las personas poderosas, de elevada posición y categoría; este mes conoces a este tipo de personas; se ven tres relaciones importantes. En general, la vida amorosa va mejor del 13 al 23, cuando tu planeta del amor, la Luna, está en fase creciente; el 14 es especialmente bueno pues la Luna está en su perigeo (su menor distancia a la Tierra).

Las finanzas van bien este mes. Tu planeta del dinero continúa en tu quinta casa, así que sé creativo en tus finanzas; la vida financiera debería ser no sólo abundante sino también «algo bello», una obra de arte; adopta un método artístico en tus finanzas. Si estás en el mundo de las artes creativas tus obras son más comerciables en este periodo. Tu planeta del dinero le forma aspectos hermosos a Saturno todo el mes, otra señal de prosperidad; ganas el dinero de modos agradables, placenteros. Marte en tu casa del dinero todo el mes indica más brío en las finanzas, y también indica buen apoyo familiar; con este aspecto es posible también que ganes el dinero desde casa, desde una oficina en la casa o una empresa con sede en la casa.

Julio

Mejores días en general: 7, 8, 16, 17, 25, 26
Días menos favorables en general: 5, 6, 12, 13, 18, 19
Mejores días para el amor: 3, 4, 5, 6, 12, 13, 16, 21, 22, 25, 26
Mejores días para el dinero: 1, 7, 12, 13, 16, 20, 21, 25, 27, 28, 29
Mejores días para la profesión: 5, 6, 16, 18, 19, 25, 26

Tu cima amorosa y social anual está en pleno apogeo este mes. Conoces a todo tipo de personas, así que es comprensible que estas nuevas relaciones, y algunas ya existentes, pasen por pruebas. El eclipse solar del 13 realizará esta función.

Este eclipse ocurre en tu séptima casa, la del amor; es fuerte en ti así que reduce tus actividades en ese periodo. Las buenas relaciones, las sólidas, sobrevivirán a este eclipse e incluso mejorarán; pero normalmente no es agradable cuando salen a la luz los trapos sucios para revisarlos. Este eclipse no sólo pone a prueba las relaciones amorosas sino también las de amistad, pues hace impacto en Plutón, tu planeta de las amistades. La puesta a prueba de las relaciones puede producirse de muchas maneras; a veces se debe a la dinámica misma de la relación; otras veces se debe a dramas en la vida del ser amado o de personas amigas. Este eclipse afecta a las finanzas del cónyuge, pareja o ser amado actual; se hacen necesarias más medidas correctivas; esto lo vimos con el eclipse solar del 15 de febrero. Las finanzas de un progenitor o figura parental también necesitan medidas correctivas. Los ordenadores y aparatos de alta tecnología se vuelven temperamentales, y a veces es necesario repararlos o reemplazarlos. Dado que el planeta eclipsado, el Sol, rige tu octava casa, podría haber experiencias de casi muerte o encuentros con la muerte en el plano psíquico; este es otro motivo para reducir las actividades en este periodo; la vida en el cuerpo no está garantizada, puede terminar en cualquier momento. El Cosmos te recuerda (a su manera inimitable) que te tomes en serio la vida y hagas lo que has venido a hacer aquí.

El eclipse lunar del 27 afecta a tus finanzas, pues ocurre en tu casa del dinero. Ocurren cosas que te demuestran que tus criterios y estrategias son defectuosos o no son realistas; es necesario hacer cambios y a veces estos cambios son drásticos. Este eclipse también pone a prueba el amor, pues la Luna, el planeta eclipsado, es tu planeta del amor. Así pues, el cónyuge, pareja o ser amado actual también debería reducir sus actividades en este periodo; esta persona también podría tener encuentros con la parca de la guadaña. Dado que este eclipse hace impacto en Marte, hay dramas en el hogar y tal vez sea necesario hacer reparaciones inesperadas en la casa; los familiares están más temperamentales y vas a necesitar tener más paciencia con ellos.

Agosto

Mejores días en general: 4, 5, 12, 13, 21, 22, 31
Días menos favorables en general: 1, 2, 3, 8, 9, 14, 15, 29, 30
Mejores días para el amor: 2, 3, 5, 8, 9, 10, 11, 14, 15, 20, 24, 25, 31
Mejores días para el dinero: 4, 8, 9, 12, 16, 17, 21, 24, 25, 26, 27, 31
Mejores días para la profesión: 5, 14, 15, 24, 25

Justo cuando creías que había acabado toda la agitación, el 11 hay otro eclipse solar (el tercero del año). Dado que ocurre en tu octava casa, y el planeta eclipsado es el señor de tu octava casa, la muerte y encuentros con la muerte son el tema principal. Muy probablemente no se trata de muerte física sino de encuentros con ella en el plano psíquico. Al paracer el Cosmos, en su sabiduría, considera necesario recordarte nuevamente este tema: la vida en la Tierra es corta, puede acabar en cualquier momento; atiende al trabajo para el cual naciste, continúa con tu verdadera misión en la vida, ahora, no lo dejes para después. La muerte o los encuentros con ella tienen una manera mágica de hacernos dejar a un lado todas las frivolidades que nos ocupan; nos centra la atención en la esencia. Esta es la finalidad del eclipse. Nuevamente tu pareja necesita hacer cambios en sus finanzas; hay más cambios drásticos. Me parece que estos cambios son buenos pues esta persona está en una cima financiera este mes.

La salud es buena y será mejor aún después del 22. De todos modos puedes fortalecerla dando más atención al corazón; da masajes a los puntos reflejos del corazón; son buenos los masajes en el pecho y las termoterapias; también son extraordinariamente eficaces los regímenes de desintoxicación.

Urano, tu planeta del dinero, inicia movimiento retrógrado el 7, y este va a continuar durante muchos meses. Los ingresos son buenos pero tal vez más lentos que de costumbre; hay más retrasos. Este es un buen periodo para hacer revisión de la vida financiera y adquirir claridad mental. No puedes interrumpir tu vida financiera durante muchos meses pero debes analizar más detenidamente tus inversiones o decisiones importantes; las cosas no son lo que parecen; resuelve lo mejor posible todas tus dudas.

Del 5 al 9 Venus tiene su solsticio: se detiene en su movimiento latitudinal y luego cambia de dirección. Los hijos y figuras filiales deberían hacer lo mismo. Esto también ocurre en tu profesión: una pausa y luego un cambio de dirección.

Ahora está muy fuerte el lado día de tu horóscopo, está llegando a la posición mediodía (la que ocurrirá el próximo mes). Por lo tanto conviene centrar la atención en la profesión y pasar a un segundo plano al hogar y la familia por un tiempo.

Septiembre

Mejores días en general: 1, 9, 17, 18, 19, 27, 28
Días menos favorables en general: 4, 5, 11, 12, 25, 26
Mejores días para el amor: 1, 2, 3, 4, 5, 9, 13, 18, 19, 22, 23, 29
Mejores días para el dinero: 1, 4, 5, 8, 9, 13, 14, 17, 20, 21, 22, 23, 24, 27
Mejores días para la profesión: 2, 3, 11, 12, 13, 22, 23

Tu planeta del dinero continúa en movimiento retrógrado, pero sigue habiendo prosperidad; con retrasos y contratiempos, pero la hay; ten presente lo que dijimos el mes pasado. El 11 Marte vuelve a entrar en tu casa del dinero; esto indica la importancia del apoyo familiar y de las conexiones familiares en las finanzas. Puede que gastes más en la casa y la familia pero también ganas dinero procedente de estas.

El Sol, el señor de tu octava casa, está en tu novena casa hasta el 22. Se produce, pues, una saludable desintoxicación en tu vida religiosa y filosófica; se purgan creencias y supersticiones que nunca debieron existir; conviene colaborar con este proceso; las creencias erróneas, una perspectiva errónea de la vida, afectan a todos los aspectos de la vida y generan todo tipo de problemas.

El principal titular de este mes es la profesión. Venus está en tu décima casa hasta el 9; ahí está en su signo y casa y tiene más poder por ti; el Sol y Mercurio entran en tu décima casa el 22, y comienzas una cima profesional anual; hay éxito este mes.

Mercurio en tu décima casa a partir del 22 indica buena ética laboral; indica la necesidad de trabajar más por los objetivos profesionales. El Sol en tu décima casa hace estelar la profesión; también indica que jefes, padres o figuras parentales pasan por una intervención quirúrgica o experiencia de casi muerte. Tú pasas por experiencias de casi muerte en la profesión, pero, como saben nuestros lectores, después de la muerte o la casi muerte viene la resurrección y la situación es mejor que antes; por lo tanto, hay sustos en la profesión, seguidos por nuevas alturas.

Después del 22 es necesaria más atención a la salud; lo bueno es que estás atento; tu planeta de la salud está en la cima de tu carta, es decir, la salud está en los primeros lugares de tu lista de prioridades. Fortalece la salud de las maneras explicadas en las previsiones para el año, añadiendo algunas cosas; hasta el 6 continúa con los masajes en el pecho y la atención al corazón; del 6 al 22 es importante el intestino delgado; da masajes periódicos a sus puntos reflejos; también son potentes los tratamientos con tierra: baños de barro, compresas de barro o arcilla, etcétera. Después del 22 da más atención a las caderas y los riñones.

Octubre

Mejores días en general: 6, 7, 15, 16, 25, 26
Días menos favorables en general: 2, 3, 8, 9, 22, 23, 29, 30
Mejores días para el amor: 1, 2, 3, 8, 9, 10, 11, 18, 19, 20, 21, 29, 30
Mejores días para el dinero: 2, 3, 6, 10, 11, 15, 17, 18, 19, 20, 21, 24, 25, 29, 30
Mejores días para la profesión: 2, 3, 8, 9, 10, 11, 20, 21, 29, 30

La vida social ha sido fuerte todo el año, en especial la relativa a las amistades. Júpiter ha estado en tu casa once todo lo que va de año; ahora esta faceta se hace más fuerte, más pronunciada. Venus pasa el mes en tu casa once; el 10 entra Mercurio en ella y el 23 entra el Sol. Esto es muchísimo poder; a esto sumamos que Saturno y Plutón están paralelos* (también lo estaban el mes pasado) y tenemos más indicación de felicidad social. En la vida amorosa no hay novedades ni cambios, pero las amistades son muy gratificantes; eres muy popular en grupos y organizaciones.

La once es la casa en donde se hacen realidad «los sueños y esperanzas más acariciados»; así pues, vas a tener muchas experiencias de esto este mes; tal vez ya las has tenido a lo largo del año, pero siendo como es la naturaleza humana, tan pronto se satisfacen unos deseos, nacen otros. Y así sucesivamente.

Hasta el 23 continúas en una cima profesional, así que haces buen progreso. El 23 ya habrás conseguido los objetivos profesionales de corto plazo y pasas la atención a las amistades, el fruto de tu éxito profesional.

Las finanzas se ven algo complicadas este mes. Por un lado, tu planeta del dinero continúa en movimiento retrógrado y en el cauteloso signo Tauro; esto sugiere que las cosas van lentas y parejas en las finanzas; pero Marte, el planeta de la acción y de los riesgos, pasa el mes en tu casa del dinero; Marte no tiene mucha paciencia; lo desea todo ya. Por lo tanto, vas a tener que equilibrar estas dos tendencias. Podría ser necesaria la acción, y tal vez correr algún riesgo, pero solamente después que hayas hecho el estudio y resuelto tus dudas; si vas a correr riesgo hazlo con menos de lo que pretendías, tal vez con la mitad o con un cuarto; protege tus riesgos.

Hasta el 23 es necesario estar atento a la salud, pero después mejora espectacularmente; vas a notar la diferencia. Para empezar, no te pasaba nada malo, era simplemente falta de energía causada por los movimientos planetarios.

Noviembre

Mejores días en general: 2, 3, 11, 12, 21, 22, 29, 30
Días menos favorables en general: 4, 5, 19, 20, 25, 26

---

* Ocupan el mismo grado de latitud; esto significa que trabajan juntos.

Mejores días para el amor: 4, 5, 6, 7, 8, 14, 15, 16, 17, 23, 24, 25, 26, 27
Mejores días para el dinero: 2, 8, 10, 14, 15, 19, 20, 27, 28
Mejores días para la profesión: 4, 5, 14, 15, 23, 24

Los intereses espirituales fueron fuertes en 2016 y 2017; este año lo han sido menos. Pero ahora se reanudan estos intereses, y tal vez aumentados, ya que el 8 entra Júpiter en tu espiritual casa doce; el 22 también entra el Sol en ella, haciendo aún más fuerte esta faceta. Este mes (y los doce próximos meses) hay probabilidades de descubrimientos espirituales, esas experiencias que son embelesadoras cuando ocurren; aumentan tus facultades de percepción extrasensorial; la vida onírica será más activa; este es un mes para crecimiento interior, y, por la ley espiritual, el crecimiento interior se traduce en crecimiento exterior; esto lo verás el próximo mes. Un progenitor o figura parental también tiene un mes más espiritual a partir del 16.

Urano, tu planeta del dinero, continúa en movimiento retrógrado, lo que aconseja prudencia en tu vida financiera; el 6 su movimiento retrógrado lo lleva de vuelta a Aries, donde ha estado los siete últimos años. Esto favorece el ganar dinero desde la casa, sea desde una oficina o de una empresa con sede en la casa. Nuevamente la familia y las conexiones familiares tienen un importantísimo papel en tus finanzas; tu planeta de la familia, Marte, está en tu casa del dinero hasta el 16, lo que refuerza lo dicho. Con Urano en Aries y Marte en la casa del dinero, la tendencia es a tirar la prudencia por la ventana, ir a por el «dinero rápido», pero ten cuidado con esto: Urano continúa retrógrado.

Venus inició movimiento retrógrado el 5 del mes pasado y lo estará hasta el 16 de este mes; esto complica los asuntos profesionales; hasta el 16 evita tomar decisiones importantes en la profesión; la finalidad es adquirir claridad mental acerca de esto. Venus pasa la mayor parte del mes en tu décima casa, y esto es bueno para la profesión; pero después del 16 es mejor que antes.

La salud y la energía están mucho mejor que el mes pasado, pero a partir del 6 te vendría bien controlar más las cosas; como siempre, haz todo lo posible por mantener elevada la energía, esta es la primera defensa contra la enfermedad. Estando tu planeta de la salud en tu casa doce la mayor parte del mes respondes bien a terapias de tipo espiritual: meditación, reiki, imposición de las manos, invocación del Poder Superior y manipulación de las energías sutiles. Si te sientes indispuesto, una visita a un terapeuta de orientación espiritual podría ser la solución. También te conviene dar más atención al hígado y los muslos; da masajes periódicos a los muslos y tal vez desintoxica el hígado con infusiones de hierbas; este mes son buenas las termoterapias: sauna, baños de vapor, baños en agua caliente.

Diciembre

Mejores días en general: 9, 10, 18, 19, 27, 28
Días menos favorables en general: 2, 3, 16, 17, 23, 24, 29, 30
Mejores días para el amor: 2, 3, 6, 7, 14, 15, 17, 23, 24, 27
Mejores días para el dinero: 6, 7, 11, 12, 16, 17, 26
Mejores días para la profesión: 2, 3, 14, 15, 23, 24, 29, 30

La persona Capricornio no es propensa a excesos; tiende a ser delgada y esbelta (esto lo podría modificar el horóscopo personal, hecho con la fecha, hora y lugar de nacimiento). Saturno y Plutón en tu signo también favorecen la delgadez. De todos modos, en el caso de que lo necesitaras, la entrada del Sol en tu signo el 21 favorece los regímenes de adelgazamiento y de desintoxicación.

Ahora el poder planetario está en abrumadora mayoría en el sector oriental o independiente de tu carta. Estás en el periodo más independiente de tu año (también lo estarás el mes que viene); el 80 por ciento de los planetas, y a veces el 90 por ciento, están en tu sector oriental. Así pues, tienes las cosas a tu manera; lógicamente siempre debes respetar a los demás, pero no necesitas su aprobación; este no es un periodo para complacer a otros sino para complacerte tú; ahora tienes el poder para crearte condiciones agradables y felices, oportunidad que deberías aprovechar.

El amor no es un asunto muy importante este mes, aunque la amistad y las actividades de grupo siguen activas. La vida amorosa sigue más o menos como estaba, sin novedades ni cambios. Tu magnetismo y entusiasmo social serán más fuertes del 7 al 22, cuando tu planeta del amor, la Luna, está en fase creciente. El 24 es un día especialmente bueno en el amor, porque aun cuando la Luna está en fase menguante, está en su perigeo (su menor distancia con la Tierra) y, además, está en tu séptima casa, la del amor.

Hasta el 21 sigues en un fuerte periodo espiritual. Repasa lo que hablamos sobre esto el mes pasado. Del 5 al 7 un progenitor o figura parental experimenta un avance espiritual; que se dé cuenta o no de esto depende de la fase en que está en su camino espiritual. A veces ocurren estas cosas sin que tengamos conciencia de ellas, pero ocurren.

La salud está mucho mejor que el mes pasado. Las terapias espirituales, de las que hablamos el mes pasado, serán potentes a partir del 13. Este es un buen periodo para profundizar en las dimensiones espirituales de la salud. Hasta el 13 son buenos los regímenes de desintoxicación; deberás dar más atención al colon, la vejiga y los órganos sexuales. Son importantes la moderación sexual y el sexo seguro.

Del 5 al 7 los familiares, en especial un progenitor o figura parental deberían estar más conscientes en el plano físico; estar en el cuerpo con la atención en lo que se hace.

Acuario

El Aguador

Nacidos entre el 20 de enero y el 18 de febrero

Rasgos generales

ACUARIO DE UN VISTAZO

Elemento: Aire

Planeta regente: Urano
Planeta de la profesión: Plutón
Planeta de la salud: la Luna
Planeta del amor: el Sol
Planeta del dinero: Neptuno
Planeta del hogar y la vida familiar: Venus

Colores: Azul eléctrico, gris, azul marino
Colores que favorecen el amor, el romance y la armonía social: Dorado, naranja
Color que favorece la capacidad de ganar dinero: Verde mar

Piedras: Perla negra, obsidiana, ópalo, zafiro

Metal: Plomo

Aromas: Azalea, gardenia

Modo: Fijo (= estabilidad)

Cualidades más necesarias para el equilibrio: Calidez, sentimiento y emoción

Virtudes más fuertes: Gran poder intelectual, capacidad de comunicación y de formar y comprender conceptos abstractos, amor por lo nuevo y vanguardista

Necesidad más profunda: Conocer e introducir lo nuevo

Lo que hay que evitar: Frialdad, rebelión porque sí, ideas fijas

Signos globalmente más compatibles: Géminis, Libra

Signos globalmente más incompatibles: Tauro, Leo, Escorpio

Signo que ofrece más apoyo laboral: Escorpio

Signo que ofrece más apoyo emocional: Tauro

Signo que ofrece más apoyo económico: Piscis

Mejor signo para el matrimonio y/o las asociaciones: Leo

Signo que más apoya en proyectos creativos: Géminis

Mejor signo para pasárselo bien: Géminis

Signos que más apoyan espiritualmente: Libra, Capricornio

Mejor día de la semana: Sábado

La personalidad Acuario

En los nativos de Acuario las facultades intelectuales están tal vez más desarrolladas que en cualquier otro signo del zodiaco. Los Acuario son pensadores claros y científicos; tienen capacidad para la abstracción y para formular leyes, teorías y conceptos claros a partir de multitud de hechos observados. Géminis es bueno para reunir información, pero Acuario lleva esto un paso más adelante, destacando en la interpretación de la información reunida.

Las personas prácticas, hombres y mujeres de mundo, erróneamente consideran poco práctico el pensamiento abstracto. Es cierto que el dominio del pensamiento abstracto nos saca del mundo físico, pero los descubrimientos que se hacen en ese dominio normalmente acaban teniendo enormes consecuencias prácticas. Todos los verdaderos inventos y descubrimientos científicos proceden de este dominio abstracto.

Los Acuario, más abstractos que la mayoría, son idóneos para explorar estas dimensiones. Los que lo han hecho saben que allí hay poco sentimiento o emoción. De hecho, las emociones son un estorbo para funcionar en esas dimensiones; por eso los Acuario a veces parecen fríos e insensibles. No es que no tengan sentimientos ni profundas emociones, sino que un exceso de sentimiento les nublaría la capacidad de pensar e inventar. Los demás signos no pueden tolerar y ni siquiera comprender el concepto de «un exceso de sentimientos». Sin embargo, esta objetividad acuariana es ideal para la ciencia, la comunicación y la amistad.

Los nativos de Acuario son personas amistosas, pero no alardean de ello. Hacen lo que conviene a sus amigos aunque a veces lo hagan sin pasión ni emoción.

Sienten una profunda pasión por la claridad de pensamiento. En segundo lugar, pero relacionada con ella, está su pasión por romper con el sistema establecido y la autoridad tradicional. A los Acuario les encanta esto, porque para ellos la rebelión es como un juego o un desafío fabuloso. Muy a menudo se rebelan simplemente por el placer de hacerlo, independientemente de que la autoridad a la que desafían tenga razón o esté equivocada. Lo correcto y lo equivocado tienen muy poco que ver con sus actos de rebeldía, porque para un verdadero Acuario la autoridad y el poder han de desafiarse por principio.

Allí donde un Capricornio o un Tauro van a pecar por el lado de la tradición y el conservadurismo, un Acuario va a pecar por el lado de lo nuevo. Sin esta virtud es muy dudoso que pudiera hacerse algún progreso en el mundo. Los de mentalidad conservadora lo obstruirían. La originalidad y la invención suponen la capacidad de romper barreras; cada nuevo descubrimiento representa el derribo de un obstáculo o impedimento para el pensamiento. A los Acuario les interesa mucho romper barreras y derribar murallas, científica, social y políticamente. Otros signos del zodiaco, como Capricornio por ejemplo, también tienen talento científico, pero los nativos de Acuario destacan particularmente en las ciencias sociales y humanidades.

Situación económica

En materia económica, los nativos de Acuario tienden a ser idealistas y humanitarios, hasta el extremo del sacrificio. Normalmente son generosos contribuyentes de causas sociales y políticas. Su modo de contribuir difiere del de un Capricornio o un Tauro. Estos esperarán algún favor o algo a cambio; un Acuario contribuye desinteresadamente.

Los Acuario tienden a ser tan fríos y racionales con el dinero como lo son respecto a la mayoría de las cosas de la vida. El dinero es algo que necesitan y se disponen científicamente a adquirirlo. Nada de alborotos; lo hacen con los métodos más racionales y científicos disponibles.

Para ellos el dinero es particularmente agradable por lo que puede hacer, no por la posición que pueda implicar (como en el caso de otros signos). Los Acuario no son ni grandes gastadores ni tacaños; usan su dinero de manera práctica, por ejemplo para facilitar su propio progreso, el de sus familiares e incluso el de desconocidos.

No obstante, si desean realizar al máximo su potencial financiero, tendrán que explorar su naturaleza intuitiva. Si sólo siguen sus teorías económicas, o lo que creen teóricamente correcto, pueden sufrir algunas pérdidas y decepciones. Deberían más bien recurrir a su intuición, sin pensar demasiado. Para ellos, la intuición es el atajo hacia el éxito económico.

Profesión e imagen pública

A los Acuario les gusta que se los considere no sólo derribadores de barreras, sino también los transformadores de la sociedad y del mundo. Anhelan ser contemplados bajo esa luz y tener ese papel. También admiran y respetan a las personas que están en esa posición e incluso esperan que sus superiores actúen de esa manera.

Prefieren trabajos que supongan un cierto idealismo, profesiones con base filosófica. Necesitan ser creativos en el trabajo, tener acceso a nuevas técnicas y métodos. Les gusta mantenerse ocupados y disfrutan emprendiendo inmediatamente una tarea, sin pérdida de tiempo. Suelen ser los trabajadores más rápidos y generalmente aportan sugerencias en beneficio de su empresa. También son muy colaboradores con sus compañeros de trabajo y asumen con gusto responsabilidades, prefiriendo esto a recibir órdenes de otros.

Si los nativos de Acuario desean alcanzar sus más elevados objetivos profesionales, han de desarrollar más sensibilidad emocional, sentimientos más profundos y pasión. Han de aprender a reducir el enfoque para fijarlo en lo esencial y a concentrarse más en su tarea. Necesitan «fuego en las venas», una pasión y un deseo arrolladores, para elevarse a la cima. Cuando sientan esta pasión, triunfarán fácilmente en lo que sea que emprendan.

Amor y relaciones

Los Acuario son buenos amigos, pero algo flojos cuando se trata de amor. Evidentemente se enamoran, pero la persona amada tiene la impresión de que es más la mejor amiga que la amante.

Como los Capricornio, los nativos de Acuario son fríos. No son propensos a hacer exhibiciones de pasión ni demostraciones externas de su afecto. De hecho, se sienten incómodos al recibir abrazos o demasiadas caricias de su pareja. Esto no significa que no la amen. La aman, pero lo demuestran de otras maneras. Curiosamente, en sus relaciones suelen atraer justamente lo que les produce incomodidad. Atraen a personas ardientes, apasionadas, románticas y que demuestran sus sentimientos. Tal vez instintivamente saben que esas personas tienen cualidades de las que ellos carecen, y las buscan. En todo caso, al parecer estas relaciones funcionan; la frialdad de Acuario calma a su apasionada pareja, mientras que el fuego de la pasión de esta calienta la sangre fría de Acuario.

Las cualidades que los Acuario necesitan desarrollar en su vida amorosa son la ternura, la generosidad, la pasión y la diversión. Les gustan las relaciones mentales. En eso son excelentes. Si falta el factor intelectual en la relación, se aburrirán o se sentirán insatisfechos muy pronto.

Hogar y vida familiar

En los asuntos familiares y domésticos los Acuario pueden tener la tendencia a ser demasiado inconformistas, inconstantes e inestables. Están tan dispuestos a derribar las barreras de las restricciones familiares como las de otros aspectos de la vida.

Incluso así, son personas muy sociables. Les gusta tener un hogar agradable donde poder recibir y atender a familiares y amigos. Su casa suele estar decorada con muebles modernos y llena de las últimas novedades en aparatos y artilugios, ambiente absolutamente necesario para ellos.

Si su vida de hogar es sana y satisfactoria, los Acuario necesitan inyectarle una dosis de estabilidad, incluso un cierto conservadurismo. Necesitan que por lo menos un sector de su vida sea sólido y estable; este sector suele ser el del hogar y la vida familiar.

Venus, el planeta del amor, rige la cuarta casa solar de Acuario, la del hogar y la familia, lo cual significa que cuando se trata de la familia y de criar a los hijos, no siempre son suficientes las teorías, el pensamiento frío ni el intelecto. Los Acuario necesitan introducir el amor en la ecuación para tener una fabulosa vida doméstica.

Horóscopo para el año 2018*

Principales tendencias

Este va a ser un año de mucho éxito, pero también plagado de cambios y dramas. Es posible que sea el éxito el causante de los dramas, pues cambia la dinámica familiar y social. También podría ser al revés: el cambio en la dinámica social y familiar te dejan libre para tener éxito. Las dos posibilidades son válidas.

Júpiter pasa la mayor parte del año en tu décima casa, la de la profesión; esto es señal clásica de éxito y expansión profesionales; es señal de ascenso, de elevación en tu empresa o en tu categoría profesional. Júpiter está en tu décima casa hasta el 8 de noviembre.

Los cambios y dramas se deben a los eclipses de este año. Cuatro de los cinco eclipses afectan a la vida amorosa. Dos eclipses afectan a tu personalidad, a tu imagen y objetivos personales; ocurren en tu primera casa. De esto hablaremos más adelante.

Durante muchos años ha estado fuerte tu casa doce, la de la espiritualidad; Plutón está en ella desde 2008. Este año también transita Saturno por ella, y continuará ahí los dos próximos años. Así pues, este año es especialmente espiritual, más que los años pasados. Volveremos a este tema.

Este año también será próspero; Júpiter le forma aspectos hermosos a Neptuno, tu planeta del dinero, casi todo el año. El

* Las previsiones de este libro se basan en el Horóscopo Solar y todos los signos que derivan de él; tu Signo Solar se convierte en el Ascendente, y las casas se numeran a partir de él. Tu horóscopo personal, el trazado concretamente para ti (según la fecha, hora y lugar exactos de tu nacimiento) podrían modificar lo que decimos aquí. Joseph Polansky

éxito profesional se traduce en mayores ingresos. Hablaremos más de esto.

Neptuno está en tu casa del dinero desde 2012; está, pues, en su signo y casa (Piscis es tu segunda casa) y esto lo hace más fuerte para tu bien. Esto es otro indicador de mayores ingresos.

Este año Urano hace un cambio importante, el que ocurre más o menos cada siete años; sale de tu tercera casa y entra en la cuarta. Ahora sólo será una incursión de unos meses en tu cuarta casa, del 16 de mayo al 6 de noviembre, pero el año que viene, en marzo, entrará en ella para quedarse. Por lo tanto, habrá trastornos y cambios en la vida familiar y doméstica. Volveremos a este tema.

Las facetas de interés más importantes para ti este año son: la comunicación y las actividades intelectuales (hasta el 16 de mayo y luego a partir del 6 de noviembre); el hogar y la familia (del 16 de mayo al 6 de noviembre); la profesión (hasta el 8 de noviembre); las amistades, los grupos y las actividades de grupo (a partir del 8 de noviembre); la espiritualidad.

Los caminos hacia tu mayor realización o satisfacción este año son: la profesión (hasta el 8 de noviembre); las amistades, los grupos y las actividades de grupo (a partir del 8 de noviembre); el amor y el romance (hasta el 17 de noviembre); la salud y el trabajo (a partir del 17 de noviembre).

Salud

(Ten en cuenta que esta es una perspectiva astrológica de la salud, no una médica. Antaño no había ninguna diferencia, ambas eran idénticas, pero en esta época podrían diferir muchísimo. Para una perspectiva médica, por favor, consulta a tu médico o a otro profesional de la salud.)

La salud debería ser buena; comienzas el año con sólo un planeta lento en aspecto desfavorable, Júpiter; del 16 de mayo al 6 de noviembre también lo estará Urano, pero esto sólo te afectará si naciste en los primeros días del signo, del 19 al 23 de enero; si naciste después, no lo notarás, aunque sí lo sentirás en los próximos años, cuando Urano ya esté establecido en Tauro.

Después del 8 de noviembre ya no habrá ningún planeta lento en alineación desfavorable contigo.

Dos eclipses lunares (el número normal) indican cambios en el programa de salud; dado que esto ocurre dos veces al año, más parecen ser «medidas correctivas» que algo serio.

Un eclipse solar en tu sexta casa produce más cambios en el programa de salud y podría ser causa de un susto en la salud; pero puesto que tu salud es buena, lo más probable es que sólo sea eso, un susto.

Por buena que sea la salud, siempre se puede mejorar; da más atención a las siguientes zonas, que son las vulnerables en tu carta.

Los tobillos y las pantorrillas. Estas zonas son siempre importantes para ti pues están regidas pór tu signo. Masajes periódicos en los tobillos y las pantorrillas deberían formar parte de tu programa de salud; no te hará ningún daño dar masaje a lo largo del hueso de la espinilla también. Palpa por si hay puntos dolorosos y elimina el dolor con el masaje. Protege bien los tobillos cuando hagas ejercicio.

El estómago. Este órgano también es siempre importante para Acuario. Te irá bien trabajar los puntos reflejos en sesiones de reflexología; también siempre es importante la dieta (que no lo es para todo el mundo, por cierto). Tu alimentación debería controlarla un profesional; tus necesidades dietéticas podrían cambiar de año en año e incluso de mes en mes, por lo tanto son necesarios controles frecuentes. Pero lo que comes es tan importante como el modo en que comes; de esto hemos hablado muchas veces a lo largo de los años. Es necesario elevar el acto de comer de apetito animal a un acto de culto; es necesario elevar las vibraciones del acto. Así pues, debes tomar tus comidas de modo tranquilo, apacible (lo que no es fácil en este mundo frenético, pero haz todo lo posible); si puedes poner una música relajante mientras comes, tanto mejor; mastica bien los alimentos; bendice la comida y expresa tu gratitud; te conviene dar las gracias antes y después de las comidas. Haz lo posible por «ritualizar» el acto de comer. Esto no sólo eleva las vibraciones del alimento, obtienes lo mejor y más elevado de él, sino que también eleva las vibraciones del cuerpo y del aparato digestivo. Los antiguos místicos y maestros entendían bien esto y casi todas las religiones tienen sus ritos para comer.

Los pechos. Estos tienen más importancia si eres mujer, y en especial, de tu signo. Te conviene hacerte chequeos periódicos; también te conviene darte masajes en los empeines de los pies; hay ahí puntos reflejos de los pechos.

Tu planeta de la salud es la Luna, el más rápido de todos los planetas. Por lo tanto hay muchas tendencias de corto plazo en la salud, que dependen de dónde está la Luna y de los aspectos que recibe; dado que la Luna avanza tan rápido que de pronto puede aparecer un síntoma o molestia y desaparecer más o menos con la misma rapidez; quiere decir que cuando se presentó la molestia la Luna no estaba en buena posición, no es más que eso. Estas tendencias es mejor tratarlas en las previsiones mes a mes.

Hogar y vida familiar

El hogar y la familia no han sido importantes desde hace muchos años; no ha habido novedades ni cambios dignos de notar en esta faceta. Esto está a punto de cambiar. Urano, el señor de tu horóscopo, y planeta muy poderoso, comenzará a transitar por tu cuarta casa; este año es un tránsito corto, de casi seis meses (tomando en cuenta la lentitud del movimiento de Urano); pero el 7 de marzo del próximo año entrará en esta casa para quedarse. Se están preparando cambios importantes y repentinos en la vida doméstica y en el círculo familiar.

Para empezar, vas a prestar más atención a esta faceta. La profesión es importante este año y no puedes desatenderla; pero la familia se hace igualmente importante y el próximo año lo será más que la profesión.

Me parece que te involucras personalmente; dedicas más tiempo a la familia, en especial a un progenitor o figura parental. Eres innovador y creativo en el hogar. Vas modernizando la casa como por rutina; la casa va cambiando, año tras año e incluso mes a mes. En los años venideros podría haber muchas mudanzas u obras de renovación en la casa. Este año, lo más probable es que haya una renovación o una mudanza.

Urano, en la cuarta casa, indica que te esfuerzas en forjar un espíritu de equipo en la familia. Te esfuerzas en hacerla más igualitaria; no te agrada la jerarquía familiar; no hay jefes, sólo compañeros de equipo y tal vez un entrenador. Todos son iguales. Todos hacen lo que les resulta más fácil o cómodo.

Este año se moderniza la casa (y también en los años venideros). Vas a instalar todo tipo de aparatos de alta tecnología; es posible que algunos de estos aparatos aún no se hayan inventado, pero lo serán en los próximos años.

Aunque este año tienes éxito en la profesión, te identificas más como «persona de familia» que como «persona profesional».

Del 16 de marzo al 6 de noviembre podría haber mudanzas u obras de renovación. Pero si te interesa embellecer la casa, dar otra mano de pintura o cambiar la disposición de los muebles, del 1 de abril al 20 de mayo me parece el mejor periodo. Este periodo también es bueno para comprar objetos bellos para la casa.

Un progenitor o figura parental se ve inquieto, descontento, en este periodo; necesita más libertad personal, necesita aliviarse de responsabilidades; es probable que viva en diferentes lugares durante largos periodos. El matrimonio de esta persona pasa por pruebas (y estas se van a intensificar en los próximos años). Lo bueno es que su cónyuge se esfuerza por mantener bien la relación. ¿Bastará eso? Pregunta sin respuesta por el momento.

Un hermano, hermana o figura fraterna tiene dramas familiares en este periodo también, pero esto se ve de menos duración. No se ven probabilidades de mudanza para los hermanos.

Los hijos y figuras filiales tienen un año sin novedades ni cambio en la vida familiar. Si están en edad apropiada, podría haber romance a partir del 8 de noviembre. Si son niños, esto indica una vida social más activa; entran nuevas amistades en el cuadro.

Los nietos (si los tienen) estarán mejor sin mudarse.

Profesión y situación económica

Como hemos dicho, puedes esperar un año próspero y exitoso. Es un año fuerte en las finanzas y la profesión. Según cual sea tu edad, podría ser el mejor año de tu vida. Y aun cuando seas mayor, este debería estar entre los mejores años.

Como hemos dicho, Júpiter está en tu décima casa, la de la profesión, la mayor parte del año, hasta el 8 de noviembre. Esto indica ascenso y aumento de sueldo. Cuentas con el favor de jefes, padres, figuras parentales y figuras de autoridad; estos apoyan tus objetivos financieros. Tu buena fama profesional, que debes mantener celosamente, te atrae más ingresos también.

Las amistades y conexiones sociales también te apoyan extraordinariamente, en lo profesional y lo financiero. Conoces a personas en posiciones elevadas que te ayudan. Las amistades en general tienen más éxito este año.

Tu capacidad natural para las relaciones y tus habilidades en alta tecnología dan impulso a tu profesión y tus finanzas. También tus dotes para participar en grupos y organizaciones. Estas dotes reciben más reconocimiento este año.

La posición de Neptuno, tu planeta del dinero, indica buena intuición financiera, que es el atajo hacia la riqueza. Indica afinidad con industrias relacionadas con el agua: servicios de agua, transporte por mar, astilleros, industria pesquera, purificadores y embotelladores de agua. También indica afinidad con otras industrias Neptuno: petróleo, gas natural, fármacos anestésicos, controladores del ánimo o analgésicos; estas son industrias interesantes para invertir, para hacer negocio o para trabajar en ellas. Personas de estas industrias podrían ser importantes en tu vida financiera también, y por lo tanto, indirectamente, te beneficias de estas industrias.

Has sido idealista en finanzas desde hace muchos años, y esto se ha reforzado últimamente. Estás extraordinariamente caritativo; cuando oyes una historia triste no vacilas en abrir el billetero o monedero. En general te gusta hacer donaciones a causas altruistas o espirituales.

Gastas más en proyectos o actividades espirituales pero también puedes ganar de este campo.

La información y la orientación financieras te llegarán en sueños, visiones, a través de videntes, astrólogos, lectores del tarot y canalizadores espirituales; estos serían tipos concretos de orientación; esto ha sido así durante varios años, y este año lo es más aún.

Todo el año va a ser bueno en las finanzas, pero los periodos más prósperos serán del 18 de febrero al 20 de marzo; del 21 de junio al 23 de julio, y del 23 de octubre al 21 de noviembre.

Los periodos más difíciles en las finanzas serán del 21 de mayo al 20 de junio; del 23 de agosto al 22 de septiembre, y del 22 de noviembre al 21 de diciembre. Esto significa simplemente que tendrás que trabajar más que de costumbre por tus objetivos.

Amor y vida social

Tu séptima casa no está poderosa este año, así que el amor y el romance no son muy importantes. Pero esta faceta se ve feliz. El nodo norte de la Luna estará en esta casa hasta el 17 de noviembre.

Parece que esta felicidad se debe a que no hay necesidad de cambios; estás feliz con las cosas como están. Estés casado o casada, soltero o soltera, estás feliz en tu situación.

Sin embargo, como hemos dicho, vemos ciertos trastornos o disturbios, pruebas a la relación actual. El cónyuge, pareja o ser amado actual también siente esto. Hay dos eclipses en tu séptima casa y dos en tu signo; estos eclipses son fuertes. Además, tres eclipses solares (el Sol es tu planeta del amor) también indican drama y conmoción (normalmente tu vida amorosa pasa por pruebas dos veces al año; este año será el doble, cuatro veces).

Los eclipses tienden a hacer aflorar agravios ocultos, reprimidos, en la relación. En toda relación los hay; ninguna relación entre seres humanos, mortales, es perfecta; sólo la Divinidad es perfecta. Así pues, salen a la luz los trapos sucios para lavarlos. Si la relación es buena, sólida, sobrevive e incluso mejora; se asienta el polvo y se hacen las correcciones; después tú y el ser amado miráis en retrospectiva y os reís del incidente. Pero si la relación es defectuosa, puede disolverse con estos golpes.

A veces el eclipse no saca a la luz trapos sucios pero produce dramas de aquellos que cambian la vida (a uno u otro de la pareja). Estos dramas ponen a prueba la relación u obligan a hacer ajustes; es necesario hacer cambios en la relación.

Normalmente estas pruebas al amor no son agradables, pero son buenas. Así es como sabemos si el amor es verdadero; esto siempre lo descubrimos en los tiempos difíciles.

De los eclipses hablaremos con más detalle en las previsiones mes a mes.

El Sol, tu planeta del amor, es de movimiento rápido; en un año transita por todos los signos y casas del horóscopo. Por lo tanto, las oportunidades románticas pueden presentarse de diversas maneras y con diversas personas, según donde esté el Sol y los aspectos que reciba. Estas tendencias de corto plazo es mejor tratarlas en las previsiones mes a mes.

Acuario tiende a ser mejor para la amistad que para el amor comprometido; le gusta su libertad, su independencia. Y a partir del 8 de noviembre esta faceta de amistad será muy feliz, muy expansiva; Júpiter entra en tu casa once, la de las amistades, su signo y casa, la posición en que es más poderoso, y la expande. Entrarán nuevas e importantes amistades en el cuadro. Por esta fecha ya has conseguido más o menos tus objetivos profesionales y comienzas a cosechar los frutos de tu éxito: un círculo social mejor, superior.

Progreso personal

Saturno, tu planeta de la espiritualidad, está en su signo y casa y continuará ahí los dos próximos años. Esto significa que actuará de modo más poderoso que lo habitual; está en su casa, en su zona de agrado, y ahí es fuerte.

Este aspecto acentúa tendencias que han estado en vigor desde hace algunos años. La espiritualidad es importante para ti, pero si deseas progresar, triunfar en esto, debes ser muy disciplinado y ordenado; necesitas un programa diario, disciplinado; tu práctica espiritual debe convertirse en parte de tu estilo de vida.

Tiendes a ser muy experimental en las cosas, te gusta la innovación y el cambio; pero en la vida espiritual, dice Saturno, son mejores los métodos tradicionales. En lugar de buscar lo nuevo y de moda, profundiza en los modos tradicionales; compréndelos de un modo más profundo.

Plutón, tu planeta de la profesión, está en tu espiritual casa doce desde hace muchos años y continuará en ella varios años más. Esto tiene diversos efectos. Has estado buscando una profesión de tipo más espiritual; algo que tenga sentido para ti. No te basta simplemente ganar dinero y tener éxito; necesitas algo que «apruebe» el espíritu, algo que tenga el apoyo de tu alma. A veces esto lleva a una profesión de servicio pastoral religioso, diaconado por ejemplo, o de servicio benéfico en alguna asociación lucrativa o no lucrativa. O también a seguir con la profesión y además hacer trabajo filantrópico. Cuando la persona está más avanzada en su práctica espiritual, la profesión podría ser justamente esa práctica; esa sería su misión en este periodo.

Lo que dice el horóscopo, en esencia, es que tienes que dar a la vida espiritual dedicación y disciplina iguales (o tal vez más) a las que das a tu profesión mundana. Has sido elegido para hacer algo muy especial en el mundo, algo que no puede hacer ninguna otra persona. Tu práctica espiritual te llevará a eso.

Neptuno en tu casa del dinero también actúa con más fuerza que de costumbre; está en su signo y casa; expresa fácilmente su fuerza. Así pues, estás profundizando en la comprensión de las dimensiones espirituales de la riqueza. Llevas en esto varios años y la tendencia continúa. Es importante que tengas presente una cosa: en el tema del aprovisionamiento espiritual nunca se trata de cuánto tienes, de cómo va tu negocio o trabajo, de cuál es tu situación económica, etcétera; se trata de cuánto espíritu tienes y de cuánto eres capaz de recibir.

Estás aprendiendo que la riqueza es en realidad una actividad interior, siempre ocurre en el presente, en el momento y lugar donde estás. La riqueza no está en la oficina ni en la tienda o empresa (esto sólo es el efecto secundario); es la entrada de la mente de la Divinidad en tu aura; algo palpable; una entrada de energía y sustancia en el aura, que finalmente se convierte en las cosas tangibles que relacionamos con la riqueza: dinero, cosas, objetos, etcétera. Genera las condiciones necesarias para que se manifiesten. Por eso suele haber un lapso de tiempo entre la oración o la meditación y el resultado final tangible.

Previsiones mes a mes

Enero

Mejores días en general: 8, 9, 17, 18, 19, 27, 28
Días menos favorables en general: 3, 4, 10, 11, 25, 26, 31
Mejores días para el amor: 3, 4, 5, 6, 15, 16, 27, 28, 31
Mejores días para el dinero: 1, 2, 10, 11, 20, 21, 29, 30
Mejores días para la profesión: 5, 6, 10, 11, 15, 16, 25, 26

En general estás en un año muy independiente, y en estos momentos lo eres más aún, porque la mitad del mes todos los planetas están en tu sector oriental, el del yo; sólo la Luna visita el sector occidental la mitad del mes. Decididamente, tienes las cosas a tu manera; al Cosmos le importa tu felicidad. Tienes el poder y el respaldo para crear las condiciones de tu felicidad; hazte feliz y todo el mundo estará de acuerdo. Esto no quiere decir que hagas daño o les faltes al respeto a los demás. Simplemente haz tus cosas aunque no estés de acuerdo.

Comienzas el año, como lo comienzas la mayoría de los años: con un toque espiritual. Tu casa doce, la de la espiritualidad, es con mucho la más fuerte del horóscopo. Este es, pues, un mes para hacer estudios y prácticas espirituales y acercarte más a lo divino que llevas en tu interior. El principal foco de atención es tu vida interior, tu crecimiento interior.

Tu planeta del amor, el Sol, está en tu casa doce hasta el 20; tu planeta de la profesión, Plutón, lleva muchos años en ella. El mensaje es, pues, estar bien espiritualmente y el amor y la profesión irán bien.

Estás también en un fuerte mes profesional, un mes muy exitoso de un año exitoso. Del 8 al 10 y el 24 y 25 Plutón recibe aspectos maravillosos; esto te trae éxito en la profesión y oportunidades.

El 31 hay un eclipse lunar que te trae emociones y cambio; se ve fuerte así que tómate las cosas con calma y reduce tus actividades durante este periodo; ocurre en tu séptima casa, la del amor, y pone a prueba la relación amorosa o la conyugal. No es necesario disolver la relación, sólo la pone a prueba, sacando a la luz agravios reprimidos; a veces hay dramas en la vida del ser amado que dificultan la relación. Si la relación es buena sobrevive, aunque cambia, se hacen correcciones. Todos los eclipses lunares afectan a tu salud y a tu situación laboral, y este no es diferente; el planeta eclipsado, la Luna, es tu planeta de la salud y el trabajo. Hay, pues, cambios laborales, cambios en las condiciones laborales. Vas a necesitar hacer cambios importantes en tu programa de salud. A veces este tipo de eclipse produce sustos por la salud, pero tu salud se ve buena así que es probable que sólo sea eso, un susto. El cónyuge, pareja o ser amado actual hace cambios en su espiritualidad, cambio de práctica, de enseñanza y tal vez de maestro o profesor; hay cambios importantes en su actitud espiritual.

Febrero

Mejores días en general: 4, 5, 14, 15, 23, 24
Días menos favorables en general: 6, 7, 21, 22, 27, 28
Mejores días para el amor: 4, 5, 14, 15, 16, 25, 26, 27, 28
Mejores días para el dinero: 6, 7, 16, 17, 25, 26
Mejores días para la profesión: 2, 3, 6, 7, 11, 12, 21, 22

El 15 hay otro eclipse, uno solar, el que pone a prueba la vida amorosa y la relación actual. Como hemos dicho el mes pasado, una relación fundamentalmente sólida sobrevive con facilidad; sólo está en peligro si es defectuosa. En el caso de que estés soltero o soltera y sin compromiso, dos eclipses seguidos que afectan al amor suelen indicar el deseo de cambiar de estado; suele indicar boda. Este eclipse ocurre en tu signo. Si naciste en uno de los últimos días del signo (del 14 al 18 de febrero) lo sentirás más fuerte que los demás nativos de Acuario. Y no sólo pone a prueba la relación amorosa; hace impacto en Júpiter, tu planeta de las amistades, por lo que sacude las amistades en general. Las buenas sobreviven, las defectuosas están en peligro. La casa once rige el equipo y los aparatos de alta tecnología, por lo tanto estas cosas pasan por pruebas; si hay defectos ocultos, ahora los descubres. Un progenitor o figura parental podría tener una crisis financiera y debe tomar medidas correctivas en su planteamiento y estrategia; con este tipo de eclipse a veces la persona cambia de banco, de agente bursátil, de planificador financiero o de contable. Este eclipse también afecta a los hijos y figuras filiales, así que es mejor que reduzcan sus actividades y eviten situaciones arriesgadas o peligrosas en este periodo; hay cambios en sus vidas; algunos pueden ser los normales, o llegan a la pubertad, o tienen el despertar sexual o se marchan de casa para ir a la universidad. De todos modos, estos cambios son trastornadores.

Aunque el eclipse sacude cosas, este mes es esencialmente feliz y próspero. Continúas en un periodo de mucha independencia y puedes hacer las cosas a tu manera, tener la vida según tus condiciones. Desde el 20 del mes pasado estás en uno de tus periodos de placer personal. A pesar de las pruebas y dificultades, el amor va bien. Te ves estupendamente y tu pareja está deseosa de complacerte, dispuesta a servirte. Si estás soltero o soltera y sin compromiso no tienes que hacer nada para atraer el amor, este te encuentra. Este es un periodo fabuloso para comprar ropa y accesorios personales, tu gusto es perfecto.

El 18 el Sol y Mercurio entran en tu casa del dinero y comienzas una cima financiera anual. La intuición financiera siempre es buena pero en este periodo lo es especialmente. Del 20 al 22 y el 25 y 26 hay bonitos días de paga. Pero todo el periodo es próspero.

Marzo

Mejores días en general: 3, 4, 13, 14, 22, 23, 31
Días menos favorables en general: 6, 7, 20, 21, 26, 27
Mejores días para el amor: 6, 7, 8, 16, 17, 18, 19, 26, 27
Mejores días para el dinero: 6, 7, 15, 16, 17, 24, 25
Mejores días para la profesión: 1, 2, 6, 7, 10, 11, 12, 20, 21, 29, 30

Desde el mes pasado el poder planetario está principalmente en el lado noche de tu carta; ahora eres persona nocturna, dedicada a las actividades de la noche, descanso y orientación interior, ocupada en encontrar la armonía emocional y en llevar los asuntos familiares y domésticos. La profesión sigue siendo importante y exitosa, pero este es el periodo para reunir la energía, acumular las fuerzas para tu próximo empuje profesional que comenzará en verano (en el hemisferio Norte). Aún no estás en la medianoche de tu año (esta será el mes que viene) pero te estás acercando; es el anochecer.

La noche es para soñar, visualizar, entrar en el ánimo para lo que deseas realizar o conseguir. Entra en el sentimiento, en el ánimo, de tu objetivo y vive o permanece en él. Por la ley espiritual tu estado psíquico finalmente se expresará en el exterior.

La prosperidad sigue siendo muy fuerte; cuentas con el apoyo financiero de tu cónyuge, pareja o ser amado actual. Son importantes tus contactos sociales. Del 3 al 5 es un fuerte periodo financiero.

Si estás soltero o soltera y sin compromiso las oportunidades amorosas se presentan cuando estás atendiendo a tus objetivos financieros o con personas relacionadas con tus finanzas. La riqueza y el apoyo y regalos materiales son excitantes románticos; así es como amas y como te sientes amado; te atrae la persona buena proveedora. Esto cambia después del 20, cuando tu planeta del amor entra en tu tercera casa; entonces el amor está en el barrio o con alguna persona vecina; te atraen personas ricas mentalmente, no monetariamente; te gusta la persona con la que te resulta fácil hablar, que tiene el don de labia; la conversación es una forma de juego preliminar en este periodo; hay oportunidades románticas en ambientes educacionales: en charlas, seminarios, la biblioteca o la librería.

La salud y la energía siguen buenas, han sido buenas todo lo que va de año. Puedes fortalecer la salud de las maneras explicadas en las previsiones para el año.

Después del 20 es buen periodo para hacer cursos en temas que te interesan; es bueno para estudiar o para enseñar a otros. La mente está más aguda, retienes con más facilidad la información. Si eres estudiante aun no universitario deberías tener éxito en tus estudios en este periodo.

Abril

Mejores días en general: 1, 9, 10, 11, 18, 19, 27, 28
Días menos favorables en general: 2, 3, 16, 17, 23, 24, 29
Mejores días para el amor: 4, 5, 7, 8, 14, 15, 16, 17, 23, 24, 25, 27

Mejores días para el dinero: 2, 3, 12, 13, 21, 22, 29, 30
Mejores días para la profesión: 2, 3, 7, 8, 16, 17, 25, 26, 29

Ocurren muchas cosas positivas en este periodo, pero entre bastidores; no es mucho lo que puedes hacer, deja que vayan ocurriendo. Los dos planetas que intervienen en tu profesión, Plutón y Júpiter, están en movimiento retrógrado. Mientras tanto centra la atención en poner orden en el hogar y la familia. Habiendo tanto poder en tu cuarta casa, este mes es bueno para construir los cimientos, la infraestructura que permitirá que ocurra el éxito profesional futuro. Harás más en promover tu profesión con métodos interiores (meditación, visualización y oración) que con métodos externos.

Todo el mes está poderosa tu tercera casa, la de la comunicación y los intereses intelectuales; por lo tanto es buen periodo para estudiar, leer y hacer cursos en temas que te interesan. Si eres estudiante aun no universitario tienes buena concentración y éxito en los estudios. Este mes es bueno también para ponerte al día con las llamadas telefónicas, cartas y e-mails. Siempre tienes el don de la palabra y este mes lo tienes más. Tal vez el principal peligro es la excesiva estimulación de la mente, excederse en algo bueno. La mente se activa fácilmente y si no la controlas estará siempre activada, trabajando, trabajando; esto puede producir insomnio y otros problemas nerviosos. Usa la mente cuando sea necesario y cuando no, desconéctala.

El poder que hay en la cuarta casa a partir del 20 es también bueno para hacer psicoterapia. Si estás haciendo una psicoterapia formal, verás mucho progreso. Pero aun cuando no lo estés, harás progreso psíquico este mes y el próximo; está muy estimulado el cuerpo mnemónico; surgirán espontáneamente recuerdos del pasado, para verlos y reinterpretarlos; estos recuerdos no surgen «al azar», aunque así le parezca a la mente consciente; son reveladores: señalan el origen, los porqués y los dóndes de tu situación actual. Míralos desde tu estado de conciencia actual y perderán el poder sobre ti.

Las finanzas son buenas todo el año y también este mes; a mí me parece que van mejor después del 20 que antes.

Este mes el amor está cerca de casa; no necesitas viajar lejos en su búsqueda.

Mayo

Mejores días en general: 7, 8, 16, 17, 24, 25
Días menos favorables en general: 14, 15, 20, 21, 26, 27, 28
Mejores días para el amor: 4, 5, 7, 8, 14, 15, 17, 20, 21, 24, 26
Mejores días para el dinero: 9, 10, 18, 19, 26, 27
Mejores días para la profesión: 4, 5, 14, 15, 22, 23, 26, 27, 28

Tu planeta del amor está en tu cuarta casa desde el 20 del mes pasado y continuará en ella hasta el 21. Hay, pues, más vida social en casa y con la familia. A los familiares les gusta presentarte a personas, haciendo de casamenteros; te atrae la persona con la que puedas tener intimidad emocional, hablar de los sentimientos; la intimidad emocional es una forma de juego preliminar en este periodo; con este tránsito a veces hay un encuentro con un viejo amor, o con una persona que tiene rasgos de personalidad similares a las del viejo amor. Esto también suele ser terapéutico; se resuelven viejos asuntos; esa es la finalidad.

El 21 tu planeta del amor entra en tu quinta casa; esto produce otro cambio en la actitud en el amor; ahora va de diversión; el amor es una forma de entretenimiento, no algo serio. Te atrae la persona que sabe hacerte pasar un buen rato, la persona despreocupada con la que es fácil divertirse. Esto no es conducente a relación seria ni a boda. Las oportunidades románticas se presentan en balnearios, el teatro, en fiestas y en lugares de diversión.

Después del 21 la diversión es un centro de atención importante; ocuparse demasiado de los asuntos familiares y domésticos puede volver excesivamente seria a la persona. Este es el periodo para divertirse; aumenta también la creatividad; estás en uno de tus periodos de placer personal; da rienda suelta al deseo de divertirte. El periodo para trabajar será el próximo mes, estarás más en ánimo y por lo tanto serás más productivo.

Hasta el 21 es necesario estar atento a la salud; no ocurre ningún desastre pero la energía no está a la altura habitual; procura descansar lo suficiente; es fácil decirlo pero no siempre es fácil hacerlo, sobre todo en nuestro mundo frenético. Fortalece la salud de las maneras explicadas en las previsiones para el año. El 19 Venus entra en tu sexta casa, así que da más atención a los riñones y las caderas; el masaje en las caderas será especialmente eficaz. La buena salud emocional también es más importante que de costumbre.

Las finanzas van mejor antes del 21 que después; después del 21 van bien pero exigen más trabajo.

Junio

Mejores días en general: 3, 4, 12, 13, 20, 21, 22, 30
Días menos favorables en general: 10, 11, 16, 17, 23, 24
Mejores días para el amor: 3, 4, 6, 7, 12, 13, 16, 17, 23, 24
Mejores días para el dinero: 5, 6, 7, 14, 15, 23, 24
Mejores días para la profesión: 1, 2, 10, 11, 18, 19, 23, 24, 28, 29

El 16 del mes pasado Urano entró en tu cuarta casa; esto indica diversas cosas. Prestas más atención al hogar y la familia, te ocupas más de estos asuntos. Los familiares podrían estar mudables de humor o emocionalmente; más rebeldes e imprevisibles. Un progenitor o figura parental anhela más libertad.

El hogar es importante, pero no olvides la diversión. Hasta el 22 continúas en una cima de placer personal. Como el mes pasado, no te tomas en serio el amor, simplemente deseas pasarlo bien. Si estás en una relación deberías programar más actividades de ocio y diversión con tu pareja; si hay problemas en la relación estas actividades podrían solucionarlos este mes.

El 22 se hace poderosa tu sexta casa. Ahora sí estás en ánimo para el trabajo; deseas trabajar, el trabajo es bueno en sí, es una forma de terapia. Este es un buen tránsito en el caso de que busques trabajo, hay por lo menos tres oportunidades. También es bueno si eres empleador y deseas contratar personal. Y si tienes empleo tienes oportunidades para hacer horas extras o trabajos secundarios.

El 22 también cambia la actitud en el amor. Estás más serio, más práctico; te atrae la persona que hace algo por ti, que sirve a tus intereses. El lugar de trabajo es también un centro social. Si estás soltero o soltera y sin compromiso tienes oportunidades para «romance de oficina», con compañeros de trabajo. También te atraen los profesionales de la salud o las personas relacionadas con tu salud.

En las finanzas hay ciertas dificultades los días 6 y 7, pero el mes es próspero. Neptuno, tu planeta del dinero, forma parte de un gran trígono en signos de agua todo el mes; este es un aspecto inusual y positivo; indica buena suerte en las finanzas, un flujo de energía; el único problema es que Neptuno inicia movimiento retrógrado el 18; esto complica las cosas, tal vez introduciendo retrasos e indecisión, pero no impide que lleguen ingresos, simplemente enlentece las cosas. La toma de decisiones y las inversiones importantes debes hacerlas antes del 18; después las cosas necesitan más análisis; sólo compra lo necesario; retrasa las compras más importantes hasta cuando tengas más claridad; la debida diligencia es siempre importante, pero en especial después del 18.

Julio

Mejores días en general: 1, 10, 11, 18, 19, 27, 28, 29
Días menos favorables en general: 7, 8, 14, 15, 20, 21
Mejores días para el amor: 3, 4, 5, 6, 12, 13, 14, 15, 16, 21, 22, 25, 26
Mejores días para el dinero: 1, 3, 4, 12, 13, 20, 21, 27, 28, 29, 30, 31
Mejores días para la profesión: 7, 8, 16, 17, 20, 21, 25, 26

Marte está en tu signo desde el 16 de mayo y estará en él todo el mes. Esto tiene sus puntos positivos y sus puntos negativos. Los positivos son que tienes más energía y valor, haces las cosas rápido, tienes la actitud «puedo». Por otro lado, podrías estar más combativo e impaciente; no toleras alegremente a los tontos en este periodo. La precipitación y las prisas pueden ser causa de lesión o accidente; así pues, apresúrate, pero con cuidado.

Este mes tenemos dos eclipses, uno solar el 13 y uno lunar el 27. Los dos eclipses son fuertes pero el lunar es más fuerte en ti pues ocurre en tu signo. Reduce tus actividades en este periodo.

El eclipse solar del 13 ocurre en tu sexta casa y por lo tanto anuncia cambios laborales, tal vez cambio de puesto en la empresa en que estás o cambio a otra empresa. Hay trastornos en el lugar de trabajo; cambian las condiciones laborales, tal vez por nuevas reglas o reglamentaciones. También harás cambios importantes en tu dieta y programa de salud en los próximos meses. Los hijos y figuras filiales tienen problemas financieros que los obligan a hacer correcciones. Este no es un periodo especialmente bueno para las especulaciones. Nuevamente se pone a prueba el amor; has pasado por esto muchas veces; ten más paciencia con el ser amado. Este eclipse hace impacto directo en Plutón, tu planeta de la professión; esto indica cambios en la profesión; tal vez hay reorganización en la empresa o la industria en que trabajas; tal vez el gobierno cambia las leyes; cambian las reglas del juego.

Tu carta dice que este eclipse será útil a tu profesión; se eliminan los obstáculos a tu progreso.

El eclipse lunar del 27 es fuerte en ti, como hemos dicho; no sólo ocurre en tu signo sino que además hace impacto en Urano, el señor de tu horóscopo. Por lo tanto, tómate las cosas con calma y reduce tus actividades. También hace impacto en Marte, así que evita conducir si no es necesario; si debes conducir, conduce con más prudencia y a la defensiva. Este eclipse pone a prueba la vida social del cónyuge, pareja o ser amado actual. Nuevamente hay cambios en tu programa de salud, hay cambios laborales y tal vez un susto por la salud; tu salud es buena así que es probable que sólo sea eso, un susto. Vas a tener que revaluarte, redefinir tu imagen y concepto de ti mismo; esto es saludable; será causa de cambio en la forma de vestir y cambios en la forma como te presentas a los demás.

Agosto

Mejores días en general: 6, 7, 14, 15, 24, 25
Días menos favorables en general: 4, 5, 10, 11, 16, 17, 31
Mejores días para el amor: 2, 3, 5, 10, 11, 14, 15, 20, 24, 25, 31
Mejores días para el dinero: 8, 9, 16, 17, 26, 27
Mejores días para la profesión: 4, 5, 12, 13, 16, 17, 21, 22, 31

El 11 hay otro eclipse solar (el tercero del año), el que pone a prueba tu relación amorosa actual; me parece que la relación pasa por un serio «control de estrés» para comprobar lo bien que se sostiene; ten más paciencia con el ser amado en este periodo; parece que esta persona está pasando por una especie de coacción; sólo una buena relación puede soportar este golpe implacable. Lo bueno es que si podéis sobrellevar esto, podéis superar cualquier cosa.

El poder planetario está ahora en el lado día de tu horóscopo, así que ahora eres persona diurna, consigues tus objetivos mediante acción, con los métodos del día. Ahora das un nuevo impulso, un empuje, a tu profesión, la que va siendo cada vez más importante. Ten presente, eso sí, que Urano continúa en tu cuarta casa, y esto significa que el hogar y la familia siguen siendo importantísimos, un interés principal. Tu reto es tener éxito en tu profesión y éxito en tu vida familiar y doméstica; este es el reto clásico al que hacen frente muchas personas; no hay ninguna regla para esto. A veces te inclinas hacia la profesión, a veces hacia el hogar; depende de cada situación.

Desde el 22 del mes pasado es necesario estar más atento a la salud y esto será así hasta el 22 de este mes. Parece que tú, o tu pareja, estáis involucrados en un proyecto muy, muy importante (los hijos o figuras filiales también lo están). Estas cosas siempre son estresantes y delicadas. Fortalece la salud de las maneras indicadas en las previsiones para el año; vas a estar muy ocupado, pero no olvides programar ratos de descanso.

La salud comienza a mejorar hacia fin de mes. El 13 Marte sale de tu signo; el 22 el Sol sale de su aspecto desfavorable.

Las finanzas se ven más difíciles a partir del 22; no son problemas importantes, sigues en un ciclo de prosperidad, pero son un reto; tienes que trabajar más por tus ingresos.

Hasta el 22 estás en una cima amorosa y social anual. El eclipse pone a prueba el amor y probablemente también la amistad. El 25 o el 26 hay una oportunidad romántica, si estás soltero o soltera y sin compromiso. Si estás en una relación y hay problemas, hay una oportunidad de reconciliación.

Septiembre

Mejores días en general: 2, 3, 11, 12, 20, 21, 29, 30
Días menos favorables en general: 1, 7, 13, 14, 27, 28
Mejores días para el amor: 1, 2, 3, 7, 9, 13, 18, 19, 22, 23, 29
Mejores días para el dinero: 4, 5, 13, 14, 22, 23, 24
Mejores días para la profesión: 1, 9, 10, 13, 14, 18, 19, 27, 28

La salud y la energía son buenas este mes y las vas a necesitar; estás muy ocupado en este periodo. Marte vuelve a entrar en tu signo el 11; te da valor y energía (el exceso de actividad podría ser un problema). Sobresales en deportes y programas de ejercicios; logras que las cosas se hagan rápido. Por otro lado, este aspecto podría hacerte muy combativo e impaciente. Controla el mal genio; evita la precipitación y las prisas; a veces el camino rápido es el lento a la larga; conduce dentro de los límites de velociad.

La profesión es cada vez más prominente; todavía no has llegado a tu cima, pero te acercas. Sigue siendo necesario equilibrar la profesión con la vida hogareña, pero lo bueno es que la familia apoya tus objetivos profesionales. Venus, tu planeta de la familia, entra en tu décima casa el 9; tu éxito profesional parece ser un «proyecto familiar» que no solamente tuyo.

A partir del 9 están en tu décima casa los dos planetas que rigen los viajes al extranjero en tu carta, Júpiter, el regente genérico, y Venus, señor de tu novena casa. Así pues, este mes hay viaje, tal vez un viaje de trabajo, relacionado con la profesión. Tu disposición a viajar es muy positiva este mes; tus dotes sociales también son importantes. Júpiter rige tu casa de las amistades y Venus rige la vida social genéricamente. Tus dotes profesionales son importantes, pero también lo son tus dotes sociales; muchas veces en una empresa, cuando hay dos personas con capacidades profesionales equivalentes, la que tiene mejores dotes sociales es la elegida para ascenderla.

La vida amorosa va bien este mes pero después del 22 irá mejor. Tu planeta del amor en Virgo hasta el 22 podría hacerte demasiado crítico y perfeccionista en el amor. Si te cuidas de esto las cosas pueden resultar bien. Hasta el 22 lo que más importa es el magnetismo sexual; después del 22 se hace más importante el romance, todos sus detallitos y sutilezas, no sólo lo sexual. Te atraen personas extranjeras y exóticas. Las oportunidades románticas se presentan en tu lugar de culto o en funciones educacionales o religiosas; te atrae la persona tipo mentor. Sigue importando el magnetismo sexual, pero también otras cosas.

Si hay problemas en tu relación, un viaje al extranjero podría mejorar las cosas; también será bueno asistir juntos a las ceremonias de culto o hacer juntos, como pareja, un curso sobre la Biblia u otras escrituras.

Octubre

Mejores días en general: 1, 8, 9, 17, 18, 19, 27, 28
Días menos favorables en general: 4, 5, 10, 11, 25, 26, 31
Mejores días para el amor: 1, 2, 3, 4, 5, 8, 9, 10, 11, 18, 19, 20, 21, 29, 30, 31
Mejores días para el dinero: 2, 3, 10, 11, 20, 21, 29, 30
Mejores días para la profesión: 6, 7, 10, 11, 15, 16, 25, 26

Hay una hermosa coincidencia cósmica en tu profesión; justo cuando la profesión está más prominente, tu planeta de la profesión, Plutón, retoma el movimiento directo; esto ocurre al comienzo del mes, el 2. Por lo tanto hay claridad respecto a la profesión, e igualmente importante, hay ambición, impulso. Hay éxito este mes.

Aunque tu cima profesional anual comienza el 23, tu décima casa está poderosa todo el mes, pues están en ella Júpiter y Venus, dos de los planetas benéficos del zodiaco. El 10 entra en ella Mercurio, otro planeta benéfico y regente de tu quinta casa. Y el Sol entra el 23.

La profesión es el principal titular del mes y es excelente; cuentas con mucho respaldo cósmico; tienes amistades en altas esferas que te ayudan; también te ayudan los familiares y los hijos; después del 23 también te ayuda tu cónyuge, pareja o ser amado actual. Recibes reconocimiento y elevación, es posible que recibas honores. Es importante comprender que el Cosmos desea tu éxito.

Después del 23 es necesaria más atención a la salud; el principal problema parece ser exceso de trabajo; el lado negativo del éxito es que son mayores las exigencias. Marte, todavía en tu signo todo el mes, podría hacerte demasiado optimista respecto a tu cuerpo: la tendencia sería a exigirle más allá de sus límites. El éxito es fabuloso, pero no si es a expensas de tu salud. Trabaja arduo, sí, pero programa más ratos de descanso. Fortalece la salud de las maneras explicadas en las previsiones para el año.

La vida amorosa también se hace más prominente este mes; la entrada del Sol en tu décima casa señala su importancia; está muy arriba en tus prioridades, y eso tiende al éxito. Si estás en una relación tu pareja también tiene éxito. Te atraen personas de éxito y tenderás a relacionarte socialmente con ellas; este mes vas a conocer a personas de este tipo. El planeta del amor en la décima casa suele indicar oportunidades románticas con personas de elevada posición, jefes, mayores, figuras de autoridad; te inclinas hacia personas que pueden ayudarte en tu profesión.

Las finanzas van súper todo el mes. Hay suerte en las especulaciones; cuentas con el favor de jefes, mayores, amistades y tu pareja; hay probabilidades de aumento de sueldo, sea oficial o no. Aunque esto no es una cima financiera, se le acerca.

Noviembre

Mejores días en general: 4, 5, 14, 15, 23, 24
Días menos favorables en general: 1, 6, 7, 8, 21, 22, 27, 28
Mejores días para el amor: 1, 4, 5, 6, 7, 8, 14, 15, 16, 17, 23, 24, 27, 28
Mejores días para el dinero: 6, 7, 8, 16, 17, 19, 25, 26, 27
Mejores días para la profesión: 2, 3, 6, 7, 8, 11, 12, 21, 22, 29, 30

La profesión sigue fuerte pero va disminuyendo en importancia; a fin de mes tu décima casa estará vacía. Esto lo interpreto como algo positivo; has conseguido tus objetivos profesionales de corto plazo y deseas pasar la atención a otras cosas.

El 8 Júpiter sale de tu décima casa y entra en tu casa once, la de las amistades, tu favorita. Mercurio pasa todo el mes en tu casa once, y el Sol entra en ella el 22. Así pues, el mes se va haciendo cada vez más social.

Acuario es el regente «natural» de la casa once, así que estos tránsitos son cómodos, agradables, para ti; actúan en afinidad con tus fuerzas naturales; vas a relacionarte más con tus amistades y participar en grupos y actividades de grupo. Tienes buenos conocimientos tecnológicos y ahora estos son aún más fuertes. Teniendo a Júpiter en tu casa once vas a comprar todo tipo de equipos de alta tecnología, equipos de vanguardia.

Acuario tiene una afición natural por la astrología (apostaría a que muchos de los lectores de estos libros o son Acuario o tienen fuerte la casa once). Ahora y en los doce próximos meses aumentan tus conocimientos. Según mi experiencia, muchas personas se hacen su primera carta astral cuando está prominente su casa once.

La salud y la energía van mejorando; todavía necesitas estar más atento hasta el 22, pero las presiones cósmicas son mucho más débiles que las del mes pasado. Urano sale de su aspecto desfavorable el 6, Júpiter sale el 8, el Sol sale el 22, y Marte sale de tu signo el 16. A fin de mes no habrá ningún planeta en alineación desfavorable contigo; será como magia: del ajetreo y cansancio pasas a la salud y la energía. Tal vez el mérito se lo llevará algún terapeuta, una pastilla o una poción, pero los astrólogos sabemos que simplemente fue el Universo que se volvió a tu favor.

El mes pasado la vida financiera fue fabulosa; este mes hay más dificultades; hay ingresos pero con más trabajo y esfuerzo. Tendrás que dar más de lo mejor de ti en tu trabajo.

Diciembre

Mejores días en general: 2, 3, 11, 12, 21, 22, 29, 30
Días menos favorables en general: 4, 5, 18, 19, 25, 26, 31
Mejores días para el amor: 2, 3, 6, 7, 14, 15, 17, 23, 24, 25, 26, 27
Mejores días para el dinero: 4, 5, 6, 14, 15, 16, 23, 24, 26, 31
Mejores días para la profesión: 4, 5, 9, 10, 18, 19, 27, 28, 31

Hasta el 21 sigue muy fuerte tu casa once, la de las amistades; estás, pues, en tu medio natural. Aumenta la actividad online y también la actividad social. Este mes no va tanto de romance como de amistad y actividades de grupo. El mes pasado te atraían el poder y la posición; ahora deseas amistad con la persona amada, una relación de iguales. A veces, cuando está el planeta del amor en la casa once, una persona que siempre ha sido solamente amiga se convierte en algo más; a veces los encuentros románticos son organizados por personas amigas o por el medio social. Este no es un aspecto para boda o relación comprometida; va más de amistad con beneficios, por así decirlo.

El 21, cuando tu planeta del amor entra en tu espiritual casa doce, vuelve a cambiar la actitud en el amor; se hace importante la compatibilidad espiritual; habiendo compatibilidad espiritual se pueden resolver casi todos los problemas que pueda haber en una relación. Sin esta compatibilidad son pocas las cosas que se pueden resolver, y no por mucho tiempo. Este no es un periodo para buscar el amor en clubes o lugares nocturnos. El amor se presenta cuando estás en una charla o seminario espiritual, en sesiones de meditación, de cántico grupal de oración, o en funciones benéficas. La actitud en el amor es más idealista: el dinero, la posición y el servicio no importan nada sino sólo el sentimiento de amor, sólo la sensación de que la relación está aprobada por un Poder Superior. Si hay algún problema en la relación, la carta aconseja que pongas tus asuntos amorosos en manos de la Divinidad, en una total rendición, para que la Divinidad se ocupe de ellos. Si esto se hace con sinceridad (no sólo de dientes para fuera) comienzan a ocurrir cosas milagrosas; se endereza la situación más complicada.

Las finanzas requieren más trabajo; si pones el esfuerzo, hay prosperidad. Marte pasa el mes en tu casa del dinero; esto indica ingresos procedentes de ventas, mercadotecnia, publicidad y buen uso de los medios. Hermanos y figuras fraternas tienen un papel en tus finanzas, en especial del 5 al 7; también podrían tenerlo personas vecinas. Un progenitor o figura parental prospera enormemente este mes; tendrá otros doce meses de prosperidad, pero este mes esta se ve especialmente fuerte.

La salud y la energía son excelentes todo el mes. Puedes fortalecer más la salud de las maneras explicadas en las previsiones para el año.

La profesión es activa este mes y se ve exitosa. No es tu principal centro de atención pero es activa. Venus entra en tu décima casa el 2 y pasa el resto del mes en ella; esto indica el apoyo de la familia a tu profesión; indica la elevación de la familia en su conjunto.

Piscis

♓

Los Peces

Nacidos entre el 19 de febrero y el 20 de marzo

Rasgos generales

PISCIS DE UN VISTAZO

Elemento: Agua

Planeta regente: Neptuno
Planeta de la profesión: Júpiter
Planeta del amor: Mercurio
Planeta del dinero: Marte
Planeta del hogar y la vida familiar: Mercurio

Colores: Verde mar, azul verdoso
Colores que favorecen el amor, el romance y la armonía social: Tonos ocres, amarillo, amarillo anaranjado
Colores que favorecen la capacidad de ganar dinero: Rojo, escarlata

Piedra: Diamante blanco

Metal: Estaño

Aroma: Loto

Modo: Mutable (= flexibilidad)

Cualidad más necesaria para el equilibrio: Estructura y capacidad para manejar la forma

Virtudes más fuertes: Poder psíquico, sensibilidad, abnegación, altruismo

Necesidades más profundas: Iluminación espiritual, liberación

Lo que hay que evitar: Escapismo, permanecer con malas compañías, estados de ánimo negativos

Signos globalmente más compatibles: Cáncer, Escorpio

Signos globalmente más incompatibles: Géminis, Virgo, Sagitario

Signo que ofrece más apoyo laboral: Sagitario

Signo que ofrece más apoyo emocional: Géminis

Signo que ofrece más apoyo económico: Aries

Mejor signo para el matrimonio y/o las asociaciones: Virgo

Signo que más apoya en proyectos creativos: Cáncer

Mejor signo para pasárselo bien: Cáncer

Signos que más apoyan espiritualmente: Escorpio, Acuario

Mejor día de la semana: Jueves

La personalidad Piscis

Si los nativos de Piscis tienen una cualidad sobresaliente, esta es su creencia en el lado invisible, espiritual y psíquico de las cosas. Este aspecto de las cosas es tan real para ellos como la dura tierra que pisan, tan real, en efecto, que muchas veces van a pasar por alto los aspectos visibles y tangibles de la realidad para centrarse en los invisibles y supuestamente intangibles.

De todos los signos del zodiaco, Piscis es el que tiene más desarrolladas las cualidades intuitivas y emocionales. Están entregados a vivir mediante su intuición, y a veces eso puede enfurecer a otras personas, sobre todo a las que tienen una orientación material, científica o técnica. Si piensas que el dinero, la posición social o el éxito mundano son los únicos objetivos en la vida, jamás comprenderás a los Piscis.

Los nativos de Piscis son como los peces en un océano infinito de pensamiento y sentimiento. Este océano tiene muchas profundidades, corrientes y subcorrientes. Piscis anhela las aguas más puras, donde sus habitantes son buenos, leales y hermosos, pero a veces se ve empujado hacia profundidades más turbias y malas. Los Piscis saben que ellos no generan pensamientos sino que sólo sintonizan con pensamientos ya existentes; por eso buscan las aguas más puras. Esta capacidad para sintonizar con pensamientos más elevados los inspira artística y musicalmente.

Dado que están tan orientados hacia el espíritu, aunque es posible que muchos de los que forman parte del mundo empresarial lo oculten, vamos a tratar este aspecto con más detalle, porque de otra manera va a ser difícil entender la verdadera personalidad Piscis.

Hay cuatro actitudes básicas del espíritu. Una es el franco escepticismo, que es la actitud de los humanistas seculares. La segunda es una creencia intelectual o emocional por la cual se venera a una figura de Dios muy lejana; esta es la actitud de la mayoría de las personas que van a la iglesia actualmente. La tercera no solamente es una creencia, sino una experiencia espiritual personal; esta es la actitud de algunas personas religiosas que han «vuelto a nacer». La cuarta es una unión real con la divinidad, una participación en el mundo espiritual; esta es la actitud del yoga. Esta cuarta actitud es el deseo más profundo de Piscis, y justamente este signo está especialmente cualificado para hacerlo.

Consciente o inconscientemente, los Piscis buscan esta unión con el mundo espiritual. Su creencia en una realidad superior los hace muy tolerantes y comprensivos con los demás, tal vez demasiado. Hay circunstancias en su vida en que deberían decir «basta, hasta aquí hemos llegado», y estar dispuestos a defender su posición y presentar batalla. Sin embargo, debido a su carácter, cuesta muchísimo que tomen esa actitud.

Básicamente los Piscis desean y aspiran a ser «santos». Lo hacen a su manera y según sus propias reglas. Nadie habrá de tratar de imponer a una persona Piscis su concepto de santidad, porque esta siempre intentará descubrirlo por sí misma.

Situación económica

El dinero generalmente no es muy importante para los Piscis. Desde luego lo necesitan tanto como cualquiera, y muchos consiguen amasar una gran fortuna. Pero el dinero no suele ser su objetivo principal. Hacer las cosas bien, sentirse bien consigo mismos, tener paz mental, aliviar el dolor y el sufrimiento, todo eso es lo que más les importa.

Ganan dinero intuitiva e instintivamente. Siguen sus corazonadas más que su lógica. Tienden a ser generosos y tal vez excesivamente caritativos. Cualquier tipo de desgracia va a mover a un Piscis a dar. Aunque esa es una de sus mayores virtudes, deberían prestar más atención a sus asuntos económicos, y tratar de ser más selectivos con las personas a las que prestan dinero, para que no se aprovechen de ellos. Si dan dinero a instituciones de beneficencia, deberían preocuparse de comprobar que se haga un buen uso de su contribución. Incluso cuando no son ricos gastan dinero en ayudar a los demás. En ese caso habrán de tener cuidado: deben aprender a decir que no a veces y ayudarse a sí mismos primero.

Tal vez el mayor obstáculo para los Piscis en materia económica es su actitud pasiva, de dejar hacer. En general les gusta seguir la corriente de los acontecimientos. En relación a los asuntos económicos, sobre todo, necesitan más agresividad. Es necesario que hagan que las cosas sucedan, que creen su propia riqueza. Una actitud pasiva sólo causa pérdidas de dinero y de oportunidades. Preocuparse por la seguridad económica no genera esa seguridad. Es necesario que los Piscis vayan con tenacidad tras lo que desean.

Profesión e imagen pública

A los nativos de Piscis les gusta que se los considere personas de riqueza espiritual o material, generosas y filántropas, porque ellos admiran lo mismo en los demás. También admiran a las personas dedicadas a empresas a gran escala y les gustaría llegar a dirigir ellos mismos esas grandes empresas. En resumen, les gusta estar conectados con potentes organizaciones que hacen las cosas a lo grande.

Si desean convertir en realidad todo su potencial profesional, tendrán que viajar más, formarse más y aprender más sobre el mundo real. En otras palabras, para llegar a la cima necesitan algo del incansable optimismo de Sagitario.

Debido a su generosidad y su dedicación a los demás, suelen elegir profesiones que les permitan ayudar e influir en la vida de otras personas. Por eso muchos Piscis se hacen médicos, enfermeros, asistentes sociales o educadores. A veces tardan un tiempo en saber lo que realmente desean hacer en su vida profesional, pero una vez que encuentran una profesión que les permite manifestar sus intereses y cualidades, sobresalen en ella.

Amor y relaciones

No es de extrañar que una persona tan espiritual como Piscis desee tener una pareja práctica y terrenal. Los nativos de Piscis prefieren una pareja que sea excelente con los detalles de la vida, porque a ellos esos detalles les disgustan. Buscan esta cualidad tanto en su pareja como en sus colaboradores. Más que nada esto les da la sensación de tener los pies en la tierra.

Como es de suponer, este tipo de relaciones, si bien necesarias, ciertamente van a tener muchos altibajos. Va a haber malentendidos, ya que las dos actitudes son como polos opuestos. Si estás enamorado o enamorada de una persona Piscis, vas a experimentar esas oscilaciones y necesitarás mucha paciencia para ver las cosas estabilizadas. Los Piscis son de humor variable y difíciles de entender. Sólo con el tiempo y la actitud apropiada se podrán conocer sus más íntimos secretos. Sin embargo, descubrirás que vale la pena cabalgar sobre esas olas, porque los Piscis son personas buenas y sensibles que necesitan y les gusta dar afecto y amor.

Cuando están enamorados, les encanta fantasear. Para ellos, la fantasía es el 90 por ciento de la diversión en la relación. Tienden a idealizar a su pareja, lo cual puede ser bueno y malo al mismo tiempo. Es malo en el sentido de que para cualquiera que esté enamorado de una persona Piscis será difícil estar a la altura de sus elevados ideales.

Hogar y vida familiar

En su familia y su vida doméstica, los nativos de Piscis han de resistir la tendencia a relacionarse únicamente movidos por sus sentimientos o estados de ánimo. No es realista esperar que la pareja o los demás familiares sean igualmente intuitivos. Es necesario que haya más comunicación verbal entre Piscis y su familia. Un intercambio de ideas y opiniones tranquilo y sin dejarse llevar por las emociones va a beneficiar a todos.

A algunos Piscis suele gustarles la movilidad y el cambio. Un exceso de estabilidad les parece una limitación de su libertad. Detestan estar encerrados en un mismo lugar para siempre.

El signo de Géminis está en la cuarta casa solar de Piscis, la del hogar y la familia. Esto indica que los Piscis desean y necesitan un ambiente hogareño que favorezca sus intereses intelectuales y mentales. Tienden a tratar a sus vecinos como a su propia familia, o como a parientes. Es posible que algunos tengan una actitud doble hacia el hogar y la familia; por una parte desean contar con el apoyo emocional de su familia, pero por otra, no les gustan las obligaciones, restricciones y deberes que esto supone. Para los Piscis, encontrar el equilibrio es la clave de una vida familiar feliz.

Horóscopo para el año 2018*

Principales tendencias

Este es un año feliz y próspero, Piscis, y también de mucho éxito. Los tres últimos años Saturno ha transitado por tu décima casa, la de la profesión, así que has tenido que trabajar muy arduo; es posible que el jefe fuera muy exigente y no se sintiera nunca satisfecho. Has tenido que «estirarte» de modos que no te habrías imaginado. Pero a fines del mes pasado Saturno salió de esta casa y entró en tu casa once. Se alivia la carga. Este año verás los resultados de tu arduo trabajo. Volveremos a este tema.

Júpiter está en tu novena casa desde octubre del año pasado y continuará en ella la mayor parte del año, hasta el 8 de noviembre. Esto indica viaje al extranjero y oportunidades profesionales en otro país; es probable que el viaje esté relacionado con la profesión. Esta es una excelente posición si eres estudiante universitario o aspiras a entrar en la universidad; indica éxito en los estudios. Y aunque no seas estudiante ese año tienes felices oportunidades educacionales, y si alguna está relacionada con tu profesión la aprovecharás.

Los siete últimos años Urano ha estado en tu casa del dinero y has tenido que vértelas con mucha inseguridad financiera; los ingresos no han sido estables, a veces muy altos y a veces ultrabajos. Te ha resultado difícil atenerte a un plan en tus finanzas pues había muchos cambios. Esto se calma mucho este año y, en especial, a partir del próximo. Este año Urano hace un cambio impor-

* Las previsiones de este libro se basan en el Horóscopo Solar y todos los signos que derivan de él; tu Signo Solar se convierte en el Ascendente, y las casas se numeran a partir de él. Tu horóscopo personal, el trazado concretamente para ti (según la fecha, hora y lugar exactos de tu nacimiento) podrían modificar lo que decimos aquí. Joseph Polansky

tante: el 16 de mayo sale de tu casa del dinero y entra en tu tercera casa, por la que transitará hasta el 6 de noviembre. Ya has aprendido muchas de las lecciones que necesitabas aprender. Comenzarás a experimentar más estabilidad y seguridad. Hablaremos más de esto.

Plutón lleva muchos años en tu casa once, la de las amistades, y continuará en ella varios años más; por un tiempo esta casa es su residencia; este año lo acompaña Saturno, que estará ahí los dos próximos años. Las amistades han pasado por pruebas durante años; es posible que una persona amiga haya muerto, pero con más frecuencia este aspecto indica operación quirúrgica o experiencias de casi muerte. Es posible que con algunas amistades la relación haya pasado por una experiencia de casi muerte. La presencia de Saturno en esta casa va a poner aún más a prueba las amistades. Volveremos a este tema.

Neptuno lleva varios años en tu signo y continuará en él varios años más; también está instalado como en su residencia fija. Este tránsito te hace más espiritual de lo que ya eres, y aumenta tu idealismo natural. Lo bueno es que aporta atractivo y «mística» a tu imagen. Volveremos a esto.

Las facetas de interés más importantes para ti este año son: el cuerpo, la imagen y el placer personal; las finanzas (hasta el 16 de mayo y luego a partir del 6 de noviembre); la comunicación y las actividades intelectuales (del 16 de mayo al 6 de noviembre); la educación superior, la religión, la filosofía y viajes al extranjero (hasta el 8 de noviembre); la profesión (a partir del 8 de noviembre); las amistades, los grupos y las actividades de grupo.

Los caminos hacia tu mayor realización o gratificación este año son: la educación superior, la religión, la filosofía y viajes al extranjero (hasta el 8 de noviembre); la profesión (a partir del 8 de noviembre); la salud y el trabajo (hasta el 17 de noviembre); los hijos, la diversión y la creatividad (a partir del 17 de noviembre).

Salud

(Ten en cuenta que esta es una perspectiva astrológica de la salud, no una médica. Antaño no había ninguna diferencia, ambas eran idénticas, pero en esta época podrían diferir muchísimo. Para una perspectiva médica, por favor, consulta a tu médico o a otro profesional de la salud.)

Los últimos años hemos observado una uniforme mejoría en la salud y la energía. 2016 fue difícil; 2017 fue difícil, pero mejor. Este año la salud debería ser excelente. Ahora que Saturno salió de Sagitario (a fines del año pasado) todos los planetas están o en aspecto armonioso contigo o te dejan en paz. Sólo hacia fin de año, después del 8 de noviembre, habrá un planeta lento en aspecto difícil, Júpiter; y el efecto de Júpiter suele ser moderado.

Así pues, este año la salud es buena. Al parecer ha aumentado tu comprensión de los asuntos de salud, y disfrutas con tu actual programa; el nodo norte de la Luna pasa la mayor parte del año en tu sexta casa. Los dos últimos años has aprendido muchas lecciones de salud y este año aprenderás más. Tu programa de salud es placentero, y vemos la necesidad de hacer cambios; cosas que eran necesarias los años pasados ya no lo son este año. La dinámica es diferente y por lo tanto el programa debe ser diferente.

Este año tenemos cinco eclipses (normalmente son cuatro). Cuatro de los cinco afectan a la salud, es decir el 80 por ciento. Por lo tanto, será necesario tomar medidas correctivas. Esto lo trataremos con más detalle en las previsiones mes a mes.

Tu salud es buena pero puedes mejorarla más aún. Da más atención a las siguientes zonas, que son las vulnerables en tu carta.

Los pies. Estos son siempre importantes para Piscis. Masajes en los pies o reflexología podal deberían formar parte de tu programa de salud. Actualmente existe todo tipo de artilugios que dan masaje en los pies, y no son caros; hay algunos que incluso dan baño de pies con agua giratoria; puedes tratarte los pies mientras miras la televisión o trabajas en el ordenador. Debes usar zapatos que te calcen bien y no te hagan perder el equilibrio. En invierno mantén los pies abrigados.

El corazón. También este órgano es siempre importante para ti; tu planeta de la salud, el Sol, rige el corazón. Te irá bien trabajar los puntos reflejos en sesiones de reflexología. Es muy importante evitar la preocupación y la ansiedad, las dos emociones que agotan al corazón; reemplázalas por fe; la meditación te será útil para esto.

Tu planeta de la salud, el Sol, es de movimiento rápido, como saben nuestros lectores; en un año transita por todos los signos y casas del horóscopo. Por lo tanto, hay muchas tendencias de corto plazo que dependen de dónde está el Sol y de los aspectos que recibe. Estas tendencias es mejor tratarlas en las previsiones mes a mes.

Hogar y vida familiar

Tu cuarta casa, la del hogar y la familia, no está poderosa este año, por lo tanto sus asuntos no son importantes. No hay nada en contra de hacer cambios, nada en contra de una mudanza, pero no hay nada que apoye esto. Con este aspecto se tiende a dejar las cosas como están; indica satisfacción y ninguna necesidad urgente de hacer cambios. Tienes intereses más atractivos este año.

Lo que vemos para ti también lo vemos para los padres o figuras parentales, y hermanos o figuras fraternas. Es un año sin novedades ni cambios en la vida familiar y doméstica.

Entre los hijos y figuras filiales hay muchos cambios y dramas, pero en su situación familiar no hay novedades ni cambios.

Los nietos, si los tienes, prosperan y viajan este año, pero en su situación familiar las cosas siguen como están. Los que están en edad de concebir son más fértiles este año.

Con esta carta, que no haya novedad debe considerarse bueno; significa que no hay ningún desastre importante.

Un progenitor o figura parental tiene éxito en el trabajo y se le presentan oportunidades laborales fabulosas. Tiene éxito y te ayuda en la profesión también. Esta persona se ve muy experimental en asuntos de salud, y se inclina hacia terapias alternativas no probadas.

Los hermanos o figuras fraternas sienten enormes deseos de libertad; estos deseos se harán más intensos en los años futuros. Si son adultos, su matrimonio o relación amorosa pasa por pruebas. Es probable que viajen muchísimo o vivan en diferentes lugares durante largos periodos, pero no se ven mudanzas.

Mercurio, tu planeta de la familia, es de movimiento rápido, como saben nuestros lectores; en un año transita por todos los signos y casas del horóscopo y recibe todo tipo de aspectos. A veces avanza rápido, a veces lento, y a veces retrocede. Esto describe tu situación familiar: fluida, cambiante constantemente. Así pues, hay muchas tendencias de corto plazo que es mejor tratarlas en las previsiones mes a mes.

Si tienes planes para redecorar o embellecer la casa, del 22 de abril al 19 de mayo es buen periodo; este periodo también es bueno para comprar obras de arte para la casa. Si deseas hacer obras importantes de reparación o construcción, del 20 de mayo al 21 de junio es buen periodo.

Profesión y situación económica

Como hemos dicho, la gran novedad este año es la salida de Urano de tu casa del dinero y su entrada en tu tercera casa, en la que va a pasar casi seis meses. El tránsito decidido por esta casa será el próximo año, pero ahora vas a ver el comienzo.

Por lo tanto, Urano pasa la mitad del año en tu casa del dinero y la mitad fuera. Muchas de las tendencias de que hemos hablado los últimos años siguen en vigor, pero se están preparando para cambiar. Urano favorece el mundo de la alta tecnología: ordenadores, programas Informáticos, robots, coches sin conductor y todo el mundo de Internet. Favorece los medios de comunicación electrónicos, así como la televisión y la radio. Todas estas industrias siguen siendo interesantes como inversión o trabajo. Donde sea que trabajes actualmente, estas actividades son importantes. Vas a gastar más en alta tecnología, pero también ganarás con esto.

Urano en Aries favorece las empresas principiantes, y este es un campo que va creciendo; cada día leemos acerca de una nueva empresa que tiene innovadoras soluciones para un antiguo problema. Estas cosas también son interesantes como inversión o trabajo.

Personas del mundo de la alta tecnología podrían tener un papel importante en tus finanzas.

En los años venideros, la alta tecnología y el mundo de Internet irá perdiendo importancia poco a poco.

Tu planeta del dinero es Marte, que es de movimiento relativamente rápido; algunos años transita por siete u ocho casas; este año transita por cinco. Así pues, hay varias tendencias financieras de corto plazo que es mejor tratarlas en las previsiones mes a mes.

Este año Marte pasa un periodo extraordinariamente largo (casi cinco meses) en tu casa once, Acuario (normalmente transita unos 45 días por una casa). Esto refuerza lo que hemos dicho. Este aspecto favorece el mundo de la alta tecnología y de Internet, y los medios de comunicación electrónica.

Este año Marte hace movimiento retrógrado, el que hace cada dos años. Esto ocurre del 26 de junio al 27 de agosto. Este es un periodo para hacer revisión de tus finanzas, para ver qué mejoras puedes hacer, para adquirir claridad mental acerca de tu vida financiera. No es un periodo para hacer compras ni inversiones importantes.

Me parece que este año vas a prosperar; Júpiter en Escorpio te forma aspectos hermosos y tiende a mejorar las finanzas.

Este año va a ser fuerte en la profesión, pero ya avanzado; en esencia, te estás preparando para la entrada de Júpiter en tu décima casa el 8 de noviembre; entonces Júpiter estará en su signo y casa, posición muy poderosa; está en su casa, ejerce su beneficencia con enorme poder. Por lo tanto, hay éxito en la profesión; serás elevado, reconocido, y es posible que recibas honores. Mientras tanto puedes favorecer tu profesión con una buena disposición a viajar, esto se ve importante. Tienes muy buena relación con jefes y superiores, cuentas con su favor. También te convendría aprovechar cualquier oportunidad educacional que se presente relacionada con tu profesión. También será útil ayudar a otros a modo de mentor; esto lo valorarán los superiores.

Amor y vida social

Tu séptima casa, la del amor y las actividades sociales, no estuvo fuerte el año pasado y tampoco lo está en este. El amor y el romance no son asuntos importantes. Ahora bien, en la carta no hay nada en contra del romance, pero tampoco hay nada que lo apoye. Con este aspecto las cosas tienden a continuar como están. Estés casado o casada, soltero o soltera, tenderás a continuar en esta situación; hay satisfacción con las cosas como están.

En realidad este año no es muy social; Saturno está todo el año en tu casa once, la de la amistad. Esto tiende a reducir las amistades. Ah, claro que seguirás teniendo amigos, y los que tengas serán buenos. Este no es un año para tener un montón de amistades tibias.

Saturno es un genio para reorganizar las cosas. Va a poner «pruebas de dificultad» a las amistades y esto va a durar dos años (un tránsito de Saturno no es un acontecimiento sino un proceso). Con las dificultades que él se ingenie en poner vas a saber cuál amistad es verdadera y cuál no. Puede que esto no sea agradable, pero en último término es bueno.

En general, tu periodo más activo en el amor será del 23 de agosto al 22 de septiembre.

Tu planeta del amor, Mercurio, es de movimiento rápido e irregular. Y esto tiende a reflejar tu vida amorosa y tu actitud y necesidades en el amor. A veces Mercurio avanza rápido (incluso transita por tres signos y casas en un mes), a veces avanza lento, a veces se queda detenido (hace estacionamiento) y a veces retrocede. En un año transita por todos los signos y casas del horóscopo, y forma todos los aspectos posibles con todos los planetas, aspectos buenos y a veces aspectos difíciles. Por lo tanto, hay muchas tendencias de corto plazo en el amor, las que dependen de dónde está Mercurio y de los aspectos que recibe. Estas tendencias de corto plazo es mejor tratarlas en las previsiones mes a mes.

Un progenitor o figura parental tiene excelentes aspectos para el amor hacia fin de año; si esta persona está soltera podría haber boda o una relación seria.

Los hermanos y figuras fraternas también tienen un excelente año social; este año tienen amor; lo único dudoso es la estabilidad de este amor; se ve inestable.

Los hijos y figuras filiales en edad, están mejor sin casarse. Si hay alguno casado o en una relación seria, su relación pasará por pruebas los dos próximos años.

Los nietos (si los tienes) que están en edad, harán bien en no casarse; parece que se inclinan hacia aventuras amorosas en serie.

Si personas amigas desean mejorar su vida amorosa necesitan alegrarse un poco; se ven muy serias y severas.

Progreso personal

La persona Piscis tiene una especie de clarividencia o percepción extrasensorial natural. Este es un don que beneficia o destruye. Es necesario entenderlo y llevarlo bien. Muchos de los males que afligen a Piscis provienen de esta percepción no controlada. Absorben vibraciones que son tóxicas, muchas veces sin saber ni entender qué ocurre.

Dado que Neptuno está en tu signo desde hace varios años y continuará en él varios años más, esta tendencia está muy magnificada. Siempre es importante que te rodees de personas positivas, optimistas. Podría ser muy doloroso estar con personas que no te convienen, sea cual sea su riqueza o posición social. Pero incluso si no está con este tipo de personas, las vibraciones del mundo en general pueden ser muy dañinas para la persona sensible.

Es necesario aprender a proteger el aura, a bloquear las energías destructivas, y a crearte un aura de salud, amor y felicidad. Es necesario aprender los elementos de la higiene psíquica y aplicar estos principios.

Para Piscis esta higiene psíquica es tal vez más importante que la higiene física.

Este es un tema muy amplio que escapa al tema que tratamos aquí. Pero deberías leer todo lo que puedas al respecto.*

Como hemos dicho, tu cuerpo físico se está espiritualizando y refinando. Está la tendencia a sentir las vibraciones psíquicas en el cuerpo; y se siente como sensación física. Si no tienes cuidado podrías tomarlo como propio y a esto seguirían otros problemas. Por lo tanto, y hemos escrito sobre esto los años pasados, si estás con una persona que tiene una enfermedad cardiaca, podrías sentir palpitaciones o constricción del corazón; o si la persona tiene un problema en la rodilla podrías sentir dolor en la rodilla. Estas cosas no son tuyas, pero las sientes como si lo fueran. Simplemente captas vibraciones ajenas, externas.

Hace unos años estaba en la sala de espera de la consulta de un médico para una visita de rutina; comencé a sentir dolor en el pecho, algo que no siento jamás. Y era dolor. Comprendí qué era: las vibraciones del consultorio y de las personas que estaban ahí. Cuando me atendió y examinó el doctor, no le dije nada. Cuando llegué a casa hice una media hora de meditación y se me pasó el dolor, y nunca me ha vuelto. Me estremezco al pensar en lo que habría ocurrido si le hubiera hablado del dolor al médico; igual me habrían llevado a la sala de urgencias para hacerme una intervención quirúrgica, por algo que no era físico.

Este es el tipo de cosas a que me refiero. Tienes que estar en tu cuerpo, pero separado de él emocionalmente. Considéralo un «registrador», un aparato que registra vibraciones y sensaciones. Pero esas cosas no son tú.

Esta actitud y comprensión prevendrá muchas aventuras innecesarias.

Piscis entenderá lo que acabo de decir.

---

* Mi libro *A technique for meditation* es un buen comienzo, pero también hay otros libros sobre esto.

Previsiones mes a mes

Enero

Mejores días en general: 1, 2, 10, 11, 20, 21, 29, 30
Días menos favorables en general: 5, 6, 12, 13, 14, 27, 28
Mejores días para el amor: 3, 4, 5, 6, 15, 16, 25, 26, 27, 28
Mejores días para el dinero: 1, 2, 10, 11, 20, 21, 22, 23, 29, 30
Mejores días para la profesión: 1, 2, 10, 11, 12, 13, 14, 20, 21, 29, 30

Comienzas el año con la mayoría de los planetas en el lado día de tu horóscopo (la mitad superior). Incluso tu planeta de la familia, Mercurio, está sobre el horizonte de tu carta, y en tu décima casa, la de la profesión, hasta el 11. Siguen siendo muy importantes, entonces, tus objetivos externos, tu profesión. Puedes tener en un segundo plano los asuntos familiares y domésticos y centrar la atención en tus objetivos profesionales; la familia los apoya, lo que es bueno también; hay menos conflicto.

Tu cima profesional fue el mes pasado, pero la profesión continúa exitosa. Mercurio en tu décima casa indica el favor de amistades y conexiones sociales, personas que también tienen éxito y desempeñan un papel positivo en tu profesión. Marte, tu planeta del dinero, entra en tu décima casa el 27; esto suele indicar aumento de sueldo (oficial o no oficial), el favor financiero de jefes, padres, figuras parentales y los superiores de tu vida. El éxito se mide en dinero en este periodo, no en posición ni prestigio.

La salud es buena este mes pero el eclipse lunar del 31 provoca cambios en tu programa de salud, pues ocurre en tu sexta casa; también anuncia cambios y trastornos o reorganización en el lugar de trabajo. Si eres empleador, hay dramas en la vida de empleados, y tal vez cambio de personal. Los hijos y figuras filiales pasan por dramas financieros; deben tomar medidas correctivas en sus finanzas; acontecimientos producidos por el eclipse los obliga a redefinirse mejor; dan una impresión errónea a las personas de su entorno y es necesario cambiar eso; estos cambios ocurrirán a lo largo de los seis próximos meses.

La salud es buena, como hemos dicho; hasta el 20 puedes fortalecerla más con masajes en la espalda y las rodillas; después del

20 respondes bien a las técnicas de curación espiritual; si te sientes indispuesto recurre a un terapeuta de orientación espiritual.

Este mes es próspero. Marte, tu planeta del dinero, te forma buenos aspectos todo el mes. Del 4 al 9 Marte viaja con Júpiter, y este aspecto suele traer un bonito día de paga, mayores ingresos y/u oportunidades financieras. El 27 Marte cruza tu medio cielo y entra en tu décima casa, la de la profesión. Esto hace de las finanzas un importante centro de atención, lo que es bueno; por la ley espiritual obtenemos aquello en que ponemos la atención.

Febrero

Mejores días en general: 6, 7, 16, 17, 25, 26
Días menos favorables en general: 2, 3, 9, 10, 23, 24
Mejores días para el amor: 2, 3, 4, 5, 14, 15, 16, 25, 26
Mejores días para el dinero: 6, 7, 9, 10, 16, 17, 19, 20, 25, 26, 27, 28
Mejores días para la profesión: 6, 7, 9, 10, 16, 17, 25, 26

El 15 hay un eclipse solar que produce muchos cambios y trastornos; afecta a muchas facetas de tu vida pero, en esencia, es benigno contigo. Ocurre en tu casa doce, la de la espiritualidad, por lo que habrá cambios importantes en tu vida espiritual, cambio de actitud, de práctica, de enseñanza y de maestro. Este tipo de eclipse tiende a producir trastornos o reoganización en organismos espirituales o benéficos con los que tienes relación; una figura de gurú pasa por dramas personales. Todos los eclipses solares afectan al programa de salud y al trabajo; es posible, entonces que, como el mes pasado, haya más cambios laborales, trastornos en el lugar de trabajo e inestabilidad en el personal. Los hijos y figuras filiales necesitan hacer más cambios en sus finanzas; los cambios que hicieron el mes pasado no son suficientes; el criterio no ha sido realista. Este no es un buen periodo para las especulaciones. Este eclipse hace impacto en Mercurio y Júpiter, por lo tanto produce dramas familiares, dramas en la vida de jefes, padres o figuras parentales, cambios en la profesión, en el camino y planteamientos profesionales. Dado que Mercurio es también tu planeta del amor, este eclipse pone a prueba la relación amorosa; tal vez el cónyuge, pareja o ser amado actual tiene algún problema de salud y debe cambiar también su programa. Como hemos dicho, el eclipse no te afecta mucho personalmente; los cambios ocurren a tu alrededor.

Este es un mes muy espiritual; hasta el 18 la acción está en tu casa doce; me parece que los cambios que hagas en tu vida espiritual se deberán a revelaciones o nuevas percepciones y por lo tanto serán naturales y normales.

Las técnicas de curación espiritual continúan muy potentes todo el mes. Hasta el 18 son buenos los masajes en los tobillos y pantorrillas. A partir del 18, cuando tu planeta de la salud entra en tu signo, es especialmente eficaz el masaje en los pies, el que, por cierto, siempre es bueno para ti.

Una vez que se calme la agitación producida por el eclipse, el mes es feliz. El 18 entras en una de tus cimas de placer personal anuales; este es un buen periodo para recompensar a tu cuerpo por sus servicios todos estos años; sé amable con él, mímalo un poco.

Marzo

Mejores días en general: 6, 7, 15, 16, 17, 24, 25
Días menos favorables en general: 1, 2, 8, 9, 22, 23, 29, 30
Mejores días para el amor: 1, 2, 8, 18, 19, 26, 27, 29, 30
Mejores días para el dinero: 6, 7, 8, 9, 15, 16, 17, 18, 19, 20, 24, 25, 29, 30
Mejores días para la profesión: 6, 7, 8, 9, 15, 16, 17, 24, 25

Este es un mes feliz y próspero, Piscis, que lo disfrutes. El poder planetario está en su posición oriental máxima (el sector del yo); estás, pues, en un periodo de independencia máxima; es un periodo para tener la vida según tus condiciones; si las condiciones te fastidian, tienes el poder para cambiarlas por las que deseas; con este poder viene la responsabilidad; si te equivocas y tus creaciones son defectuosas, más adelante pagarás el precio. Esta actitud «yo primero» se podría considerar «egoísta», pero se debe simplemente al ciclo en que estás. El Cosmos desea que seas feliz, desea que te veas bien y que tengas las cosas a tu manera. Si tú eres feliz el mundo será tanto más feliz.

El mes comienza con un solo planeta en alineación desfavorable contigo, Marte; el 17 sale de esta alineación y comienza a formarte aspectos armoniosos. Por lo tanto, la salud y la energía son excelentes todo el mes; sólo la Luna te formará aspectos desfavorables en diversas ocasiones, pero son cosas de corta duración. Con buena salud (otra forma de riqueza) y energía, se hacen posibles todo tipo de cosas que antes no lo eran; la depresión se puede definir como «falta de energía»; cuando está elevada la energía no hay depresión; se ensanchan los horizontes; el futuro se ve de color rosa.

Marte, tu planeta del dinero, continúa en tu décima casa, la de la profesión; esto indica que sigues contando con el favor financiero de jefes, mayores, padres y figuras parentales y figuras de autoridad. Tiendes a medir el éxito en dinero, que no en posición o prestigio. Tu buena fama profesional es como dinero en el banco y lleva a ingresos y oportunidades de ingresos. El 17 Marte entra en tu casa once; eso indica que los contactos sociales, en especial las amistades, son útiles en tu vida financiera. Este aspecto favorece las actividades en el mundo de la alta tecnología y por Internet. El 20, cuando el Sol entra en tu casa del dinero, comienzas una cima financiera anual. Los ingresos pueden llegar de muchas formas, tu casa del dinero está llena de planetas; también llegan oportunidades laborales, para hacer horas extras o trabajos secundarios. Cuentas con el apoyo de la familia y de tu pareja. Podría presentarse la oportunidad de formar una sociedad de negocios o empresa conjunta; hay oportunidades financieras en el barrio y tal vez a través de vecinos.

Abril

Mejores días en general: 2, 3, 12, 13, 21, 22, 29
Días menos favorables en general: 4, 5, 6, 18, 19, 25, 26
Mejores días para el amor: 4, 5, 6, 7, 8, 14, 15, 16, 17, 23, 24, 25, 26, 27
Mejores días para el dinero: 2, 3, 7, 8, 12, 13, 14, 15, 16, 17, 21, 22, 25, 26, 29, 30
Mejores días para la profesión: 2, 3, 4, 5, 6, 12, 13, 21, 22, 29, 30

El 18 de febrero el poder planetario se trasladó al lado noche de tu carta y continuará en él los próximos meses. Ahora eres persona nocturna, ocupada en las actividades de la noche; es el periodo para el descanso y la recuperación, para atender a los asuntos familiares y domésticos y tu bienestar emocional; el periodo para reunir las fuerzas para el día siguiente, para tu próximo empuje profesional, que será más adelante, en agosto. Júpiter, tu planeta de la profesión, inició movimiento retrógrado el 9 del mes pasado y continuará así varios meses más; es el periodo para adquirir claridad respecto a tu profesión; muchos asuntos profesionales no se resolverán todavía, sólo el tiempo los resolverá; así pues, puedes pasar la atención a la familia.

La profesión va a ser fabulosa este año, pero ahora trabaja en ella con los métodos de la noche: meditación, sueños creativos y visualización, entrando en el estado emocional del puesto en el que deseas estar; aspira a la Luna; en tu interior eres libre para pensar como quieras; piensa en grande, como reza el dicho.

Sigues en un mes próspero; continúas en una cima financiera anual; el poder cósmico conspira para hacerte prosperar; al Cosmos le importan estas cosas. Como el mes pasado, hay oportunidades en el caso de que busques trabajo; si tienes trabajo hay oportunidades para hacer horas extras o trabajos secundarios. Mercurio, tu planeta del amor y de la familia, pasa el mes en tu casa del dinero; esto indica, como el mes pasado, que hay apoyo familiar y la participación de las conexiones familiares en tus finanzas; también podría indicar la posibilidad de formar una sociedad de negocios o una empresa conjunta; pero en esto hay retrasos.

La salud y la energía continúan buenas; hasta el 24 no hay ningún planeta en alineación desfavorable contigo (sólo la Luna, en ocasiones). Parece que estás más interesado en la salud financiera que en la física. Tal vez este mes gastes más en productos de salud, pero también puedes ganar de este campo. Hasta el 20 puedes fortalecer más la salud con masajes en el cuero cabelludo y la cara; siempre te van bien las terapias de tipo espiritual, pero en especial del 17 al 19; después del 20 fortalécela con masajes en el cuello.

Del 17 al 19 podría haber trastornos laborales.

Mayo

Mejores días en general: 9, 10, 18, 19, 26, 27, 28
Días menos favorables en general: 2, 3, 16, 17, 22, 23, 29, 30
Mejores días para el amor: 2, 3, 7, 8, 13, 14, 17, 22, 23, 26, 31
Mejores días para el dinero: 4, 5, 9, 10, 11, 12, 13, 15, 16, 18, 19, 24, 26, 27
Mejores días para la profesión: 2, 3, 9, 10, 18, 19, 26, 27, 29, 30

Este mes disminuyen la importancia de las finanzas y la atención a esta faceta; el 13 Mercurio sale de tu casa del dinero; el 16 también sale Urano de esta casa, tránsito importantísimo, pues ha estado algo más de siete años en ella. Esto lo considero buena señal. Has conseguido los objetivos financieros de corto plazo y estás preparado para pasar la atención a otra cosa. Tu tercera casa se hizo poderosa el 20 del mes pasado y continúa poderosa hasta el 21; por lo tanto ahora la atención está en la comunicación y los intereses intelectuales; leer un buen libro de un buen escritor es uno de los grandes placeres de la vida, pero las personas suelen estar tan ocupadas que rara vez tienen esta oportunidad. Ahora es el periodo para eso. Si eres estudiante aún no universitario, este es un mes fabuloso; tienes la atención centrada en los estudios y eso tiende al éxito. También tienes un buen mes si eres profesor, escritor, publicista, periodista o trabajas en los medios; el trabajo se hace más fácil, la mente está más aguda. También te debería irte bien bien si trabajas en ventas o mercadotecnia.

Aunque Urano sale de tu casa del dinero, las actividades en alta tecnología y online siguen siendo muy importantes en las finanzas; Marte está en tu casa once hasta el 16 y entonces entra en Acuario; tanto la casa once como el signo Acuario están relacionados con la alta tecnología. Desde hace unos años has estado más experimental en tus asuntos financieros, y la tendencia continúa este mes; las conexiones sociales también se ven importantes.

Marte en tu casa doce, la de la espiritualidad, a partir del 16, indica la importancia de la intuición financiera; y aunque ya entiendes mucho acerca de la riqueza espiritual, profundizas más en ella. Este es un periodo para dinero «milagroso», que no «natural».

Tu planeta de la profesión continúa en movimiento retrógrado todo el mes, y el 21 se hace muy poderosa tu cuarta casa, la del hogar y la familia; por lo tanto, dejas a un lado los asuntos profesionales, o trabajas en ellos con los métodos del interior, en los que no hay obstáculos, y centras la atención en construir la infraestuctura para el éxito profesional futuro.

Es necesaria más atención a la salud, sobre todo después del 21; no hay ningún problema grave sino solamente baja energía (la enfermedad principal); como siempre, procura descansar lo suficiente. Hasta el 21 puedes fortalecer la salud con masajes en el cuello, y después con masajes en los brazos y hombros; también es importante la buena salud emocional en este periodo.

Junio

Mejores días en general: 5, 6, 7, 14, 15, 23, 24
Días menos favorables en general: 12, 13, 18, 19, 25, 26
Mejores días para el amor: 3, 4, 6, 7, 14, 16, 18, 19, 23, 24
Mejores días para el dinero: 3, 4, 5, 6, 7, 8, 9, 12, 13, 14, 15, 20, 21, 22, 23, 24, 30
Mejores días para la profesión: 5, 6, 7, 14, 15, 23, 24

Como el mes pasado, está poderosa tu cuarta casa, la del hogar y la familia, está vacía tu décima casa, la de la profesión, y tu planeta de la profesión está en movimiento retrógrado. Estás en la noche de tu año, levemente pasada la medianoche, en el periodo más oscuro, un periodo mágico. A la cuarta casa se la suele llamar «casa de los finales»: termina un día y comienza otro. En una carta natal indica las condiciones del final de la vida; en tu carta indica las condiciones de la conclusión de tu año, cómo va a terminar. Esto se debe a que la noche dispone la tonalidad del día siguiente; por la ley espiritual las condiciones interiores tienden a exteriorizarse. Eres una estrella en tu familia; hay amor. Tienes mucha iluminación psíquica y percepción.

Así pues, como el mes pasado, centra la atención en tus condiciones interiores y deja la profesión en un segundo plano; en todo caso, sólo el tiempo resolverá ciertos asuntos.

Hasta el 21 sigue siendo necesario estar atento a la salud; este mes se ve importante una buena dieta (normalmente no lo es tanto) así que procura comer bien; la salud emocional es importante todo el mes; evita la depresión como a la peste; la meditación te será útil para mantener el ánimo positivo y constructivo. Hasta el 21 será eficaz el masaje en los brazos y los hombros, y después el masaje en el abdomen.

Las finanzas no tienen mucha importancia este mes; tu casa del dinero está prácticamente vacía, sólo la Luna transita por ella los días 8 y 9; Marte, tu planeta del dinero, pasa el mes en tu casa doce, la de la espiritualidad, así que la intuición financiera es ultraimportante; también se ven importantes en finanzas la alta tecnología, el mundo de Internet y los medios electrónicos. Marte inicia movimiento retrógrado el 26 así que procura hacer las compras e inversiones importantes antes de esta fecha. Después del 26 es mejor hacer revisión de la vida financiera y esforzarse en alcanzar la claridad mental; las tendencias no son lo que parecen.

Este mes el amor está cerca de casa; hasta el 12 hay más vida social en la casa y con familiares. Cuando la cuarta casa está fuerte hay tendencia a vivir en el pasado; comienzan a surgir recuerdos; recordamos los «buenos tiempos», que igual no fueron tan buenos pero nos lo parecen. En el amor la tendencia es a recrear experiencias felices del pasado; en esto necesitas estar receptivo a lo presente, que se experimenta totalmente, y podría ser mejor que lo del pasado. También está la tendencia a cambios de humor en el amor. Es necesario que la persona relacionada románticamente con un Piscis entienda esto.

Julio

Mejores días en general: 3, 4, 12, 13, 20, 21, 30, 31
Días menos favorables en general: 10, 11, 16, 17, 22, 23, 24
Mejores días para el amor: 5, 6, 14, 15, 16, 17, 22, 23, 24, 25, 26
Mejores días para el dinero: 1, 5, 6, 10, 11, 12, 13, 18, 19, 20, 21, 27, 28, 29
Mejores días para la profesión: 1, 12, 13, 20, 21, 22, 23, 24, 27, 28, 29

Si bien este año es para viajar, estando en movimiento retrógrado los dos planetas que rigen los viajes en tu carta, este no es buen mes para eso. Además, el 13 hay un eclipse solar que hace impacto en Plutón, tu planeta de los viajes. Si debes viajar, si es necesario, programa más tiempo para llegar a tu destino y evita el periodo del eclipse.

El eclipse solar del 13 es esencialmente benigno en ti. Ocurre en tu quinta casa, por lo tanto afecta a los hijos y figuras filiales; deberán reducir sus actividades durante este periodo; además, se ven obligados a redefinirse, a crearse una imagen mejor; y dado que este eclipse es solar, también afecta a su vida financiera; tendrán que hacer cambios en sus finanzas; esto será un proceso de seis meses; si no han tenido cuidado en su dieta podrían experimentar una desintoxicación física. Este eclipse hace impacto en Plutón, el señor de tu novena casa, por lo tanto podrían pasar por pruebas tus creencias filosóficas y religiosas. El Sol es el señor de tu sexta casa, la de la salud y el trabajo, por lo tanto este eclipse afecta mucho a estas facetas de la vida. Habrá pues cambios laborales, trastornos o dramas en el lugar de trabajo; el cambio podría ser de puesto dentro de la empresa o cambio a otra empresa. Si eres empleador ves inestabilidad en el personal; es probable que algunos se marchen y entren otros; estas cosas podrían no ser responsabilidad tuya sino debidas a dramas en la vida de los empleados que no tienen nada que ver contigo. Podría haber drama en la vida de tíos o tías (o personas que hacen ese papel en tu vida). El cónyuge, pareja o ser amado actual pasa por cambios en su espiritualidad, en su vida interior, tal vez cambia de enseñanza o profesor o maestro; la figura de gurú de su vida experimenta dramas de aquellos que cambian la vida.

El eclipse lunar del 27 ocurre en tu espiritual casa doce y hace impacto en Urano, tu planeta de la espiritualidad, por lo tanto afecta mucho a esta faceta de la vida; produce acontecimientos «entre bastidores» que cambian tu vida espiritual, por lo que tal vez cambies de enseñanza, de profesor y de práctica. El eclipse anterior produjo esto en la vida espiritual de tu pareja, este lo produce en la tuya. Hay caos, trastornos y reorganización en una organización benéfica o espiritual con la que te relacionas; el gurú o figura de gurú de tu vida pasa por dramas de aquellos que cambian la vida. Los padres o figuras parentales deben conducir con más prudencia y, si es posible, abstenerse de conducir; si deben, han de hacerlo con más cuidado. El planeta eclipsado, la Luna, rige a los hijos y figuras filiales, así que van a experimentar dramas personales; los acontecimientos producidos por el eclipse los obligarán a redefinirse otra vez, van a necesitar crearse una mejor imagen.

Agosto

Mejores días en general: 8, 9, 16, 17, 26, 27
Días menos favorables en general: 6, 7, 12, 13, 19, 20
Mejores días para el amor: 1, 2, 3, 5, 10, 11, 12, 13, 14, 15, 19, 20, 24, 25, 29, 30
Mejores días para el dinero: 1, 2, 3, 6, 8, 9, 13, 16, 17, 22, 26, 27, 29; 30
Mejores días para la profesión: 8, 9, 16, 17, 19, 20, 26, 27

Este mes hay más cambios en el trabajo y la salud. Lo que no se hizo con el eclipse solar del mes pasado se hace este mes. El 11 tenemos el tercer eclipse solar del año, y ocurre en tu sexta casa, la de la salud y el trabajo; el eclipse afecta especialmente a estas facetas pues el Sol, el planeta eclipsado, es también el señor de tu sexta casa. Así pues, hay más dramas en el lugar de trabajo; si eres empleador, ves más cambio de personal. Los hijos y figuras filiales deben tomar medidas correctivas en sus finanzas. Hay dramas en la vida de tíos y tías, o de las personas que hacen este papel en tu vida.

El 23 rompe el alba en tu año; es el momento de levantarse y comenzar la actividad. Llega el periodo para poner la atención en la profesión y los objetivos externos; el periodo para trabajar con los métodos del día, con actos. A esto se suma, con sincronía perfecta, que tu planeta de la profesión está en movimiento directo; lo retomó el 10 del mes pasado. Así pues, se despeja el camino para tu próximo empuje profesional.

Este mes hay mucho poder en tu sexta casa; esto indica que estás de ánimo para el trabajo; trabajas porque quieres, no porque debes, y esto te hace más productivo. Y este mes es bueno para hacer todas esas tareas aburridas, detallistas que sueles ir dejando para después. En el caso de que busques trabajo, tienes suerte todo el mes. Si no necesitas buscarlo, tienes oportunidades para hacer horas extras o trabajos secundarios.

Las finanzas se ven difíciles este mes; irán mejor después del 13 que antes pero de todos modos no irán como debieran; tu planeta del dinero, Marte, está en movimiento retrógrado, por lo que el juicio financiero no está en su mejor momento. A esto se suma que Marte está «fuera de límites» todo el mes. La necesidad de hacer ingresos te lleva fuera de tu esfera normal; esto podría causarte inseguridad; por otro lado, parece que no tienes otra opción; no hay soluciones financieras de la manera tradicional, tienes que salir de lo rutinario.

Aunque vas a hacer cambios en tu programa de salud, la salud se ve fundamentalmente buena. En el caso de que el eclipse sea causa de algún susto, es probable que sólo sea eso, un susto. Pero después del 22 tendrás que estar más atento a tu salud, no pasa nada desastroso, sólo que la energía está más baja que lo habitual.

Septiembre

Mejores días en general: 4, 5, 13, 14, 22, 23, 24
Días menos favorables en general: 2, 3, 9, 15, 16, 29, 30
Mejores días para el amor: 2, 3, 9, 13, 18, 19, 22, 23, 29
Mejores días para el dinero: 1, 4, 5, 10, 11, 13, 14, 20, 21, 22, 23, 24, 25, 26, 29, 30
Mejores días para la profesión: 4, 5, 13, 14, 15, 16, 22, 23, 24

El 22 del mes pasado, cuando el Sol entró en tu séptima casa, la del amor, comenzaste una cima amorosa y social anual. Y unos días antes, el 19, tu planeta del amor retomó el movimiento directo. Estos son puntos positivos para el amor.

Tu planeta del amor, Mercurio, pasó todo el mes pasado en tu sexta casa; esto significa que el lugar de trabajo era algo más que eso, era tu centro social; Mercurio sigue en tu sexta casa hasta el 6. Teniendo al Sol en tu séptima casa desde el 22 del mes pasado, el lugar de trabajo sigue siendo un centro social este mes. Hay oportunidades románticas con compañeros de trabajo, de romance de oficina; podría ocurrir que un compañero de trabajo hiciera de casamentero y te presentara a alguien. También te atraen los profesionales de la salud o personas relacionadas con tu salud.

El planeta de la salud en la casa del amor puede causar problemas en el amor: como un buen médico, la persona tiende a buscar imperfecciones o patologías en la relación; los motivos son buenos, los busca para remediarlos o atenuarlos; pero esto puede hacerla demasiado crítica, lo que sin duda mata el romance. Si logras evitar esta trampa, el amor irá bien. Si hay problemas en la relación, saldrán a la luz, no hay manera de esconderlos, pero procura mirar los puntos positivos también, de modo que tu perspectiva sea equilibrada.

La vida amorosa es más activa; si estás soltero o soltera y sin compromiso vas a salir más en citas y asistirás a más fiestas, pero no se ven probabilidades de boda este mes, no hay nada especial que respalde esto.

Las finanzas van mejor este mes; Marte retomó el movimiento directo el 27 del mes pasado; hasta el 24 sigue «fuera de límites», pero ya te sientes más seguro en tu nuevo entorno. El juicio financiero mejora: Marte recibe la ayuda de aspectos positivos después del 22. El mes debería ser próspero; la alta tecnología y el mundo online siguen siendo muy importantes en las finanzas. Personas de este tipo de industrias podrían tener un papel importante también. Y a partir del 11, presta atención a tu intuición; muchas veces la orientación financiera llega en sueños o a través de videntes, astrólogos, lectores de tarot o canalizadores espirituales. La Divinidad desea que seas rico, pero tienes que hacer las cosas a su manera.

Octubre

Mejores días en general: 2, 3, 10, 11, 20, 21, 29, 30
Días menos favorables en general: 1, 6, 7, 12, 13, 14, 27, 28
Mejores días para el amor: 1, 2, 3, 6, 7, 9, 10, 11, 17, 18, 19, 20, 21, 27, 28, 29, 30
Mejores días para el dinero: 1, 2, 3, 8, 9, 10, 11, 17, 18, 19, 20, 21, 22, 23, 27, 28, 29, 30
Mejores días para la profesión: 2, 3, 10, 11, 12, 13, 14, 20, 21, 29, 30

Este es un mes feliz. La salud y la energía son excelentes. Muchos planetas en Escorpio te forman aspectos muy buenos. Los regímenes de desintoxicación fortalecen la salud todo el mes; la buena salud no va de añadir cosas al cuerpo sino de limpiarlo de lo que no debe estar en él. Podrían recomendarte intervención quirúrgica, pero antes explora la desintoxicación.

Este es un mes sexualmente activo, procura no excederte; escucha a tu cuerpo, que te dirá cuándo ya has tenido suficiente.

Todo el año ha estado fuerte tu novena casa, la de la religión, la filosofía, la educación superior y viajes al extranjero, y este mes lo está especialmente. Hay muchas probabilidades de un viaje al extranjero, el que podría estar relacionado con el trabajo o la profesión. Este es un periodo fabuloso si eres estudiante universitario, tienes éxito en tus estudios.

El amor va mejor después del 10, cuando tu planeta del amor entra en Escorpio. Si estás soltero o soltera y sin compromiso, las oportunidades amorosas se presentan en la universidad o el colegio, o en funciones de estas instituciones, en funciones religiosas, en otro país o con personas extranjeras. El 19 y el 20 y del 28 al 30 son muy buenos días románticos; no creo que lleven a boda, pero son buenos para el romance.

Marte, tu planeta del dinero, pasa el mes en Acuario, tu casa doce. Con esto simplemente continúa la tendencia que hemos visto últimamente; favorece la intuición más que la razón; la intuición no es antirracional sino una forma superior de razón. Las finanzas van mejor antes del 23; después es necesario más trabajo, más esfuerzo.

El planeta del dinero en la casa doce indica una persona caritativa, y, como hemos visto en los meses pasados, favorece el «dinero milagroso», más que el «natural»; favorece el aprovisionamiento sobrenatural.

Este mes sólo hay un planeta en la mitad inferior de tu carta, el lado noche. El dominio planetario en el lado día es abrumador. Así pues, es el periodo para centrar la atención en tu profesión y en tus objetivos externos. El éxito en lo que se hace lleva a sentirse bien. Ahora sirves mejor a tu familia triunfando en el mundo.

Noviembre

Mejores días en general: 6, 7, 8, 16, 17, 25, 26
Días menos favorables en general: 2, 3, 9, 10, 23, 24, 29, 30
Mejores días para el amor: 1, 2, 3, 4, 5, 9, 10, 14, 15, 19, 20, 23, 24, 27, 28, 29, 30
Mejores días para el dinero: 4, 5, 8, 15, 16, 19, 20, 25, 26, 27
Mejores días para la profesión: 8, 9, 10, 19, 27

Aun cuando debes estar atento a la salud y la energía, este es un mes exitoso y próspero.

El 8 Júpiter sale de tu novena casa y entra en la décima, la de la profesión. El Sol entra en tu décima casa el 22, y Mercurio pasa la mayor parte del mes en ella. Hay, pues, elevación, reconocimiento y honores; un ascenso no sería una sorpresa.

Júpiter en su signo y casa a partir del 8 es más poderoso por tu bien de lo que ha sido en lo que va de año; está en el lugar que le corresponde por derecho, su casa. En ella expresa su energía sin ningún impedimento. Hay éxito, no sólo este mes sino también los doce próximos meses.

Júpiter rige el sector editorial, los estudios académicos, la religión y los viajes al extranjero. Todos estos campos se ven muy interesantes el año que viene. Y aun cuando no trabajes en estos campos, personas que sí trabajan en ellos podrían ser importantes en tu profesión.

Marte, tu planeta del dinero, entra en tu signo el 16; este es un tránsito maravilloso desde el punto de vista financiero; trae beneficios inesperados, artículos personales caros y el sentimiento y la imagen de la riqueza. Se te condiderará persona adinerada; las oportunidades financieras te perseguirán, no tendrás que buscarlas.

Del 24 al 28 el Sol viaja con Júpiter; esto trae felices oportunidades laborales y éxito en el trabajo.

La vida amorosa también se ve más prominente y activa este mes. Mercurio, tu planeta del amor, pasa el mes en tu décima casa, la de la profesión; esto nos da muchos mensajes: te atraen personas poderosas, de elevada posición y prestigio, y conocerás a este tipo de personas. Encuentras oportunidades amorosas y sociales cuando estás atendiendo a tus objetivos profesionales y con personas relacionadas con tu profesión. Entre los días 27 y 28 hay una feliz experiencia romántica o social, pero dado que Mercurio está en movimiento retrógrado, podría llegar con reacción retardada; Mercurio inicia movimiento retrógrado el 17; esto no impide hacer vida social, pero enlentece las cosas; a partir del 17 no hay necesidad de tomar ninguna decisión importante en el amor.

Diciembre

Mejores días en general: 4, 5, 14, 15, 23, 24, 31
Días menos favorables en general: 6, 7, 21, 22, 27, 28
Mejores días para el amor: 2, 3, 4, 5, 13, 14, 15, 23, 24, 27, 28
Mejores días para el dinero: 4, 5, 6, 13, 16, 17, 23, 24, 26
Mejores días para la profesión: 6, 7, 16, 26

Hasta el 21 continúas en una cima profesional anual; esta podría ser, si no «otra más», la cima de toda tu vida.

Sigues siendo una persona diurna, así que centra la atención en tu profesión y objetivos externos; por un tiempo puedes tener en un segundo plano los asuntos familiares y domésticos.

Este mes sigue siendo necesario estar atento a la salud; después del 21 habrá mejoría. Lo más importante es descansar lo suficiente. Hasta el 21 fortalece la salud con masajes en los muslos, y tal vez te vendría bien una limpieza del hígado con infusiones de hierbas; después del 21 continúa con los masajes en los muslos, para fortalecer la parte inferior de la espalda, que entonces será importante.

Marte en tu signo este mes es un aspecto bueno no sólo para la prosperidad, en especial del 5 al 7, sino también porque te da valor, energía y el ánimo de «ser capaz»; destacas en deporte y en programas de ejercicio, bates tu récord. Haces las cosas a toda prisa; el problema de esto es que podrías exigirle al cuerpo más de lo que puede dar; el principal peligro este mes es agotarte, quemarte.

El amor se ve feliz este mes. El 6 Mercurio retoma el movimiento directo (estaba en movimiento retrógrado desde el 17 del mes pasado), así que mejora mucho el juicio social, como también la seguridad en ti mismo en las actividades sociales. Hasta el 13 Mercurio está en tu novena casa; esto favorece a personas extranjeras, a personas religiosas y a personas muy cultas; te inclinas hacia personas de las que puedes aprender. El 13 Mercurio entra en tu décima casa, la de la profesión, y continúa en ella el resto del mes; esto favorece el éxito en la vida social; Mercurio está en el punto más alto de tu horóscopo, lo que indica que tienes muy en cuenta la vida social en tu agenda. Como el mes pasado, alternas con personas superiores a ti, personas poderosas y de prestigio. Gran parte de tu actividad social está relacionada con tu profesión, en especial del 20 al 22. Si estás soltero o soltera y sin compromiso en estos días hay fuertes oportunidades románticas; podría ser con un jefe o autoridad de la empresa en que trabajas o tal vez esta persona es el instrumento para que esto ocurra.

Esta posición también indica la importancia de los contactos sociales en la profesión. Tu capacidad para caer bien, tu simpatía, es tal vez tan importante como tus capacidades profesionales. Avanzas la profesión por medios sociales (y arduo trabajo). Te conviene asistir a las fiestas o reuniones adecuadas e incluso ofrecerlas.

Otros títulos de
Ediciones Urano

Linda Goodman

Los signos del Zodíaco y su carácter

Nunca antes se había escrito un libro serio y científico que fuera al mismo tiempo tan ameno y entretenido.

Este estudio constituye una valiosa ayuda para comprenderse mejor a uno mismo y para entender a las personas con las que se convive.

Este libro enseña lo que hay que hacer y lo que no se debe hacer con los nacidos bajo un determinado signo solar, lo que se puede esperar de cada uno y a lo que es mejor renunciar para evitarse frustraciones continuas.

Sería mucho decir que este libro le cambiará la vida, pero sí puede ayudarle a comprender mejor a sus hijos, a evitar conflictos innecesarios con su jefe, con su familia y amistades. Además le servirá de entretenimiento.

HOWARD SASPORTAS

Las doce casas

Esta obra llena un vacío en la bibliografía actual sobre temas relacionados con la astrología. Pues explora de forma detallada el campo de la experiencia asociado con cada una de las doce casas, dilucidando no sólo lo concreto y tangible, sino también el significado de las esferas más profundas y sutiles de la vida. *Las doce casas* nos ofrece una orientación para la interpretación de los planetas y los signos a través de las casas, incluyendo los nodos lunares y el planeta Quirón. Con numerosas cartas para ejemplificar e ilustrar las técnicas y principios expuestos.

DULCE REGINA

Almas gemelas

Con nuestra alma gemela compartimos destino. Nos separamos de ella para adquirir experiencia y progresar. El reencuentro es inevitable.

«He escrito este libro para aquellos que deseen evolucionar. Que sepan que todas las acciones, las palabras y los pensamientos dejan una huella en nosotros, y también que es posible quemar los registros negativos del pasado, y crear otros nuevos y mejores, ensalzando aquello que hay de positivo en nuestro interior. Es posible sintonizar con la grandiosidad del Universo, es posible redescubrir la luz propia, es posible volver hacia la esencia Divina.»

Louise L. Hay

Calendario 2018

ABRE LA PUERTA AL NUEVO AÑO.
CONSTRÚYETE UNA NUEVA VIDA

Refuerza la confianza en ti mismo y encuentra la armonía, el equilibrio, la flexibilidad y la paz que necesitas para superar todos los obstáculos y cruzar con alegría todos los puentes. Louise L. Hay, autora del bestseller *Usted puede sanar su vida*, te ofrece una afirmación positiva para cada día del año. Para que día a día, durante doce meses, puedas ser el mejor amigo de ti mismo.

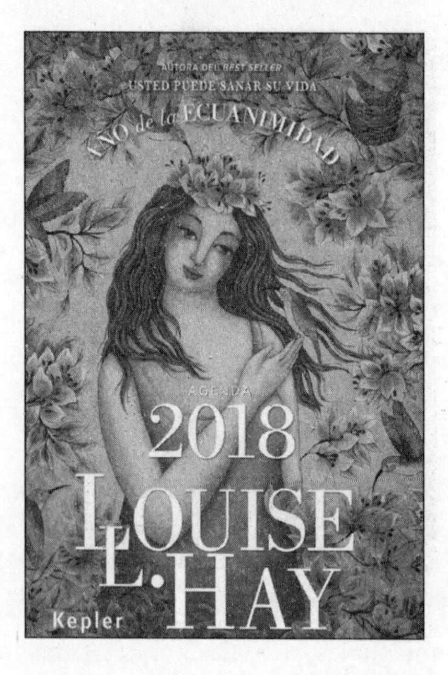

Louise L. Hay

Agenda 2018

AÑO DE LA
ECUANIMIDAD

Estamos tan acostumbrados a vivir en una montaña rusa emocional que nos parece normal que nuestra felicidad o desdicha dependan de las circunstancias externas. Pero la felicidad nos es innata y no depende de ningún factor externo. Para reencontrarla, es necesario deshacerse de pensamientos falsos, que generan emociones potencialmente destructivas. Por eso, propongo que este año trabajemos la ecuanimidad.

La constancia de ánimo o ecuanimidad se logra mediante tres sencillos pasos: ser conscientes de nuestras emociones, aceptarlas y sustituir las negativas por pensamientos que nos ayuden a equilibrarnos. Si les damos la importancia justa que merecen, podremos valorarlas por lo que son: una forma de energía que podemos utilizar a nuestro favor o en nuestra contra.

Pertenecemos a un Universo pletórico de vida, en el cual todo y todos estamos interrelacionados. Lo que nos afecta a nosotros afectará también al resto del planeta. Por ello, te invito a que salgas de tu burbuja emocional, te observes objetivamente y reflexiones sobre la relativa importancia que tienen las cosas que te afligen.

¡Bienvenido al 2018 y a las maravillosas oportunidades que nos ofrece para ser felices!

STEPHANIE MARANGO
Y REBECCA GORDON

Astrología y Salud

UNA GUÍA
DE BIENESTAR
BASADA EN
EL ZODIACO

El cuerpo humano no es sino la expresión física de energías complejas y poderosas. En cada región del organismo, de la cabeza a los pies, se manifiestan aspectos emocionales, mentales y espirituales directamente relacionados con los doce signos del zodiaco.

La doctora Stephanie Marango y la astróloga Rebecca Gordon se unen por primera vez para crear una guía práctica que profundiza en los detalles de los doce signos en relación con nuestros pensamientos, emociones y aspectos físicos, tres ámbitos que se encuentran íntimamente interconectados y que debemos abordar desde una perspectiva integral.

Empezando por Aries y acabando por Piscis, exploraremos cada una de las regiones de nuestro cuerpo y descubriremos cómo la energía del signo que lo gobierna nos puede ayudar a sintonizar con nuestro verdadero yo. Cada capítulo nos ofrece estrategias para identificar los bloqueos de energía e incluye consejos prácticos, reflexiones, meditaciones, propuestas de dieta e interesantes ejercicios inspirados en el yoga, el pilates y otras disciplinas para restaurar el flujo de energía en los distintos planos que conforman nuestro ser.

Un revolucionario programa para recuperar el bienestar y disfrutar de paz mental y espiritual mediante el poder sanador del cosmos.